PIRATES

Michael Crichton

PIRATES

Traduit de l'anglais (États-Unis)
par Christine Bouchareine

ÉDITIONS FRANCE LOISIRS

Titre original : PIRATE LATITUDES

Édition du Club France Loisirs,
avec l'autorisation des Éditions Robert Laffont.

Éditions France Loisirs,
123, boulevard de Grenelle, Paris.
www.franceloisirs.com

© Michael Crichton, 2009.
© Éditions Robert Laffont, S.A., Paris, 2010, pour la traduction française.

ISBN : 978-2-298-04375-4

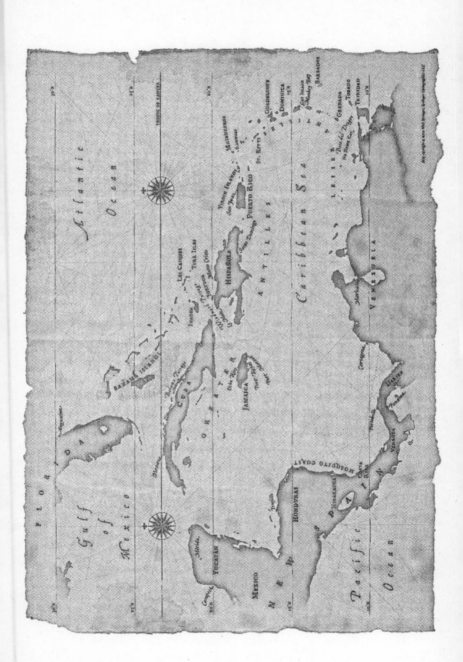

PREMIÈRE PARTIE

PORT ROYAL

1

Sir James Almont, gouverneur de la Jamaïque de par la grâce du roi Charles II, se levait généralement tôt. D'abord, parce que ce veuf, les années passant, souffrait de plus en plus de la goutte, mais aussi parce qu'il tenait à profiter des quelques heures de fraîcheur précédant la chaleur et l'humidité qui s'abattaient sur la colonie jamaïcaine dès le milieu de la matinée.

Au matin du 7 septembre 1665, fidèle à sa routine, Sir James Almont quitta son lit pour se rendre directement à la fenêtre afin de juger sous quels auspices se présentait la journée. Le palais du gouverneur, une impressionnante demeure en brique couverte d'un toit de tuile rouge, se trouvait être la seule construction sur trois niveaux de Port Royal. Elle offrait ainsi à Sir James, de sa chambre au dernier étage, une vue unique sur la cité. Dans les rues en contrebas, les allumeurs de réverbères se chargeaient à présent de les éteindre. Sur Ridge Street, la première patrouille de la garnison ramassait les ivrognes et les cadavres étalés dans la boue alors que, juste sous ses fenêtres, résonnait le grondement du premier tombereau des porteurs d'eau qui revenaient du Rio Cobra, situé à quelques kilomètres de la ville, leurs barriques remplies d'eau fraîche. Sinon, tout était calme. Port Royal jouissait d'un bref répit entre le moment où les derniers fêtards, hébétés par l'alcool, avaient cessé de brailler et le début de l'activité commerciale, du côté des docks.

Délaissant les rues étroites et encombrées pour ramener son regard vers le port, Sir James contempla la forêt de mâts et les centaines de navires de tous gabarits mouillés dans la baie ou amarrés aux quais. Il aperçut au loin un brick anglais qui avait jeté l'ancre de l'autre côté de la caye, au large du récif de Rackham. Sans doute arrivé pendant la nuit, il avait prudemment choisi d'attendre le jour pour entrer au port. D'ailleurs, sous les yeux du gouverneur, il déferla ses huniers dans l'aube naissante tandis que deux chaloupes se détachaient de la côte, près du fort Charles, afin de le haler jusqu'au port.

Le gouverneur Almont, ou James le dixième comme d'aucuns le surnommaient en raison de sa tendance à détourner vers ses coffres personnels un dixième des prises des corsaires, quitta sa fenêtre et, clopinant sur sa jambe gauche fort douloureuse, partit faire sa toilette. Aussitôt le navire marchand fut oublié car, en ce matin précis, Sir James avait la désagréable obligation d'assister à une pendaison.

La semaine précédente, les soldats avaient capturé une fripouille, un Français du nom de Leclerc, accusé d'avoir mis à sac le village d'Ocho Rios, sur la côte septentrionale de l'île. Grâce au témoignage de quelques survivants, il avait été condamné à être pendu publiquement au gibet de High Street. Le gouverneur Almont ne s'intéressait pas plus au Français qu'à son châtiment ; il lui incombait cependant d'assister à l'exécution. D'où cette déplaisante matinée en perspective.

Richards, son valet, pénétra dans la pièce.

— Bonjour, Votre Excellence. Voici votre bordeaux, dit-il en lui tendant un verre que le gouverneur vida d'un trait.

Richards prépara ensuite son nécessaire de toilette : une cuvette remplie d'eau de rose, une autre avec des baies de myrte pilées, ainsi qu'un bol de poudre dentifrice et une brosse à dents.

Pendant que Sir James commençait ses ablutions, son valet vaporisa bruyamment du parfum dans la pièce, comme tous les matins.

— Chaude journée pour une pendaison ! remarqua-t-il.

Almont l'approuva d'un grognement tout en enduisant sa chevelure clairsemée de pâte de myrte. À cinquante et un ans, il perdait ses cheveux depuis une dizaine d'années. Bien que peu coquet de sa personne, il employait diverses préparations pour lutter contre ce désagrément, somme toute peu affligeant car il portait le plus souvent un chapeau qui dissimulait sa calvitie naissante. Il y avait déjà quelques années que sa préférence allait aux baies de myrte, un ancien remède prescrit par Pline. Il usait également d'une pommade à base d'huile d'olive, de cendre et de bouillie de vers de terre pour empêcher ses cheveux de blanchir. Mais cette mixture empestait tellement qu'il l'utilisait moins souvent qu'il ne l'aurait dû.

Le gouverneur se rinça ensuite la tête à l'eau de rose, puis il s'essuya avec une serviette et jaugea son allure dans le miroir.

Sa position de premier dignitaire de la colonie jamaïcaine lui donnait, entre autres, l'insigne avantage de posséder le meilleur miroir de l'île. D'une dizaine de pouces d'envergure, d'excellente qualité, sans ride ni défaut, il avait été expédié depuis Londres à un marchand de la ville, à qui Sir James l'avait confisqué sous le premier prétexte venu. Il n'hésitait pas à avoir recours à de tels procédés, convaincu de surcroît qu'ils lui permettaient d'asseoir son autorité. L'ancien gouverneur, Sir William Lytton, l'avait d'ailleurs averti lors de leur rencontre à Londres : « La Jamaïque n'est pas une terre que la morale étouffe. » Sir James avait eu de nombreuses occasions de vérifier ce doux euphémisme au fil des ans. C'était si bien trouvé ! Il n'avait lui-même aucun talent d'orateur : il s'exprimait avec une brusquerie frisant la grossièreté, sans compter qu'il était d'un tempérament affreusement coléreux, qu'il attribuait à sa goutte.

Tout en s'examinant dans le miroir, il se promit d'aller voir au plus tôt Enders, son barbier, pour tailler la barbe fournie qu'il portait afin de masquer son déplaisant profil de fouine.

Il poussa un grognement et, ramenant son attention sur sa toilette, plongea un doigt mouillé dans le pot de poudre composée de tête de lièvre pilée, de peau de grenade et de fleurs de pêcher. Il en frotta énergiquement ses dents tout en fredonnant.

Richards s'était approché de la fenêtre et regardait le navire marchand entrer dans le port.

— Il paraît que c'est le *Godspeed*, monseigneur.

— Ah bon ?

Sir James se rinça la bouche d'une gorgée d'eau de rose, la recracha et s'essuya les dents avec la serviette prévue à cet effet, une élégante pochette de soie rouge bordée de dentelle qui venait de Hollande. Il en possédait quatre, autre signe de sa place prépondérante dans la colonie. Mais l'une d'elles avait été abîmée par une écervelée de servante qui l'avait lavée, selon la coutume locale, en la frottant avec des pierres. Il était difficile de se faire bien servir sur cette île, ainsi que l'avait également souligné Sir William.

Richards était une exception. Une vraie perle : étonnamment propre pour un Écossais, fidèle et raisonnablement sérieux. Le gouverneur pouvait en outre compter sur lui pour connaître les ragots et les faits et gestes de la ville, qui, sans cela, n'auraient jamais atteint ses oreilles.

— Le *Godspeed*, dites-vous ?

— Oui, monseigneur, répondit Richards tout en préparant sur le lit la tenue de son maître.

— Mon nouveau secrétaire est-il à bord ?

D'après les missives reçues le mois précédent, le *Godspeed* était censé lui amener son nouvel assistant, un certain Robert Hacklett. Sir James n'en avait jamais entendu parler et brûlait d'impatience de le connaître. Huit mois s'étaient déjà écoulés depuis que Lewis, son secrétaire, était mort de dysenterie.

— Je pense, monseigneur.

Sir James passa à son maquillage. Il commença par se recouvrir le visage et le cou d'une poudre à base de céruse et de vinaigre destinée à lui donner une bienséante pâleur. Puis il appliqua sur ses joues et ses lèvres une teinture rouge, extraite du varech.

— Souhaitez-vous faire reporter la pendaison, monseigneur ? demanda Richards en lui tendant une cuillerée d'huile médicinale.

— Non, ce ne sera pas utile, répondit Almont avant de l'avaler, non sans une grimace.

Il s'agissait d'huile de chien roux, concoctée à Londres par un Milanais et réputée guérir la goutte. Sir James en prenait consciencieusement chaque matin.

Il entreprit ensuite de se vêtir. Richards avait préparé son plus bel habit officiel. Sir James enfila une fine tunique de soie blanche, une culotte bleu pâle et, pour finir, un épais pourpoint en velours affreusement chaud mais incontournable en cette matinée consacrée aux devoirs de sa charge. Son meilleur chapeau à plumes complétait cet ensemble.

Ces préparatifs avaient pris près d'une heure. Par la fenêtre ouverte, Sir James entendait les rues s'animer au fur et à mesure que la ville s'éveillait.

Il recula d'un pas pour permettre à Richards d'inspecter sa tenue. Le valet ajusta son jabot puis hocha la tête d'un air approbateur.

— Le commandant Scott vous attend dans votre voiture, Votre Excellence.

— Très bien.

Lentement, souffrant à chaque pas d'un élancement dans le pied gauche, déjà en sueur sous son pourpoint lourdement brodé, son maquillage dégoulinant le long de son visage et de ses oreilles, le gouverneur de La Jamaïque descendit l'escalier de sa demeure et rejoignit son carrosse.

2

Pour cet homme atteint de la goutte, le moindre trajet en voiture sur des rues pavées représentait un supplice. Cette raison suffisait largement à Sir James pour détester les pendaisons. Mais ce n'était pas la seule : il exécrait ces incursions au cœur de son territoire, préférant de loin s'en tenir à la vue qu'il en avait de sa fenêtre.

En 1665, Port Royal était en pleine expansion. Dix ans à peine s'étaient écoulés depuis que l'expédition de Cromwell avait arraché la Jamaïque aux Espagnols et que, de misérable bande de sable déserte et malsaine, Port Royal s'était transformé en un infâme coupe-gorge surpeuplé. Une chose était sûre, Port Royal était riche. Certains prétendaient même que c'était la ville la plus prospère du monde, mais cela ne la rendait pas plus agréable pour autant. Seules quelques rues avaient été empierrées grâce aux pavés embarqués en guise de ballast sur les navires en partance d'Angleterre. La plupart des artères n'étaient que de simples voies boueuses creusées d'ornières, puant les ordures et le crottin, infestées de mouches et de moustiques. Elles étaient bordées de constructions grossières, en brique ou en bois, qui abritaient une succession ininterrompue de tavernes, d'estaminets, de tripots et de bordels où se précipitaient chaque jour un bon millier de marins et autres voyageurs descendus à terre. On y trouvait aussi quelques échoppes tenues par d'honorables commerçants ainsi qu'une église, au nord de la ville, hélas « peu fréquentée », comme Sir William Lytton l'avait si joliment formulé.

Bien sûr, Sir James et ses domestiques assistaient à l'office chaque dimanche, aux côtés des rares dévots de cette population de huit mille âmes. Mais le sermon se trouvait souvent interrompu par l'arrivée d'un marin ivre qui braillait des blasphèmes et des jurons. Un jour, un poivrot avait même tiré des coups de feu. Sir James l'avait fait mettre quinze jours au cachot, mais il devait se montrer prudent dans l'application des châtiments. Pour reprendre les termes de Sir William, une fois encore, l'autorité du gouverneur de la Jamaïque avait « la finesse et la fragilité d'un fragment de parchemin ».

Après sa nomination par le roi, Sir James avait passé une soirée fort édifiante en compagnie de Sir William. Ce dernier lui avait expliqué le fonctionnement de la nouvelle colonie. Sir James l'avait écouté avec attention et croyait avoir compris ; hélas, on ne pouvait imaginer la vie dans le Nouveau Monde tant qu'on ne s'y était pas soi-même frotté.

Et, tandis que son carrosse circulait dans les rues pestilentielles de Port Royal, Sir James s'émerveilla de tout ce qu'il en était venu à accepter comme parfaitement naturel : la chaleur, les mouches et la puanteur ; le commerce basé sur le vol et la corruption ; l'insolence de ces soudards de corsaires. Il avait dû s'adapter de mille et une façons, allant jusqu'à s'habituer à dormir malgré les beuglements des ivrognes et les coups de feu dont le port retentissait chaque nuit.

Mais il y avait des fléaux auxquels il ne s'accoutumerait jamais, et le pire d'entre eux se trouvait devant lui : le commandant Scott, chef de la garnison du fort Charles, arbitre autoproclamé de la bienséance et de la courtoisie.

— J'espère que Votre Excellence a passé une bonne nuit et qu'elle est donc en excellente forme pour affronter les épreuves de la matinée, déclara ce dernier en chassant d'une chiquenaude une particule de poussière invisible sur son uniforme.

— J'ai très bien dormi, répondit sèchement Sir James.

Il songea, pour la énième fois, combien la sécurité de la Jamaïque était menacée depuis qu'on avait nommé, à la tête de la garnison, ce pantin efféminé au lieu d'un militaire digne de ce nom.

— J'ai cru comprendre, poursuivit le commandant en portant à ses narines un mouchoir parfumé, que ce Leclerc se montrait en d'excellentes dispositions et que tout était prêt pour son exécution.

— Vous m'en voyez ravi ! opina Sir James, les sourcils froncés.

— Et l'on m'a signalé que le navire marchand *Godspeed* jetait l'ancre dans le port à l'instant même où nous parlons. Parmi ses passagers se trouverait M. Hacklett, votre nouveau secrétaire.

— Prions le Ciel qu'il soit plus sensé que le précédent.

— Certes, acquiesça le commandant avant de se résoudre, enfin, à garder le silence.

Le carrosse déboucha sur la grand-place de High Street où la foule s'était rassemblée pour assister à la pendaison. À leur descente de voiture, Sir James et le commandant Scott furent salués par quelques acclamations.

Sir James répondit d'un bref salut de la tête ; le commandant s'inclina profondément.

— L'ambiance me paraît idéale, commenta ce dernier. Je suis toujours réconforté par la présence de tant d'enfants et de jeunes garçons. Quelle leçon édifiante pour eux, ne trouvez-vous pas ?

— Mmm…

Sir James s'avança vers le devant de la foule et s'abrita à l'ombre du gibet. Celui de High Street restait dressé en permanence tant il était utilisé. C'était une simple potence à laquelle pendait un robuste nœud coulant, moins de deux mètres au-dessus du sol.

— Où est le prisonnier ? s'enquit Sir James d'un ton irrité.

On ne le voyait nulle part : le gouverneur s'impatientait, nouant et dénouant ses mains derrière son dos. Enfin, ils entendirent le roulement de tambour caractéristique annonçant l'arrivée de la charrette. Quelques secondes plus tard, des cris et des rires fusèrent de la foule, qui s'écarta pour la laisser passer.

Le prisonnier se tenait debout, les mains liées dans le dos, sa tunique en toile grise constellée d'immondices que les badauds lui jetaient en le conspuant. Et pourtant, il gardait la tête haute.

— Il fait vraiment bonne figure, Votre Excellence ! murmura Scott.

Sir James émit un grognement.

— J'apprécie les hommes qui savent mourir avec *finesse*[1].

Sir James ne répondit pas. Le tombereau fut amené près du gibet, puis tourné de façon à présenter le prisonnier face à la foule. Le bourreau, Henry Edmonds, s'approcha du gouverneur et le salua très bas.

— Bonne journée à vous, Votre Excellence, et à vous, commandant Scott ! J'ai l'honneur de présenter le Français Leclerc, récemment condamné par l'Audiencia…

— Qu'on en finisse, Henry ! le coupa Sir James.

— Très certainement, Votre Excellence.

Le bourreau, visiblement froissé, exécuta une nouvelle courbette et retourna à la charrette. Il monta à côté du prisonnier et lui passa le nœud coulant autour du cou. Puis il reprit sa place derrière la mule. Suivit un moment de silence qui dura un peu trop longtemps.

Le bourreau finit par s'impatienter.

— Teddy, grouille-toi, sacrebleu ! aboya-t-il.

1. En français dans le texte. (*N.d.T.*)

22

Aussitôt un jeune garçon, qui n'était autre que son fils, se mit à battre le tambour à toute vitesse. Le bourreau se retourna vers la foule. Il leva son fouet en l'air et frappa sa mule ; la charrette s'avança dans un grincement et le condamné, brutalement suspendu au bout de la corde, se retrouva, battant l'air de ses jambes.

Sir James regardait le Français se démener. Un chuintement sortit de sa gorge écrasée et, pendant que son visage se violaçait, il se mit à donner des coups de pied de plus en plus violents, à quelques pouces à peine du sol boueux. Ses yeux semblèrent jaillir de sa tête et sa langue saillit entre ses lèvres tandis que son corps se convulsait.

— Très bien, dit enfin Sir James avec un signe de tête vers la foule.

Aussitôt s'en détachèrent deux costauds, des amis du condamné, qui s'empressèrent de le saisir par les pieds et de le tirer pour lui briser le cou afin d'écourter ses souffrances. Mais ils s'y prirent si mal et le pirate était si résistant qu'il les traîna dans la boue en se débattant. Son agonie se prolongea ainsi quelques secondes avant qu'il ne cesse enfin de bouger.

Les hommes s'écartèrent. De l'urine dégoulina le long du pantalon de Leclerc et goutta sur la boue. Le corps continuait à se balancer mollement au bout de la corde.

— Belle exécution ! déclara le commandant Scott avec un large sourire et il lança une pièce d'or au bourreau.

Sir James se détourna et remonta en voiture en pensant qu'il mourait de faim. Afin d'aiguiser son appétit, et de repousser par la même occasion les infects relents de la ville, il se permit une pincée de tabac à priser.

Ce fut le commandant Scott qui suggéra de passer par le port afin de s'enquérir du secrétaire. Le carrosse s'avança le plus près possible du débarcadère : le cocher savait que le gouverneur n'aimait pas marcher plus que nécessaire. Il ouvrit la porte ; Sir James descendit avec une grimace de douleur dans l'air fétide du matin.

Il se trouva face à un inconnu d'une trentaine d'années à peine qui, comme lui, transpirait sous son pourpoint.

Le jeune homme s'inclina avec respect.

— Votre Excellence.

— À qui ai-je le plaisir de m'adresser ? demanda Sir James, avec un bref salut de la tête.

Sa douleur dans la jambe l'empêchait depuis longtemps de s'incliner et il détestait ces simagrées inutiles.

— Charles Morton, monseigneur, capitaine du navire marchand *Godspeed*, en provenance de Bristol, répondit le jeune homme en lui présentant ses papiers.

— Quelles marchandises transportez-vous ? poursuivit Sir James sans prendre la peine de les regarder.

— Du drap de laine du sud-ouest de l'Angleterre, Votre Excellence, ainsi que du verre de Stourbridge et des articles en fer. Votre Excellence tient le manifeste entre ses mains.

— Avez-vous des passagers ? poursuivit Sir James en ouvrant le document.

Ne voyant que des lignes floues, il s'aperçut qu'il avait oublié de mettre ses lunettes et il referma le dossier d'un geste impatient.

— Je transporte M. Robert Hacklett, le nouveau secrétaire de Votre Excellence, et son épouse. Ainsi que huit roturiers libres qui souhaitent exercer le commerce ici. Et j'amène trente-sept criminelles envoyées de Londres par Lord Ambritton pour servir d'épouses aux colons.

— Lord Ambritton est trop bon ! répondit sèchement Sir James.

Il arrivait fréquemment qu'un notable d'une grande ville anglaise décide ainsi d'expédier des détenues à La Jamaïque, se libérant par la même occasion du coût de leur entretien en prison. Sir James ne se faisait aucune illusion sur l'avenir de ces femmes.

— Et où est M. Hacklett ?

— Il est encore à bord où il rassemble ses affaires avec Mme Hacklett, Votre Excellence, répondit le capitaine Morton en se dandinant d'un pied sur l'autre. Mme Hacklett a fait une traversée très pénible, Votre Excellence.

— Cela n'a rien d'étonnant ! rétorqua Almont, irrité que son secrétaire ne soit pas encore descendu à quai le rencontrer. M. Hacklett apporte-t-il des dépêches à mon intention ?

— Je pense, monseigneur.

— Ayez la bonté de lui demander de se présenter au palais du gouverneur dès que possible.

— Je n'y manquerai pas, Votre Excellence.

— Vous devez attendre l'arrivée du contrôleur et de M. Gower, l'inspecteur des douanes, qui vérifiera votre manifeste et supervisera le déchargement des marchandises. Avez-vous beaucoup de décès à déclarer ?

— Seulement deux, Votre Excellence, de simples marins. Le premier est passé par-dessus bord, le second est mort d'hydropisie. Sinon, je ne serais jamais entré au port.

Almont hésita.

— Que voulez-vous dire ?

— Si j'avais eu un décès dû à la peste, Votre Excellence.

Almont fronça les sourcils sous la chaleur de plus en plus accablante.

— La peste ?

— Votre Excellence n'est pas sans savoir que la peste a frappé Londres et plusieurs villes des environs.

— Je l'ignorais totalement ! Il y a la peste à Londres ?

— Hélas, monseigneur, cela fait plusieurs mois qu'elle sévit et ne cesse de s'étendre, entraînant un grand chaos et de lourdes pertes en vies humaines. Elle serait venue d'Amsterdam.

Sir James soupira. Il comprenait brusquement pourquoi aucun navire n'était arrivé d'Angleterre ces dernières semaines et pourquoi il n'avait reçu aucun courrier de la Cour. Se souvenant de la peste qui avait sévi à Londres dix ans auparavant, il espéra que sa sœur et sa nièce avaient eu la présence d'esprit de se réfugier dans leur propriété à la campagne. Mais il ne s'inquiéta pas outre mesure : le gouverneur acceptait les calamités avec sérénité. Il vivait lui-même sous la menace quotidienne de la dysenterie et des fièvres tropicales qui emportaient chaque semaine plusieurs habitants de Port Royal.

— Je veux tout savoir. Je vous en prie, venez dîner ce soir.

— Avec grand plaisir, répondit Morton, s'inclinant à nouveau. Je suis très honoré de l'invitation de Votre Excellence.

— Attendez de voir le peu que nous offre cette pauvre colonie ! Une dernière chose, capitaine : je manque cruellement de servantes dans ma demeure. Les dernières esclaves qu'on m'a livrées étaient malades et aucune n'a survécu. Je vous serais infiniment reconnaissant de faire envoyer les détenues au palais dès que possible ; je me chargerai de leur répartition.

— Votre Excellence.

Sir James lui accorda un dernier hochement de tête sec et bref, puis il remonta laborieusement dans son carrosse et poussa un soupir de soulagement en se laissant tomber sur le siège.

— Que la ville empeste, aujourd'hui ! s'exclama le commandant Scott tandis qu'ils repartaient vers le palais.

En effet, longtemps après, cette pestilence emplissait encore les narines du gouverneur, qui ne put s'en débarrasser qu'en prisant une nouvelle pincée de tabac.

3

Après avoir revêtu une tenue moins chaude, le gouverneur Almont prit son petit déjeuner, seul, dans la salle à manger. Selon son habitude, il se contenta d'un repas léger composé de poisson poché avec un peu de vin, suivi d'un des rares plaisirs que lui apportait son poste, une tasse de café bien corsé. Depuis son arrivée à la Jamaïque, il avait appris à apprécier cette boisson riche et raffinée et se réjouissait de pouvoir en consommer à volonté alors qu'elle était encore si rare en Angleterre.

Pendant qu'il finissait son café, John Cruikshank, son assistant, entra. Ce puritain au teint cireux s'était vu forcé de quitter précipitamment Cambridge quand Charles II avait retrouvé son trône. Il était sérieux, ennuyeux mais relativement honnête.

— Les détenues sont arrivées, Votre Excellence.

Sir James laissa échapper une grimace et s'essuya les lèvres.

— Envoyez-les-moi. Sont-elles propres, John ?

— À peu près, monseigneur.

— Faites-les donc entrer.

Les femmes pénétrèrent en désordre dans la pièce, en commentant bruyamment tout ce qu'elles voyaient. L'assistant les fit s'aligner le long d'un mur puis Sir James se leva pesamment pour passer en revue cette troupe indisciplinée, vêtue de futaine grise, pieds nus, les cheveux embroussaillés.

Les femmes se turent et, pendant qu'il les examinait l'une après l'autre, on n'entendit plus que le frottement de son pied malade sur le sol.

Elles lui paraissaient toutes plus affreuses et vulgaires les unes que les autres. Il s'arrêta devant une femme plus grande que lui, édentée, le visage grêlé, l'œil mauvais.

— Comment t'appelles-tu ?

— Charlotte Bixby, monseigneur, répondit-elle, esquissant une révérence maladroite.

— Et pourquoi t'a-t-on condamnée ?

— J'ai rien fait, j'vous jure, monseigneur ! C'est faux tout ce qu'on a dit sur moi…

— Elle a tué son mari, John Bixby, énonça l'assistant, en consultant la liste qu'il tenait à la main.

La meurtrière se tut. Almont continua son inspection. Chaque nouveau visage lui semblait plus laid que le précédent. Il avisa une matrone à la mine maussade, aux cheveux noirs en bataille, avec une longue balafre jaune sur le cou.

— Ton nom ?

— Laura Peale.

— De quel crime es-tu accusée ?

— Z'ont dit qu'j'avais volé l'port'feuille d'un gentilhomme.

— Elle a étouffé ses deux enfants de quatre et sept ans, continua John d'une voix monocorde, sans lever les yeux de sa liste.

Sir James secoua la tête. Ces femelles seraient dans leur élément à Port Royal : elles étaient aussi rustres et coriaces que le plus endurci des corsaires. Quant à en faire des épouses, c'était impossible ! Il poursuivit son inspection et arriva devant une fille blonde au teint pâle qui lui parut étonnamment jeune et tout à fait déplacée parmi ces harpies repoussantes.

Elle devait avoir à peine quatorze ou quinze ans. Il émanait de ses yeux d'un bleu très clair une étrange douceur mêlée d'innocence.

— Comment t'appelles-tu, mon enfant ? demanda-t-il avec une soudaine bienveillance.

— Anne Sharpe, monseigneur, répondit-elle dans un souffle, baissant les yeux avec modestie.

— Quel crime as-tu commis ?

— J'ai volé, monseigneur.

Sir James interrogea John du regard ; l'assistant hocha la tête.

— Vol au logis d'un gentleman, Gardiner's Lane, à Londres.

— Je vois…

Sir James se retourna vers la fille qui gardait les yeux baissés. Il ne put se résoudre à être sévère avec elle.

— J'ai besoin d'une servante. Vous travaillerez ici, Mistress Sharpe.

— Votre Excellence, l'interrompit John, pourrais-je vous dire un mot en particulier ?

Ils s'écartèrent des femmes. L'assistant brandit la liste d'un air agité.

— Ce document précise qu'elle a été accusée de sorcellerie lors de son procès.

— Ça ne m'étonne pas, gloussa Sir James.

Les jolies filles en étaient souvent soupçonnées.

— Votre Excellence, insista John, animé soudain d'un zèle puritain, il est même écrit qu'elle porte les stigmates du Diable !

Sir James considéra l'enfant blonde et timide. Il doutait fort que ce soit une sorcière. Il savait deux ou trois choses à leur sujet. En particulier qu'elles possédaient des yeux d'une couleur étrange, qu'un courant d'air glacé les entourait, que leur peau était froide comme celle d'un reptile. Elles avaient aussi un sein en plus.

Anne Sharpe, il en était certain, n'en était pas une.

— Qu'on la lave et qu'on lui donne des vêtements !

— Votre Excellence, puis-je vous rappeler les stigmates…

— Je les chercherai moi-même plus tard.

John s'inclina.

— Comme vous voudrez, Votre Excellence.

Pour la première fois, Anne Sharpe releva les yeux pour dévisager le gouverneur et sourit imperceptiblement.

4

— Sans vouloir vous offenser, Sir James, je dois avouer que rien ne m'avait préparé au choc que j'ai éprouvé à mon arrivée dans ce port.

M. Robert Hacklett, maigre, jeune, nerveux, arpentait la pièce tandis que son épouse, une jeune femme brune et mince, à l'allure étrangère, assise bien raide sur son siège, fixait Sir James.

Le gouverneur était installé derrière son bureau ; sa jambe malade, posée sur un oreiller, le lançait. Il prenait son mal en patience.

— Je m'attendais à trouver dans la capitale de la colonie jamaïcaine de Sa Majesté un semblant de dignité chrétienne et de respect de la loi. Ou, pour le moins, quelques signes de rétorsion contre les vagabonds et les rustres qui sévissent ouvertement dans la ville. Imaginez qu'alors même que nous descendions en calèche les rues de Port Royal, si l'on peut appeler cela des rues, un abominable ivrogne a jeté à ma femme des imprécations qui l'ont bouleversée.

— Vraiment ! souffla Sir James.

Emily Hacklett hocha la tête sans rien dire.

C'était une jolie femme, quoique très typée, mais c'était justement le genre qui plaisait au roi Charles. Sir James devinait sans mal comment M. Hacklett s'était attiré les faveurs de la Cour au point de se voir attribuer le lucratif poste de secrétaire du gouverneur de La Jamaïque. Il ne faisait aucun doute qu'Emily Hacklett avait moult fois senti sur elle le poids du ventre royal.

Sir James soupira.

— Sans compter que nous fûmes affligés de tous côtés par le spectacle répugnant de ces femmes de mauvaise vie qui s'affichent à moitié nues dans les rues quand elles ne vous hèlent pas du haut de leurs fenêtres, sans parler des ivrognes qui vomissent sur la chaussée, des voleurs, et des pirates qui braillent et sèment le désordre à chaque carref…

— Des pirates ? l'interrompit sèchement Sir James.

— En effet, c'est le nom qui me vient tout naturellement aux lèvres pour désigner ces coupe-jarrets, et nul doute qu'ils…

— Il n'y a pas de pirates à Port Royal ! tonna Sir James d'une voix cassante, maudissant son dépravé de roi qui, sur un simple caprice, l'avait affublé de ce crétin prétentieux comme assistant.

À l'évidence, ce Hacklett ne lui serait d'aucune utilité.

— Il n'y a pas de pirates dans cette colonie, répéta Sir James. Et si jamais vous en trouvez un, il sera dûment jugé et pendu. Telle est la loi de la Couronne et nous l'appliquons à la lettre.

— Sir James, protesta Hacklett, incrédule, vous jouez sur les mots alors que des preuves du contraire courent les rues de la ville !

— Vous trouverez la preuve du contraire pendue au gibet de High Street où le corps d'un pirate se balance à l'heure même dans la brise. Eussiez-vous débarqué un jour plus tôt, vous auriez pu assister en personne à son exécution, ajouta Sir James avec un long soupir. Asseyez-vous et taisez-vous, sinon je vais finir par penser que vous êtes encore plus idiot que je ne le croyais.

M. Hacklett pâlit, visiblement peu habitué à ce qu'on lui parle sur ce ton. Il s'assit précipitamment près de sa femme, qui lui tapota la main pour le rassurer : un geste bien charitable de la part d'une des nombreuses maîtresses du roi !

Sir James se leva et laissa échapper une grimace en sentant son pied le lancer de plus belle. Il s'appuya à son bureau et se pencha vers ses visiteurs.

— Monsieur Hacklett, j'ai été chargé par la Couronne de développer cette colonie et de veiller à son bien-être. Laissez-moi vous exposer certaines réalités inhérentes à l'exercice de cette charge. D'abord, nous ne sommes qu'un petit avant-poste anglais perdu au milieu de territoires espagnols. Je sais qu'à la Cour il est de bon ton de prétendre que Sa Majesté a établi une base solide dans le Nouveau Monde. Mais la vérité est, hélas, bien différente. Le domaine de la Couronne se limite à trois minuscules comptoirs : Saint-Christophe, la Barbade et la Jamaïque. Tout le reste appartient à Philippe : nous sommes toujours dans les Indes espagnoles.

On ne trouve pas de navires de guerre anglais dans cette zone. Il n'existe nulle part de troupe anglaise digne de ce nom. En revanche, une douzaine de vaisseaux espagnols de premier rang croisent dans ces eaux et plusieurs milliers de soldats sont répartis entre les garnisons des quinze établissements les plus importants. Certes, le roi Charles, dans sa grande sagesse, souhaite conserver ses colonies, mais il ne désire pas verser le moindre subside pour les défendre contre l'invasion.

Hacklett continuait à le fixer, toujours livide.

— Je suis chargé de protéger cette île. Comment suis-je censé y parvenir ? Il me faut bien recruter, d'une façon ou d'une autre, des hommes qui savent se battre. Ne pouvant les trouver que parmi les aventuriers et les corsaires, je veille à ce qu'un bon accueil leur soit toujours réservé à Port Royal. Libre à vous de mépriser ces individus mais, sans eux, la Jamaïque serait démunie et fort vulnérable.

— Sir James…

— Taisez-vous ! Venons-en à présent à mon second devoir, celui de développer cette colonie. Il est également de mode à la Cour de proposer que nous encouragions l'agriculture et l'élevage. Pourtant, on ne nous a envoyé aucun fermier depuis deux ans. La terre est saumâtre, infertile, les indigènes hostiles. Alors, comment puis-je favoriser l'accroissement et l'enrichissement de la colonie ? Grâce au commerce. L'or et les marchandises, indispensables à de florissants échanges commerciaux, nous sont fournis par les raids des corsaires sur les villes et les navires espagnols. Ce qui permet également de remplir les coffres du roi, et Sa Majesté ne s'en plaint guère, d'après mes informations.

— Sir James...

— Pour terminer, on m'a tacitement confié la mission de priver la cour de Philippe IV de toutes les richesses que je peux détourner. Ce qui est également considéré par Sa Majesté, en privé bien entendu, comme mon principal objectif. En particulier depuis qu'une grosse partie de l'or qui ne parvient plus à Cadix atterrit à Londres. En conséquence de quoi, nous encourageons ouvertement la course. Mais pas la piraterie, monsieur Hacklett. Et la nuance est de taille, croyez-moi.

— Voyons, Sir James...

— Les dures réalités de la colonie ne tolèrent aucune discussion ! le coupa Sir James en se rasseyant derrière son bureau et en reposant son pied sur le coussin. Réfléchissez tranquillement à ce que je viens de vous dire, et vous comprendrez, j'en suis certain, que je parle d'expérience. Faites-moi donc le plaisir de venir dîner ce soir avec le capitaine Morton. Mais en attendant, vous devez être pressés de vous installer dans vos appartements.

Cette invitation mettait fin à l'entretien. Hacklett et son épouse se levèrent. Hacklett s'inclina avec raideur.

— Sir James.

— Monsieur Hacklett, madame Hacklett.

Le couple parti vers ses quartiers, l'aide de camp referma la porte derrière eux.

— Dieu tout-puissant ! soupira Sir James en se frottant les yeux.

— Son Excellence souhaite-t-elle se reposer ?

— Oui, sans attendre.

Sir James se leva et gagna le couloir qui conduisait à sa chambre. Alors qu'il passait devant une porte, il entendit un bruit d'éclaboussures et des gloussements. Il adressa un regard interrogateur à John.

— On lave la nouvelle servante, expliqua le domestique.

Sir James répondit par un grognement.

— Voulez-vous l'examiner ?

— Plus tard.

Il sourit en voyant l'expression inquiète de son valet. Cette accusation de sorcellerie le terrorisait. Que les gens du peuple étaient donc craintifs et crédules !

5

Anne Sharpe se détendait dans la chaleur du tub, bercée par le babil incessant de l'énorme négresse qui s'affairait autour d'elle. Elle avait du mal à la suivre. Pourtant elle parlait anglais, mais son accent chantant la déroutait. Elle disait que le gouverneur Almont était gentil, crut-elle comprendre. Anne Sharpe s'en moquait. Elle savait depuis sa prime jeunesse comment se conduire avec les hommes.

Elle ferma les yeux ; le chantonnement de sa compagne évoqua à son esprit les cloches qui sonnaient le glas sur Londres. Elle frissonna.

Anne était la fille d'un marin à la retraite, reconverti dans la fabrication de voiles, à Wapping, et la dernière de ses trois enfants. Lorsque l'épidémie de peste s'était déclarée, peu avant Noël, ses deux frères aînés s'étaient engagés comme vigiles. Leur tâche consistait à garder la porte des maisons contaminées afin d'empêcher les habitants de quitter leur domicile pour quelque raison que ce soit. Anne, quant à elle, travaillait comme garde-malade dans plusieurs familles aisées.

Au fil des semaines, les horreurs auxquelles elle avait assisté s'étaient fondues dans sa mémoire. Les églises sonnaient le glas jour et nuit. Partout, les cimetières débordaient ; très vite, on avait renoncé aux tombes individuelles pour jeter les corps par vingtaines dans des tranchées profondes qu'on recouvrait à la hâte de chaux, puis de terre. Les tombereaux surchargés de cadavres parcouraient la ville et les fossoyeurs s'arrêtaient devant chaque maison pour crier : « Apportez vos morts ! » Nulle part on ne pouvait échapper à la pestilence. Ni à la peur. Anne se souvenait d'avoir vu un homme s'effondrer, mort, en pleine rue, laissant tomber à côté de lui une bourse remplie d'espèces sonnantes et trébuchantes. Personne n'avait osé la ramasser. Même après qu'on eut emporté le corps, la bourse était restée telle quelle.

Partout les marchands de légumes et les bouchers posaient des bols de vinaigre devant leurs étals afin que les clients y mettent leurs pièces. L'argent ne passait plus de la main à la main, chacun s'appliquait à faire l'appoint.

On s'arrachait amulettes, grigris, potions et charmes. Anne avait acheté un médaillon qui contenait des herbes fétides censées repousser la maladie : elle ne le quittait plus.

Et pourtant les gens continuaient à mourir. Son frère aîné avait été atteint à son tour. Un jour, elle l'avait aperçu dans la rue, le cou gonflé et couvert de bubons, les gencives en sang. Ne l'ayant pas revu depuis, elle en avait déduit qu'il était mort.

Son autre frère avait souffert un sort, hélas, fort répandu chez les gens de sa profession. Une nuit, les occupants de la demeure qu'il gardait, rendus fous par la maladie et décidés à s'enfuir coûte que coûte, l'avaient tué d'une balle dans la tête au cours de leur évasion. Anne l'avait appris par hasard. Elle ne l'avait jamais revu, lui non plus.

On l'avait enfermée à son tour lorsque le fils de la vieille dame dont elle s'occupait avait été atteint par le mal. La demeure mise en quarantaine, Anne en avait soigné les habitants de son mieux. Ils avaient succombé les uns après les autres. Après avoir remis le dernier corps aux fossoyeurs, Anne s'était retrouvée seule dans la maison et, par miracle, toujours en bonne santé.

C'est à ce moment-là qu'elle avait volé quelques bijoux et pièces d'or avant de s'enfuir sur les toits, par une fenêtre du deuxième étage. Un gendarme l'avait arrêtée le lendemain matin, intrigué qu'une jeune fille comme elle se retrouve en possession d'une telle fortune. Il avait confisqué le tout et enfermé Anne dans la prison de Bridewell.

Elle y moisissait depuis quelques semaines quand Lord Ambritton, un gentleman charitable, l'avait repérée en visitant les lieux. Anne savait depuis longtemps qu'elle plaisait aux messieurs et Lord Ambritton n'avait point dérogé à cette règle. Il l'avait fait conduire à sa voiture et, après quelques ébats fort à son goût, lui avait promis de l'envoyer dans le Nouveau Monde.

En effet, elle avait été conduite à Plymouth peu après et embarquée à bord du *Godspeed*. Elle eut alors l'heur de plaire au capitaine Morton et n'eut qu'à s'en féliciter car ce jeune homme vigoureux l'invita quasiment chaque soir à déguster de la viande fraîche et d'autres délices dans l'intimité de sa cabine.

À présent qu'elle était arrivée dans cette nouvelle maison, où tout la dépaysait, elle n'éprouvait pourtant aucune crainte : elle était certaine de plaire au gouverneur autant qu'aux autres gentilshommes qui avaient pris soin d'elle.

Son bain terminé, on la vêtit d'une robe en laine et d'une blouse en coton. Il y avait plus de trois mois qu'elle n'avait pas porté d'aussi beaux habits et elle frissonna de plaisir au contact du tissu sur sa peau.

La négresse lui fit signe de la suivre.

— Où allons-nous ?

— Voir le gouverneur.

Elles empruntèrent un long corridor sur lequel donnaient des portes en bois fort rustiques. Anne s'étonna qu'un homme de l'importance du gouverneur vive dans une maison aussi peu confortable. Bien des gentilshommes londoniens de position nettement inférieure occupaient des demeures plus cossues que celle-ci.

La négresse frappa à une porte ; un Écossais hautain vint leur ouvrir. Anne distingua une chambre derrière lui ; le gouverneur, debout devant son lit en chemise de nuit, bâillait. L'Écossais lui fit signe d'entrer.

— Ah ! murmura le gouverneur. Mistress Sharpe, je dois avouer que vos ablutions ont considérablement amélioré votre aspect.

Elle ne comprit pas exactement ce qu'il voulait dire mais, comme il semblait satisfait, elle le fut aussi. Elle exécuta une petite révérence comme sa mère le lui avait appris...

— Vous pouvez nous laisser, Richards.

L'Écossais hocha la tête et referma la porte. Enfin seule avec le gouverneur, elle étudia son expression.

— N'aie pas peur, petite, commença-t-il d'une voix douce. Tu n'as rien à craindre. Viens près de la fenêtre, Anne, que je te voie mieux.

Elle obéit.

Il la dévisagea en silence pendant quelques secondes.

— Tu sais qu'on t'a accusée de sorcellerie lors de ton procès ?

— Oui, mais ce n'est pas vrai, monseigneur.

— J'en suis persuadé, petite. Mais il paraît que tu portes les stigmates du Diable.

— Monseigneur, je vous jure que je n'ai jamais fait commerce avec le Malin, répondit-elle, soudain inquiète.

Il lui sourit.

— Je te crois, ma fille. Il est cependant de mon devoir de le vérifier.

— Mais je vous le promets, monseigneur.

— Je te crois. Il faut néanmoins te déshabiller.

— Tout de suite, monseigneur ?

— Oui, tout de suite.

Elle contempla la pièce d'un air désemparé.

— Tu peux poser tes vêtements sur le lit, petite.

— Merci, monseigneur.

Il la regarda se dévêtir. Elle vit ses yeux changer. Sa peur s'envola. Il faisait chaud ; elle se sentait bien sans ses habits.

— Tu es une belle enfant, Anne.

— Merci, monseigneur.

Elle attendit. Il s'approcha d'elle. Il s'arrêta pour chausser ses lunettes puis contempla ses épaules.

— Tourne-toi.

Elle pivota. Il scruta sa peau.

— Lève les bras au-dessus de la tête.

Elle obéit. Il examina une aisselle après l'autre.

— Les stigmates se situent normalement sous les bras ou sur la poitrine. Ou sur les parties honteuses. Tu sais de quoi je veux parler ? ajouta-t-il avec un nouveau sourire.

Elle secoua la tête.

— Allonge-toi sur le lit, Anne.

Elle s'allongea.

— Nous allons à présent terminer notre examen, déclara-t-il d'un ton docte.

Il écarta ses poils et inspecta sa peau, le nez à quelques centimètres de son sexe et, bien qu'elle eût peur de le vexer, elle se mit à glousser car il la chatouillait.

Il la dévisagea d'un air courroucé avant d'éclater de rire à son tour et retira vivement sa chemise de nuit. Il la prit avec ses lunettes encore sur le nez et elle sentit la monture lui écraser l'oreille. Elle se laissa faire. Cela ne dura pas longtemps et, quand ce fut terminé, comme il semblait satisfait, elle le fut également.

Il l'interrogea alors sur sa vie, ses expériences à Londres et son voyage jusqu'en Jamaïque. Elle lui décrivit comment certaines femmes avaient folâtré entre elles ou avec les membres de l'équipage, tout en lui affirmant n'avoir aucunement participé à cette débauche, ce qui, sans être tout à fait vrai, n'était pas faux non plus, car elle ne s'était livrée qu'au capitaine Morton. Puis elle lui parla de la tempête qu'ils avaient essuyée à peine arrivés en vue des îles. Une tempête qui avait duré deux jours.

Elle vit que le gouverneur ne l'écoutait plus. Il avait repris son air distant. Elle poursuivit néanmoins son récit. Elle lui raconta que, le beau temps revenu, le lendemain, ils avaient aperçu une île avec un port, une forteresse et un énorme vaisseau espagnol au mouillage. Le capitaine Morton avait eu très peur d'être attaqué par ce bâtiment de guerre qui n'avait pu manquer de les voir. Heureusement, il n'avait pas levé l'ancre.

— Quoi ! s'écria le gouverneur d'une voix perçante en se levant d'un bond.

— Qu'y a-t-il ?

— Un navire de ligne espagnol vous a vus et il ne vous a pas attaqués ?

— Non, et nous en étions fort aise, monseigneur !

— Fort aise ! répéta le gouverneur, comme s'il n'en croyait pas ses oreilles. Vous en étiez fort aise ! Dieu du Ciel ! Mais quand cela s'est-il passé ?

Elle haussa les épaules.

— Il y a trois ou quatre jours.

— Et il s'agissait d'un port avec une forteresse, dis-tu ?

— Oui.

— De quel côté se trouvait la forteresse ?

Elle secoua la tête, décontenancée.

— Eh bien, en regardant l'île, avais-tu la forteresse sur la droite du port ou sur la gauche ? s'énerva-t-il tout en se rhabillant précipitamment.

— De ce côté, répondit-elle en tendant le bras droit.

— Et l'île était montagneuse ? Très verdoyante, toute petite ?

— Exactement, monseigneur !

— Par le sang de Dieu ! Richards ! Richards ! Allez me chercher Hunter !

Et, sur ces mots, le gouverneur sortit de la chambre en courant, l'abandonnant nue sur le lit. Certaine de l'avoir contrarié, Anne fondit en larmes.

6

On frappa à la porte. Hunter se retourna dans son lit et vit que le soleil entrait encore à flots par la fenêtre ouverte.

— Foutez-moi la paix ! marmonna-t-il.

La fille couchée contre lui se tourna sans se réveiller.

On frappa de nouveau.

— Foutez-moi la paix, sacrebleu !

La porte s'ouvrit et Mme Denby passa la tête dans l'embrasure.

— Mille pardons, capitaine Hunter, mais il y a un messager pour vous. Le gouverneur réclame votre présence au dîner. Que dois-je répondre ?

Hunter se frotta les yeux et cligna des paupières sous la lumière crue.

— Quelle heure est-il ?

— Cinq heures, capitaine.

— Faites dire au gouverneur que j'y serai.

— Oui, capitaine. Et... capitaine ?

— Quoi d'autre ?

— Il y a le Français à la balafre qui vous attend en bas.

— Très bien, madame Denby.

La porte se referma. Hunter sortit du lit. La fille poussa un ronflement sonore. Il contempla la chambre, petite et encombrée : un lit, une malle de cabine avec ses affaires dans un coin, un pot de chambre sous son sommier, une cuvette d'eau à côté. Il toussa, commença à s'habiller et s'arrêta pour soulager sa vessie par la fenêtre. Un juron monta jusqu'à lui. Hunter sourit et finit de se vêtir après avoir sorti de la malle son unique pourpoint correct et sa dernière culotte presque sans accroc. Il mit enfin sa ceinture dorée avec une courte dague puis, après réflexion, prit un pistolet, l'amorça, enfonça une balle avec de la bourre pour la retenir dans le canon et glissa l'arme sous sa ceinture.

Telle était la toilette réalisée par le capitaine Charles Hunter chaque soir à son lever, à l'heure où le soleil, lui, se couchait. Elle ne lui prenait que quelques minutes, car Hunter n'était pas un homme pointilleux. Ni un puritain, songea-t-il. Après un dernier coup d'œil à la fille couchée dans le lit, il referma la porte et descendit l'escalier étroit aux marches grinçantes qui menait à la salle de l'auberge.

Il s'arrêta sur le seuil de la grande pièce au plafond bas et au sol de terre battue, et balaya du regard les lourdes tables en bois. Comme Mme Denby l'avait annoncé, Levasseur l'attendait à l'écart, penché sur un gobelet de rhum.

Hunter se dirigea directement vers la porte.

— Hunter ! coassa Levasseur d'une voix épaissie par l'alcool.

Il pivota, l'air étonné.

— Ah, Levasseur, je ne t'avais pas vu.

— T'es qu'un fils de pute anglaise métissée, Hunter !

— Et toi, Levasseur, le fils d'un paysan français et de sa brebis favorite ! Qu'est-ce qui t'amène ici ? demanda-t-il en s'écartant de la lumière.

Levasseur ne bougea pas. Il avait choisi un coin sombre ; Hunter peinait à le distinguer. Les deux hommes étaient séparés d'une cinquantaine de pas : une portée trop longue pour un pistolet.

— Je veux mon argent, Hunter.

— Je ne te dois rien.

Et c'était vrai. Chez les corsaires de Port Royal, les dettes se payaient instantanément et en totalité. Rien n'était pire que de faillir à ses engagements ou de tricher sur la division des parts. Tout homme qui essayait de détourner une partie du butin était exécuté sur-le-champ. Hunter avait lui-même tué plus d'un marin d'une balle dans le cœur avant de pousser du pied son corps par-dessus bord sans l'ombre d'une hésitation.

— Tu as triché au jeu.

— Tu étais bien trop ivre pour en juger.

— Tu as triché. Tu m'as volé cinquante livres. Je les veux.

Hunter regarda autour de lui. Il ne vit personne, ce qui était ennuyeux. Il ne voulait pas tuer Levasseur sans témoin. Il avait trop d'ennemis.

— Et comment aurais-je triché ? demanda-t-il en s'approchant légèrement de lui.

— Comment ? On s'en fout du comment, morbleu ! Par le sang de Dieu, tu m'as escroqué !

Il but une gorgée et Hunter choisit cet instant pour frapper. Il écrasa la chope sur le visage du Français qui heurta le mur et s'effondra dans un gargouillement, la bouche en sang. Il l'acheva d'un coup de chope sur le crâne. L'homme ne bougeait plus.

Hunter quitta l'auberge de Mme Denby en secouant sa main dégoulinante de rhum. Quand il s'enfonça jusqu'au mollet dans la boue, il n'y prêta aucune attention. Il pensait encore à Levasseur. Quelle imprudence de vouloir régler ses comptes dans un tel état d'ébriété !

Il était temps de repartir en course. Ses hommes s'amollissaient. Il avait lui-même largement abusé de l'alcool et des femmes du port. Il leur fallait reprendre la mer.

Saluant avec un large sourire les prostituées qui le hélaient du haut de leurs fenêtres, il s'éloigna à grands pas en direction du palais du gouverneur.

— Tout le monde a noté la présence d'une comète au-dessus de Londres à la veille de la peste, remarquait le capitaine Morton en sirotant son vin. Une comète avait également été aperçue juste avant celle de 56.

— Et alors ? La belle affaire ! soupira Sir James Almont. Il y a aussi eu une comète en 59 et je n'ai pas souvenance qu'une peste ait suivi.

— Il y a eu une épidémie de variole cette année-là, en Irlande, intervint M. Hacklett.

— Comme tous les ans sur cette île, rétorqua Almont.

Hunter ne disait rien. Il avait à peine ouvert la bouche au cours de ce dîner chez le gouverneur, qui s'était révélé aussi ennuyeux que les précédents. Au début, il avait été intrigué par les nouveaux visages : Morton, le capitaine du *Godspeed* ; Hacklett, le secrétaire tant attendu, un homme prude et ridicule au visage pincé ; et enfin Mme Hacklett, sans doute d'origine française à voir sa minceur, son teint de brune et sa lascivité animale.

Mais, pour lui, le moment le plus intéressant de la soirée avait été l'arrivée d'une nouvelle servante, une délicieuse enfant blonde qui était apparue de temps à autre. Il avait tenté vainement de croiser son regard et Hacklett, surprenant son manège, lui avait jeté un coup d'œil réprobateur. Ce n'était pas le premier du dîner.

— Auriez-vous du goût pour les servantes, monsieur Hunter ? lança le secrétaire lorsque la jeune fille revint remplir les verres.

— Si elles sont jolies, répliqua-t-il sans se formaliser. Et vous, où se portent vos goûts ?

— Ce mouton est délicieux, bredouilla Hacklett, les yeux baissés vers son assiette, le visage en feu.

Avec un grognement, Almont ramena la conversation sur la traversée de l'Atlantique que venaient de faire ses invités. Morton se lança dans un compte rendu dramatique de la tempête tropicale qu'ils avaient essuyée ; à croire qu'il était le premier homme de l'humanité à affronter un peu de mer. Hacklett renchérit de quelques détails impressionnants et Mme Hacklett reconnut qu'elle avait été très malade.

Hunter, au comble de l'ennui, vida son verre de vin.

— Enfin, poursuivit Morton, après quarante-huit heures de tempête effroyable, nous avons eu un lever de soleil radieux, annonciateur d'une superbe journée, avec une visibilité de plusieurs milles et un bon vent du nord. Hélas, nous nous étions tant fait ballotter pendant deux jours que nous ignorions tout de notre position. Nous avons alors aperçu une terre à bâbord et nous nous sommes dirigés vers elle.

Erreur ! songea Hunter. Morton manquait cruellement d'expérience. Dans les eaux espagnoles, jamais un vaisseau anglais ne s'approchait des côtes sans savoir précisément de qui elles dépendaient. Il y avait trop de risques qu'elles appartiennent aux Espagnols.

— Nous avons contourné l'île et, à notre grande surprise, nous avons vu un bâtiment de guerre dans le port. Pourtant cette île était minuscule, mais nous ne rêvions pas, un navire de ligne espagnol se balançait bien devant nos yeux. Et nous acquîmes aussitôt la certitude qu'il allait nous poursuivre.

— Et que s'est-il donc passé ? demanda Hunter, par pure civilité.

— Il est resté au port ! s'esclaffa Morton. Quoique j'eusse préféré donner une fin plus palpitante à mon récit, en toute vérité, il nous a ignorés. Il n'a pas quitté le port !

— Et les Espagnols vous avaient repérés, bien sûr ? poursuivit Hunter, soudain intéressé.

— Forcément. Nous naviguions toutes voiles dehors.

— À quelle distance ?

— À deux ou trois milles des côtes, tout au plus. Cette île ne figurait pas sur nos cartes, voyez-vous. Elle se limitait à un simple havre avec une forteresse sur le côté. Nous l'avons échappé belle, du moins l'avons-nous tous pensé.

Hunter se tourna lentement vers Almont. Celui-ci le dévisageait avec un petit sourire.

— Cet épisode vous amuse, semble-t-il, capitaine Hunter ?

Hunter pivota de nouveau vers Morton.

— Vous dites qu'il y avait une forteresse.

— En effet, d'une taille assez imposante, m'a-t-il semblé.

— Sur la gauche ou sur la droite du port ?

— Laissez-moi me souvenir… sur la gauche. Pourquoi ?

— Et cela remonte à longtemps ? continua Hunter.

— À trois ou quatre jours. Non, trois seulement. Dès que nous avons connu notre position, nous avons fait voile droit sur Port Royal.

Hunter tambourina la table du bout des doigts et contempla son verre vide en fronçant les sourcils.

Un ange passa.

Almont s'éclaircit la gorge.

— Capitaine Hunter, cette histoire semble vous préoccuper.

— Disons que je suis intrigué. D'ailleurs je suis sûr que monsieur le gouverneur l'est aussi.

— Disons que l'intérêt de la Couronne est éveillé.

Hacklett se raidit sur son siège.

— Sir James, pourriez-vous nous faire partager la raison de cette curiosité ?

— Un moment, le rembarra Almont, avec un geste impatient de la main, les yeux toujours rivés sur Hunter. Quelles sont vos conditions ?

— Avant toute autre considération, partage par moitié.

— Mon cher Hunter, le partage par moitié n'a pas l'heur de séduire la Couronne.

— Mon cher gouverneur, des conditions inférieures rendraient l'expédition fort peu alléchante pour mes hommes.

Almont sourit.

— Reconnaissez quand même que le prix est énorme.

— En effet. Et je reconnais également que l'île est imprenable. Vous avez envoyé Edmunds et trois cents hommes l'attaquer l'an dernier. Un seul est revenu.

— Vous aviez dit vous-même qu'Edmunds n'était guère futé.

— En revanche, Cazalla l'est en diable.

— Il est vrai. Et pourtant, il m'est avis que vous aimeriez le rencontrer.

— Uniquement en cas de partage par moitié.

— Mais, poursuivit Sir James avec un petit sourire, si vous attendez de la Couronne qu'elle finance cette expédition, ce coût sera déduit avant la division des parts. Ce n'est que justice, n'est-ce pas ?

— Pardon, Sir James, intervint Hacklett, marchanderiez-vous avec cet individu ?

— Que me chantez-vous là ? Je négocie un honorable accord avec lui.

— À quelle fin ?

— Afin d'organiser une expédition corsaire sur l'avant-poste espagnol de Matanceros.

— Matanceros ? répéta Morton.

— C'est le nom de l'île que vous avez aperçue, capitaine Morton. Matanceros. Les Espagnols y ont construit une forteresse il y a deux ans, sous le commandement de Cazalla, un gentilhomme peu recommandable. Peut-être avez-vous entendu parler de lui. Non ? Eh bien, il a une formidable réputation dans les Indes occidentales. On dit qu'il adore se faire bercer par les cris d'agonie de ses victimes.

Sir James considéra les visages de ses invités. Mme Hacklett avait pâli.

— En résumé, Cazalla commande cette forteresse, construite dans l'unique dessein de défendre le dernier avant-poste espagnol sur la route du retour de la flotte des Indes.

Il y eut un long silence. Les invités semblaient mal à l'aise.

— Je vois que vous ne saisissez pas l'économie de notre région, poursuivit Almont. Chaque année, le roi Philippe nous envoie de Cadix un convoi de galions. Ils passent par les Petites Antilles puis certains se rendent vers la Terre-Ferme espagnole – Carthagène, Porto Bello – et d'autres vers la Nouvelle-Espagne, à destination de Vera Cruz. Après avoir collecté les trésors, toute la flotte se regroupe ensuite à La Havane avant de regagner l'Espagne. Ces bâtiments naviguent ensemble afin de se protéger des attaques des pirates. Vous me suivez ?

Ils hochèrent tous la tête.

— Bref, cette armada reprend la mer à la fin de l'été, continua Almont, c'est-à-dire en pleine période des cyclones. De temps en temps, il arrive que certains vaisseaux soient séparés du convoi dès le début de la traversée. Les Espagnols ont voulu un port capable de protéger ces retardataires. Et c'est uniquement pour cela qu'ils ont construit Matanceros.

— Ce ne peut être la seule raison ! protesta Hacklett. J'imagine mal…

— Elle suffit amplement ! déclara Almont d'un ton cassant. Or, le hasard a voulu que deux *naos*[1] chargées d'or se perdent dans une tempête, il y a quelques semaines. Nous le savons car elles ont été aperçues par un corsaire qui a tenté sans succès de les attaquer. Elles ont été vues la dernière fois faisant cap au sud, en direction de Matanceros. L'une d'elles était très endommagée. Et ce que vous avez pris pour un vaisseau de guerre ne pouvait être à l'évidence que l'un de ces deux navires marchands.

1. Les naos étaient de larges vaisseaux marchands de deux cents à trois cents tonneaux qui composaient alors les flottes de l'argent. (*N.d.T.*)

S'il s'était agi d'un véritable vaisseau de combat, il vous aurait poursuivis et capturés et, à cet instant précis, ce seraient vos hurlements qui berceraient Cazalla. Si ce bâtiment ne vous a pas pris en chasse, c'est qu'il n'osait pas quitter la protection du port.

— Combien de temps y restera-t-il ? demanda Morton.

— Il peut en partir n'importe quand. À moins qu'il n'attende le passage du prochain convoi, dans un an. Ou qu'un navire de guerre ne revienne l'escorter.

— Peut-on le capturer ?

— On aimerait à le croire. La fortune que contient ce navire doit valoir au bas mot dans les cinq cent mille livres.

Un silence stupéfait s'abattit autour de la table.

— Voilà pourquoi j'ai pensé que cette information intéresserait le capitaine Hunter, conclut Almont avec un sourire amusé.

— Vous voulez dire que cet homme est un vulgaire corsaire ? demanda Hacklett.

— Ah non, pas vulgaire ! gloussa Almont. N'est-ce pas, capitaine Hunter ?

— Non, ce n'est certes pas le terme que j'emploierais.

— Une telle désinvolture est scandaleuse ! protesta Hacklett.

— Vous vous oubliez, mon cher ! le tança vertement Almont. Le capitaine Hunter est le fils cadet du major Edward Hunter, de la colonie de la baie du Massachusetts. En fait, il est né au Nouveau

Monde et il a fait ses études à… à… voyons, comment s'appelle donc cette institution…

— Harvard, l'aida Hunter.

— Mmm… oui, Harvard. Le capitaine Hunter est parmi nous depuis quatre ans et, en sa qualité de corsaire, occupe une position reconnue au sein de notre communauté. Ce résumé vous convient-il, capitaine Hunter ?

— Parfaitement ! acquiesça ce dernier avec un grand sourire.

— Cet homme est un coquin ! protesta Hacklett tandis que sa femme considérait Hunter avec un intérêt nouveau. Un vulgaire coquin !

— Vous devriez faire attention à vos propos, le mit calmement en garde Almont. Les duels sont illégaux sur cette île, ce qui ne les empêche pas de se succéder avec une fâcheuse régularité. Et, bien que je les déplore, il n'est rien que je puisse faire pour endiguer une telle pratique.

— J'ai entendu parler de cet individu, continua Hacklett. Il n'a jamais été le fils du major Edward Hunter, du moins pas son fils légitime.

Hunter se gratta la barbe.

— Vraiment ?

— C'est ce que l'on dit. Et l'on dit aussi que c'est un assassin, une fripouille, un fornicateur et un pirate.

Au mot « pirate », le bras de Hunter se détendit au-dessus de la table avec une vitesse incroyable. Saisissant Hacklett par les cheveux, il lui plongea la tête dans son assiette encore à moitié pleine de mouton et l'y maintint un long moment.

— Mon Dieu ! soupira Almont. Je l'avais pourtant averti. Vous voyez, monsieur Hacklett, la course est une honorable occupation. Les pirates, en revanche, sont des hors-la-loi. Voudriez-vous sérieusement nous faire croire que le capitaine Hunter est un bandit ?

Hacklett répondit par un bruit indistinct, le visage toujours écrasé sur sa viande.

— Je ne vous ai pas entendu, monsieur Hacklett.

— N-non.

— Alors ne pensez-vous pas qu'en votre qualité de gentilhomme, vous devriez présenter des excuses au capitaine Hunter ?

— Je… je vous présente mes excuses, capitaine Hunter. Je ne voulais pas vous offenser.

Hunter le lâcha. Hacklett se redressa et essuya son visage maculé de sauce avec sa serviette.

— Parfait, continua Almont. Voilà bien des désagréments évités. Si nous prenions le dessert ?

Hunter contempla les autres convives. Hacklett se tamponnait toujours le visage. Morton le dévisageait avec un franc étonnement. Et, quand il croisa le regard de Mme Hacklett, celle-ci se lécha les lèvres.

Après le dîner, une fois seuls dans la bibliothèque autour d'un verre de brandy, Hunter et Almont se lamentèrent de concert sur le nouveau secrétaire.

— Il ne va pas me faciliter la vie, grogna Almont, et j'ai bien peur qu'il ne complique également la vôtre.

— Vous pensez qu'il enverra un rapport défavorable à Londres ?

— Du moins essaiera-t-il.

— Le roi doit bien savoir ce qui se passe dans sa colonie.

— Tout est question d'interprétation..., répondit Almont avec un geste vague. Une chose est certaine : Charles continuera de soutenir les corsaires tant qu'il en tirera un bon profit.

— Ce ne pourra être qu'à parts égales, insista aussitôt Hunter. Je vous le répète, il ne saurait en être autrement.

— Mais si la Couronne arme vos bâtiments et vos marins…

— Non, ce ne sera pas nécessaire.

— Pas nécessaire ? Mon cher Hunter, vous connaissez Matanceros. Une garnison entière y stationne.

Hunter secoua la tête.

— Nous ne réussirons jamais en l'attaquant de front. L'expédition d'Edmunds l'a amplement prouvé.

— Avez-vous le choix ? La forteresse commande l'entrée du port. Vous ne pourrez vous enfuir avec le galion sans vous en être emparé auparavant.

— En effet.

— Alors, que voulez-vous faire ?

— Je me propose de l'assaillir par la terre.

— Et vous combattrez toute la garnison ? Trois cents hommes au bas mot ? C'est impossible !

— Au contraire. C'est la seule solution, sinon Cazalla retournera ses canons contre le galion et le coulera à l'ancre, au milieu du port.

— Je n'avais point envisagé cela.

Almont but une gorgée de brandy, songeur.

— Parlez-moi donc de votre plan.

7

Au moment où Hunter s'apprêtait à quitter le palais du gouverneur, Mme Hacklett apparut dans le hall et se dirigea vers lui.

— Capitaine Hunter !

— Oui, madame Hacklett.

— Je voudrais vous présenter des excuses pour la conduite impardonnable de mon mari.

— Ce n'est pas nécessaire.

— Au contraire, capitaine. Je pense que c'est indispensable. Il s'est conduit comme un rustre et un idiot.

— Madame, votre mari s'est lui-même excusé en gentilhomme et l'affaire est donc oubliée. Bonsoir, madame ! ajouta-t-il avec un hochement de tête.

— Capitaine Hunter.

Il s'arrêta sur le seuil et se retourna.

— Madame ?

— Vous êtes un homme fort séduisant, capitaine.

— Madame, vous me flattez. À très bientôt, j'espère.

— Je l'espère aussi, capitaine.

Hunter s'éloigna en songeant que Hacklett aurait tout intérêt à surveiller son épouse. Il savait ce qui arrivait à ces jeunes femmes de la noblesse de province qui se dévergondaient à la Cour – comme avait dû le faire Mme Hacklett – pendant que leur époux regardait ailleurs – comme avait dû le faire M. Hacklett – et qui, parvenues aux Indes occidentales, loin de leur pays, loin des contraintes de leur rang et de ses coutumes... Hélas, ce ne serait pas la première.

Il longea le palais et passa devant la cuisine, encore brillamment éclairée, où s'affairaient les serviteurs. Toutes les demeures de Port Royal possédaient des cuisines séparées, une nécessité sous ce climat accablant. Par les fenêtres ouvertes, il reconnut la silhouette de la jeune soubrette blonde qui les avait servis. Il la salua de la main.

Elle lui répondit d'un petit geste avant de reprendre sa tâche.

Des enfants s'amusaient à jeter des pierres sur un pauvre ours attaché devant l'auberge de Mme Denby tandis que deux prostituées l'excitaient avec des bâtons. Hunter contourna le malheureux animal sans défense qui grognait en tirant sur sa lourde chaîne, et entra dans la salle.

Apercevant Trencher attablé dans un coin, tenant une chope de son unique main, il lui fit signe de venir le rejoindre, à l'écart.

— Qu'y a-t-il, capitaine ?

— Je veux que tu me cherches quelques compagnons.

— Lesquels, capitaine ?

— Lazue, M. Enders, Sanson et le Maure.

Trencher sourit.

— Vous voulez qu'ils viennent ici ?

— Non. Je veux juste savoir où ils se trouvent et j'irai les voir. Mais, au fait, où est Whisper ?

— Toujours planqué au Blue Goat.

— Et Œil noir ? Encore à Farrow Street ?

— Sans doute. Vous aurez donc aussi besoin du Juif ?

— Je compte sur ton silence. Inutile d'en dire plus.

— Vous me prendrez avec vous, capitaine ?

— Si tu fais ce que je te dis.

— Je vous le promets sur les blessures du Christ, capitaine.

— Alors dépêche-toi ! rétorqua Hunter avant de ressortir dans la rue boueuse.

La nuit était chaude et tranquille, comme la journée qui l'avait précédée. Il entendit les doux accents d'une guitare, mais à l'instant où il s'engageait dans Ridge Street en direction du Blue Goat, un rire aviné résonna dans le lointain, suivi d'un coup de feu.

La ville de Port Royal se divisait en quartiers sommairement répartis autour du port. Près des quais se tenaient les tavernes, les bordels et les tripots. Derrière, à l'écart de l'activité tumultueuse de la côte, s'étendaient des rues plus calmes, domaine des épiciers, boulangers, fabricants de meubles, quincailliers de marine, ferronniers et orfèvres. Encore plus en retrait, sur la rive sud de la baie, on trouvait enfin quelques belles demeures et une poignée d'auberges respectables. Le Blue Goat en faisait partie.

Hunter entra et salua de la tête les gentilshommes attablés. Il reconnut le docteur Perkins, le meilleur médecin de la ville, Pickering, un membre du conseil, ainsi que le bailli de la prison et plusieurs autres honorables citoyens.

Un corsaire ordinaire se voyait mal accueilli au Blue Goat, mais Hunter y était toujours reçu de bonne grâce. Le commerce du port ne dépendait-il pas du succès des attaques des loups de mer tels que lui ? Hunter était un capitaine audacieux et expérimenté et, par conséquent, un membre important de la cité. L'année précédente, en trois raids, il avait rapporté plus de deux cent mille pistoles et doublons à Port Royal. La majeure partie de cet argent avait fini dans les poches de ces messieurs, qui le saluèrent en conséquence.

Mistress Wickham, qui dirigeait le Blue Goat, se montra moins chaleureuse. Cette veuve s'était mise en ménage depuis quelques années avec Whisper et, dès qu'elle vit Hunter, elle comprit que c'était lui la raison de sa visite.

— Par là, capitaine ! dit-elle avec un geste du pouce vers l'arrière de l'auberge.

— Merci, Mistress Wickham.

Il alla droit vers la porte située au fond de la salle, frappa et ouvrit sans attendre d'y être invité. Il savait qu'il n'y aurait pas de réponse. La chambre était sombre, éclairée par une unique chandelle. Il cligna des yeux pour s'habituer à l'obscurité, entendit un grincement régulier et aperçut enfin Whisper qui se balançait dans un fauteuil à bascule. Il braquait sur son ventre un pistolet armé.

— Bonsoir, Whisper.

— Bonsoir à vous, capitaine, répondit Whisper d'une voix sifflante, à peine audible. Vous êtes seul ?

— Oui.

— Alors, entrez. Un doigt de tafia ? proposa-t-il en montrant les verres et le petit pot de rhum posés sur le tonneau qui lui servait de table.

Hunter le regarda verser le liquide brun. Maintenant qu'il s'était accoutumé à la pénombre, il distinguait mieux son compagnon.

Whisper[1], dont personne ne connaissait le véritable nom, était un homme large et charpenté aux mains remarquables autant par leur pâleur que par leur taille impressionnante. Il avait été un brillant capitaine de corsaire jusqu'à ce qu'il participe à l'attaque de Matanceros avec Edmunds. Capturé par Cazalla, et laissé pour mort après avoir eu la gorge tranchée, il était le seul survivant de l'expédition. Il y avait perdu la voix et gagné une longue cicatrice blanche sous le menton.

Depuis son retour à Port Royal, cet homme, pourtant fort et vigoureux, se terrait dans cette pièce sombre, vidé de son courage, brisé. Il vivait dans la peur et gardait toujours une arme à la main et l'autre à sa ceinture. Tandis qu'il se balançait

---

1. « Chuchotement ». (*N.d.T.*)

dans son fauteuil, Hunter surprit l'éclat d'un sabre, posé par terre, à sa portée.

— Quel bon vent vous amène, capitaine ? Celui de Matanceros ?

Hunter dut laisser paraître sa stupéfaction, car Whisper renversa la tête en arrière et, révélant sa cicatrice blanche dans toute sa laideur, éclata d'un rire aigu, un chuintement horrible qui ressemblait au sifflement d'une bouilloire.

— Je vous ai surpris, capitaine ? Ça vous épate que je le sache ?

— D'autres sont-ils au courant ?

— Quelques-uns. Ou du moins s'en doutent-ils. Mais personne ne comprend. On m'a raconté les aventures de Morton.

— Ah…

— Vous pensez sérieusement y aller, capitaine ?

— Parle-moi de cette île, Whisper.

— Vous voulez une carte ?

— Oui.

— Quinze shillings ?

— Marché conclu.

Il lui en donnerait vingt pour s'assurer sa loyauté et son silence au cas où il recevrait d'autres visites. Whisper comprendrait très bien les obligations liées à ces cinq shillings supplémentaires : Hunter le tuerait s'il parlait de Matanceros à qui que ce soit d'autre.

Whisper sortit un bout de charbon puis un morceau de toile enduite qu'il étala sur ses genoux.

— Matanceros veut dire « massacre » en espagnol, chuchota-t-il en se mettant à dessiner. L'île a la forme d'un U. L'entrée du port se trouve à l'est, face à l'océan. Ici, poursuivit-il en tapotant la gauche du U, c'est la Punta Matanceros. C'est là que Cazalla a construit sa forteresse. Le sol est bas à cet endroit. La forteresse surplombe la mer d'une cinquantaine de pas à peine.

Hunter hocha la tête et regarda Whisper boire une nouvelle gorgée de tafia.

— La forteresse est octogonale, avec des murs en pierre de trente pieds de haut. Elle abrite la garnison espagnole.

— Combien de soldats ?

— Deux cents, d'après certains, trois cents, selon d'autres. J'ai même entendu parler de quatre cents, mais ça m'étonnerait.

Hunter hocha la tête. Il tablerait sur trois cents hommes.

— Et les canons ?

— Sur deux côtés de la forteresse seulement. Une batterie tournée vers l'océan, plein est, l'autre vers l'entrée du port, plein sud.

— Quel type de canons ?

Whisper laissa échapper un nouveau rire horrible.

— Pour le coup, vous allez être étonné, capitaine ! Ce sont des *culebrinas*, avec des canons de vingt-quatre en bronze.

— Combien ?

— Dix, peut-être douze.

Intéressant, songea Hunter. La couleuvrine n'était pas la pièce d'artillerie la plus puissante et le canon l'avait remplacée depuis longtemps sur les navires de toutes nationalités. Mais bien qu'elle pesât plus de deux tonnes, son canon qui pouvait mesurer jusqu'à quinze pieds lui conférait une précision redoutable à longue portée. Elle tirait de lourds projectiles et était rapide à charger : avec des servants expérimentés, elle pouvait effectuer un tir par minute. Hunter hocha la tête.

— Donc elle est bien défendue. Qui est le maître d'artillerie ?

— Bosquet.

— J'en ai entendu parler. C'est bien lui qui a coulé le *Renown* ?

— En personne, siffla Whisper.

Donc ses artilleurs devaient être bien entraînés. Hunter fronça les sourcils.

— Whisper, sais-tu si ces couleuvrines sont à poste fixe ?

Whisper se balança un long moment sans rien dire.

— Vous êtes fou, capitaine Hunter !

— Pourquoi ?

— Vous prévoyez une attaque par la terre.

Hunter opina.

— Ça ne réussira jamais. Edmunds y avait pensé, ajouta Whisper en tapotant la carte, mais quand il a vu l'île, il a renoncé. Enfin, si vous débarquez à l'ouest (il indiqua la courbe extérieure du U), vous pourrez utiliser le petit abri qui se trouve ici. Mais si vous voulez gagner le port de Matanceros par la terre, il vous faudra escalader la barrière de Leres pour atteindre l'autre côté.

— Et elle est si difficile à franchir, cette barrière ? demanda Hunter avec un geste impatient.

— Impossible ! Aucun homme normalement constitué ne peut l'escalader. Même si, au départ de la crique, le sol monte en pente douce d'à peine cinq cents pieds, il est couvert d'une jungle étouffante et impénétrable, coupée de marécages. Et on n'y trouve évidemment pas la moindre goutte d'eau douce. En plus, des patrouilles la sillonnent. Enfin, admettons que vous échappiez aux rondes et aux fièvres et que vous arriviez au pied de la barrière : sa face ouest se dresse à la verticale sur plus de trois cents pieds de haut. Un oiseau n'y trouverait pas à se percher. Et il y souffle en permanence un vent du diable.

— Supposons que j'arrive à l'escalader. Après ?

— L'autre face ne présente aucune difficulté. Mais elle est impossible à atteindre, je vous le garantis.

— On ne sait jamais. Maintenant, parle-moi de la position des batteries de Matanceros.

Whisper haussa légèrement les épaules.

— Elles font face à la mer, capitaine Hunter. Cazalla n'est pas idiot. Il sait qu'il ne peut pas être attaqué par la terre.

— Il y a toujours un moyen.

Whisper se balança un long moment sans rien dire.

— Pas toujours, murmura-t-il enfin. Pas toujours.

Diego de Ramano, appelé également Œil noir ou le Juif tout simplement, avait ouvert depuis deux ans une échoppe sur Farrow Street. Penché sur son établi, il examinait la perle qu'il tenait entre son pouce et son index gauches, seuls doigts qui lui restaient à cette main.

— Elle est d'excellente qualité, déclara-t-il en la rendant à Hunter. Je vous conseille de la garder.

Il battit des paupières. Ses yeux faibles et rouges comme ceux d'un lapin pleuraient sans arrêt ; il ne cessait de les essuyer furtivement. C'était à la grosse tache noire près de sa pupille droite qu'il devait son surnom.

— Vous n'aviez pas besoin que je vous le dise, Hunter, conclut-il.

— Non, Don Diego.

Avec un hochement de tête, le Juif se leva pour aller fermer la porte sur la rue et rabattre les volets intérieurs avant de se retourner vers Hunter.

— Alors ?

— Comment va votre santé, Don Diego ?

— Ma santé, ma santé…, murmura-t-il en enfonçant ses mains dans les poches de son ample robe, pour dissimuler ses doigts mutilés. Toujours aussi médiocre, je n'ai pas besoin de vous le dire non plus.

— Et les affaires ? poursuivit Hunter en contemplant l'échoppe et les tables en bois brut sur lesquelles des bijoux en or étaient exposés.

Don Diego se rassit. Il dévisagea Hunter en se caressant la barbe et s'essuya les yeux.

— Hunter, vous allez finir par me vexer. Si vous me disiez plutôt ce qui vous amène.

— Je me demandais si vous travailliez encore la poudre.

— La poudre ? La poudre ? répéta le Juif, le regard fixe, comme s'il ignorait le sens de ce mot. Non, plus du tout. Pas après cela (il indiqua son œil) et cela (il souleva sa main gauche).

— Et pourrait-on vous faire changer d'avis ?

— Jamais.

— C'est bien catégorique, jamais !

— C'est bien comme ça que je l'entends, Hunter.

— Même pour attaquer Cazalla ?

Le Juif laissa échapper un grognement.

— Cazalla ? Cazalla se trouve à Matanceros et nul ne peut l'attaquer.

— Pourtant, c'est ce que je vais faire, déclara calmement Hunter.

— Le capitaine Edmunds s'en croyait capable lui aussi, l'an dernier.

Don Diego grimaça à ce souvenir. Il avait soutenu cette expédition et perdu ainsi les cinquante livres qu'il y avait investies.

— Matanceros est invulnérable, Hunter, poursuivit-il. Ne laissez pas la vanité obscurcir votre jugement. La forteresse est imprenable. De plus, ajouta-t-il après s'être essuyé les yeux, il n'y a rien à prendre là-bas.

— Dans la forteresse, non. Mais dans le port ?

— Le port ? Le port ? (Œil noir fixa de nouveau le vide.) Qu'y a-t-il dans le port ? Ah… je vois… il doit s'agir des deux naos chargées d'or qui se sont perdues dans la tempête du mois d'août.

— Il n'y en a plus qu'une.

— Comment le savez-vous ?

— Je le sais.

— Une nao ?

Le Juif cligna des yeux de plus belle et se gratta le nez avec l'index de sa main mutilée, preuve évidente qu'il était absorbé par ses pensées.

— Pff ! Elle doit être remplie de tabac et de cannelle, marmonna-t-il d'une voix sombre.

— Non, elle est remplie d'or et de perles, répliqua Hunter. Sinon, elle serait repartie vers l'Espagne, quitte à se faire capturer. Si elle s'est réfugiée à Matanceros, c'est uniquement parce qu'elle n'a pas osé prendre un tel risque avec les trésors qu'elle transporte !

— Peut-être, peut-être…

Hunter observait le Juif avec attention : il cachait bien son jeu.

— Imaginons que vous ayez raison, reprit enfin Œil noir. Je ne vois pas l'intérêt. Une nao est autant en sécurité dans le port de Matanceros que si elle était ancrée à Cadix. Elle est protégée par la forteresse et celle-ci est invulnérable.

— Exact. Mais les batteries qui gardent le port peuvent être détruites… si votre santé le permet et si vous acceptez de retravailler la poudre.

— Vous me flattez.

— Pas le moins du monde.

— Et quel rapport avec ma santé ?

— Mes projets vous concernant comportent certaines obligations.

Don Diego fronça les sourcils.

— Vous voudriez que je me rende là-bas avec vous ?

— Évidemment, quelle question !

— Je croyais que vous vouliez de l'argent ! Vous voulez que je vienne ?

— C'est essentiel, Don Diego !

Le Juif se leva d'un bond.

— Pour attaquer Cazalla ! s'écria-t-il, soudain excité, et il se mit à arpenter la pièce de long en large. Je rêve de sa mort, toutes les nuits, depuis dix ans, Hunter. Je rêve…

Il s'immobilisa et regarda Hunter.

— Vous aussi, vous avez de bonnes raisons de lui en vouloir.

— En effet.

— Mais est-ce faisable ? En toute sincérité ?

— Oui, en toute sincérité, Don Diego.

— Alors je souhaiterais connaître votre plan. Et savoir quelle poudre vous sera nécessaire.

— Il vous faudra l'inventer. J'ai besoin de quelque chose qui n'existe pas.

Le Juif s'essuya de nouveau les yeux.

— Dites-moi. Dites-moi tout.

M. Enders appliqua délicatement la sangsue sur le cou de son patient. Celui-ci, renversé sur son fauteuil, le visage couvert d'une serviette, poussa un grognement quand l'animal gluant toucha sa peau. Immédiatement, la sangsue se gonfla de sang.

— Voilà, chantonna M. Enders. Encore quelques instants et vous vous sentirez mieux. Croyez-moi, vous aurez beaucoup moins de mal à respirer et vous pourrez également en remontrer à ces dames. Je vous laisse un moment, juste le temps de prendre une bouffée d'air frais, ajouta-t-il en tapotant la joue sous la serviette.

Sur ces mots, Enders quitta sa boutique car il avait vu Hunter lui faire signe depuis la rue. Le barbier était un petit homme aux mouvements vifs et délicats qui donnait l'impression de danser plutôt que de marcher. Ses affaires n'allaient pas trop mal car la plupart de ses patients survivaient à ses soins, contrairement à ceux de ses confrères. Pourtant, c'était dans un métier tout différent qu'il excellait : son véritable génie se révélait à la barre d'un vaisseau sous voiles. En effet, Enders était un véritable artiste de la navigation, un timonier d'exception, en communion parfaite avec son navire.

— Auriez-vous besoin d'un rasage, capitaine ?

— Non, d'un équipage.

— Alors vous avez trouvé votre chirurgien de bord. Et quel sera le but du voyage ?

— Le bois de campêche, répondit Hunter avec un sourire.

— J'ai toujours aimé tailler de ce bois-là. À qui le prendrons-nous ?

— À Cazalla.

Le sourire d'Enders s'évanouit.

— Cazalla ? Vous comptez aller à Matanceros ?

— Moins fort ! le rabroua Hunter en jetant un regard inquiet autour de lui.

— Capitaine, capitaine, le suicide est une offense à Dieu !

— J'ai besoin de vous.

— Mais la vie est magnifique, capitaine !

— L'or aussi.

Enders se tut, perplexe. Il savait, comme le Juif et tout un chacun à Port Royal, qu'il n'y avait pas la moindre once d'or dans la forteresse de Matanceros.

— Peut-être daignerez-vous m'expliquer ?

— Je préfère m'en abstenir.

— Quand partez-vous ?

— Dans deux jours.

— Et vous nous mettrez au courant à Bull Bay ?

— Vous avez ma parole.

Enders lui tendit la main sans un mot et Hunter la serra. Un grognement leur parvint du patient qui s'agitait sur le fauteuil.

— Oh, le pauvre homme ! s'écria le barbier en rentrant précipitamment dans son échoppe.

La sangsue, gorgée de sang, gouttait sur le plancher. Quand Enders la retira, son client poussa un hurlement.

— Allons, allons, tout va bien, Votre Excellence.

— Vous n'êtes qu'un maudit pirate et une fripouille ! rugit Sir James en arrachant sa serviette pour s'en tamponner le cou.

Hunter trouva Lazue dans un bordel de Lime Road, qui batifolait en charmante compagnie, un bras passé autour des épaules d'une fille à la généreuse poitrine. Lazue était d'origine française et devait son nom à ses yeux immenses et vifs, réputés voir mieux que quiconque la nuit. Hunter avait maintes fois conduit ses bateaux au milieu des récifs et en eaux peu profondes avec l'aide de Lazue sur le gaillard d'avant. Mince, souple comme un chat, c'était en outre un véritable tireur d'élite.

— Hunter, viens donc nous rejoindre !

— Je voudrais te parler en privé, Lazue.

— Quel rabat-joie ! soupira Lazue avant d'embrasser les filles l'une après l'autre. Je reviens, mes douces.

Ils gagnèrent le fond de la pièce où une servante leur apporta un pichet de tafia et un verre chacun.

Hunter regarda les cheveux longs et emmêlés de Lazue et son visage glabre.

— Tu es ivre, Lazue ?

— Pas trop, capitaine. Que voulais-tu me dire ?

— Je prends la mer dans deux jours.

Lazue parut soudain se dégriser et scruta Hunter de ses grands yeux.

— Pour quelle destination ?

— Matanceros.

Lazue éclata d'un rire sonore, profond, étrange dans la gorge d'un être aussi menu.

— Matanceros signifie massacre et, d'après ce que j'ai entendu dire, elle mérite largement son nom.

— Peu importe.

— Tu dois avoir de bonnes raisons.

— Excellentes.

Lazue hocha la tête, sans attendre davantage d'explications. Un bon capitaine ne révélait jamais ses plans à l'équipage avant de se mettre en route.

— Les raisons sont-elles à la mesure des dangers ?

— Largement.

Lazue sonda le visage de Hunter.

— Tu as besoin d'une femme pour ce voyage ?

— C'est pour cela que je suis là.

Lazue éclata de rire et gratta distraitement ses seins menus. Car, bien que s'habillant, se comportant et se battant comme un homme, Lazue était une femme. Peu de gens connaissaient sa véritable histoire, Hunter faisait partie de ces privilégiés.

Lazue était la fille de la femme d'un marin breton. Celui-ci était en mer lorsque sa femme s'aperçut qu'elle était enceinte. Elle accoucha d'un garçon. Hélas, le mari ne revint jamais. Ce qui ne l'empêcha pas de se trouver enceinte une seconde fois, quelques mois plus tard. Craignant le scandale, elle partit vivre dans un autre village, où elle accoucha d'une fille, Lazue.

Une année s'écoula et son fils mourut. Se retrouvant à court de ressources, la pauvre femme décida de retourner vivre avec ses parents dans son village natal. Afin d'éviter le déshonneur, elle habilla sa fille en garçon et sa ruse réussit si bien que personne, pas même les grands-parents de l'enfant, ne soupçonnèrent la vérité.

À treize ans, Lazue devint cocher d'un nobliau des environs. Ensuite elle s'engagea dans l'armée française et vécut plusieurs années parmi les soldats sans être découverte. Jusqu'au jour, prétendait-elle, où elle tomba amoureuse d'un bel officier de cavalerie à qui elle révéla son secret. Ils vécurent une aventure passionnée, mais quand l'idylle se termina, Lazue décida de gagner les Indes occidentales où elle reprit son déguisement.

Dans une ville comme Port Royal, un tel secret ne pouvait être gardé longtemps et tout le monde savait désormais qu'elle était une femme. Surtout qu'au cours des combats elle avait l'habitude de dénuder ses seins pour déconcerter, voire terrifier l'ennemi. Mais au port, personne ne s'en souciait et tout le monde la traitait comme un homme.

— Tu es fou de t'attaquer à Matanceros, Hunter !

— Tu viendras ?

— C'est bien parce que je n'ai rien de mieux à faire ! s'esclaffa-t-elle avant de partir rejoindre les catins.

Hunter trouva le Maure au petit matin dans un tripot où il jouait au glic[1] avec deux corsaires hollandais.

Le Maure, Bassa pour ses amis, était un véritable géant avec une tête colossale, un torse et des épaules tout en muscles, des bras énormes et des mains épaisses dans lesquelles les cartes disparaissaient.

1. « Le glic (*gleek* en Angleterre) est un jeu de cartes par combinaison, apparu en France au XVe siècle. Deux, trois ou quatre joueurs parient sur un glic (trois cartes de même valeur) et celui qui a la meilleure main l'emporte » (Elizabeth Belmas, *Jouer autrefois*, Champ Vallon). (*N.d.T.*)

Plus personne ne savait d'où lui venait son surnom de Maure et, même si l'envie lui était venue de parler de ses origines, cela lui aurait été impossible car un planteur espagnol d'Hispaniola lui avait coupé la langue. Tout le monde s'accordait à penser qu'il venait de Nubie, un pays désertique situé le long du Nil et peuplé de géants noirs. Et même s'il tenait son prénom, Bassa, d'un port de la côte guinéenne, où les marchands d'esclaves s'arrêtaient à l'occasion, nul ne croyait qu'il ait pu venir de ce pays aux habitants plus chétifs et plus pâles.

Le fait qu'il ne communiquait que par gestes le rendait encore plus impressionnant. Parfois, de nouveaux venus à Port Royal le croyaient aussi stupide que muet et, à voir la façon dont se déroulait à présent la partie, Hunter soupçonna que c'était le cas de ses deux adversaires. Le capitaine prit une chope de vin et s'assit à une table voisine pour profiter du spectacle.

Les Hollandais, deux élégants vêtus de belles culottes et de tuniques en soie brodée, buvaient copieusement. Le Maure, lui, ne buvait pas. Il ne buvait jamais. On racontait qu'il ne supportait pas l'alcool et que le seul jour où il s'était enivré, il avait tué cinq hommes à main nue avant de retrouver ses esprits. Que ce soit la vérité ou non, il avait exterminé le planteur qui l'avait mutilé, son épouse et la moitié de sa maisonnée avant de fuir vers les ports tenus par les pirates, sur la côte ouest d'Hispaniola. De là, il avait ensuite gagné Port Royal.

Hunter regarda les Hollandais enchérir. Ils misaient gros tout en plaisantant et en riant grassement. Bassa restait impassible, une pile de pièces d'or posée devant lui. Le glic était un jeu rapide qui demandait de la concentration. Et quand le Maure étala trois cartes identiques et ramassa l'argent, les Hollandais, estomaqués, se mirent à crier : « Tricheur » en différentes langues. Il secoua tranquillement son énorme tête et empocha les pièces.

Ses adversaires insistèrent pour faire une autre partie. Il leur fit comprendre par gestes qu'ils n'avaient plus un sou à parier. Furieux, ils se mirent à l'insulter et à le menacer. Bassa ne s'en émut pas, mais il remit un doublon d'or au serveur qui apparut brusquement devant lui, payant ainsi d'avance les dégâts qu'il allait causer.

Pendant que le garçon courait se mettre à l'abri, les Hollandais, qui n'avaient rien compris à ce manège, s'étaient levés et continuaient à l'invectiver. Le Maure resta assis, imperturbable, ses yeux sautant de l'un à l'autre.

Un des Hollandais sortit alors une dague de sa ceinture et la brandit sous son nez. Inébranlable, Bassa garda ses mains jointes devant lui, sur la table.

Le second Hollandais tendit la main vers le pistolet qu'il portait à la ceinture. Le Maure entra alors en action. D'une énorme main noire, il arracha la dague et la planta dans la table où elle s'enfonça de plusieurs centimètres, tandis que, de l'autre, il frappait le second Hollandais à l'estomac. L'homme lâcha son pistolet et se plia en deux de douleur en suffoquant. Le Maure lui fit traverser la pièce d'un coup de pied en pleine figure et se retourna vers son premier adversaire, qui écarquillait les yeux de terreur. Il le prit à bras-le-corps, le souleva au-dessus de sa tête et alla le jeter dehors dans la boue.

Puis il retourna à sa table récupérer le couteau qu'il glissa dans sa ceinture et vint s'asseoir à côté du capitaine. Là, enfin, il sourit.

— Des nouveaux ? demanda Hunter.

Le Maure hocha gaiement la tête, avant de froncer les sourcils et de tendre le doigt vers Hunter, le regard interrogatif.

— Je voulais te voir.

Le Maure haussa les épaules.

— Nous prenons la mer dans deux jours.

Le Maure arrondit les lèvres pour articuler un simple mot : *où*[1] ?

— Matanceros.

Le Maure prit un air dégoûté.

— Ça ne t'intéresse pas ?

Avec une grimace, le Maure passa le pouce sur sa gorge d'un geste sec.

— Je te promets que c'est faisable. Est-ce que tu as le vertige ?

Le Maure fit le geste de monter dans les cordages.

— Non, il ne s'agit pas de grimper dans les gréements, mais d'escalader une falaise abrupte. Et surtout très haute. De trois ou quatre cents pieds.

1. En français dans le texte. (*N.d.T.*)

Le Maure se gratta le front et considéra le plafond, comme s'il imaginait la hauteur que cela représentait. Enfin, il hocha la tête.

— Même par grand vent ? Parfait ! Alors tu viens avec nous.

Hunter voulut se lever, mais le Maure le retint sur son siège. Il agita la monnaie dans sa poche.

— Ne t'inquiète pas, le rassura Hunter. Ça vaut le coup.

Le Maure sourit.

Sanson se trouvait dans une chambre, au deuxième étage du Queen's Arms. Hunter frappa à la porte et attendit. Il entendit un rire puis un soupir et frappa de nouveau.

— Allez au diable ! répondit une voix étonnamment aiguë.

Hunter hésita avant de frapper une troisième fois.

— Par le sang de Dieu, c'est quoi encore ?

— Hunter.

— Que je sois damné ! Entre, Hunter !

Il ouvrit le battant mais sans franchir le seuil ; un pot de chambre et son contenu volèrent à travers l'ouverture.

Hunter entendit glousser.

— Prudent comme toujours, capitaine ! Tu nous enterreras tous. Entre !

Hunter s'avança dans la pièce. À la lueur d'une seule bougie, il vit Sanson couché dans son lit avec une blonde.

— Tu nous déranges en pleins ébats, mon fils. J'espère que tu as une bonne excuse.

— En effet.

Il y eut un bref silence tandis que les deux hommes se mesuraient du regard. Sanson gratta son imposante barbe noire…

— Faut-il que je devine la raison de ta visite ?

— Non, répondit Hunter avec un signe vers la fille.

— Ah… ma petite pêche…

Sanson lui embrassa le bout des doigts et lui montra la porte. La fille sauta aussitôt du lit, ramassa ses vêtements à la hâte et partit en courant.

— Quelle créature délicieuse ! murmura Sanson.

Hunter referma la porte.

— Elle est française, tu sais. Ce sont les meilleures amantes, tu ne trouves pas ?

— En tout cas, ce sont les meilleures ribaudes, rétorqua Hunter.

Sanson éclata d'un rire aigu très étonnant vu sa taille et son allure. Tout chez cet homme grand et lourd était sombre : ses cheveux, ses sourcils noirs qui se rejoignaient entre les deux yeux, sa barbe, sa peau mate.

— Reconnais quand même qu'elles sont supérieures aux Anglaises !

— Surtout pour nous coller des maladies !

— Ah, Hunter, ton sens de l'humour me ravira toujours ! Veux-tu prendre un verre de vin avec moi ?

— Avec plaisir.

Sanson saisit une bouteille sur la table de chevet, remplit l'unique verre et le lui tendit.

Hunter le leva.

— À ta santé !

— À la tienne, répondit Sanson en soulevant la bouteille, et les deux hommes burent sans se quitter des yeux.

Hunter n'accordait aucune confiance à Sanson. Il aurait même refusé de l'embarquer dans son expédition si le Français n'avait été indispensable à la réussite de son plan. En effet, nonobstant son orgueil, sa vanité et ses fanfaronnades, ce digne descendant d'une famille de bourreaux était le tueur le plus cruel de toute la Caraïbe.

Il devait son surnom, littéralement « sans son », à sa façon d'opérer dans le silence le plus absolu. Il était connu et craint de tous. On racontait que son père, Charles Sanson, était bourreau du roi, à Dieppe. Et que Sanson lui-même avait brièvement été prêtre à Liège jusqu'au jour où il avait jugé préférable de prendre la fuite après avoir commis certains abus auprès des nonnes d'un couvent voisin.

Mais à Port Royal, nul ne s'intéressait au passé de ses voisins. Sanson n'y était réputé que pour son adresse au sabre, au pistolet et surtout à l'arbalète, son arme favorite.

Il éclata d'un nouveau rire aigu.

— Alors, mon fils, si tu me disais ce qui te préoccupe ?

— Je prends la mer dans deux jours. Pour Matanceros.

Sanson retrouva brutalement son sérieux.

— Tu veux que je t'y accompagne ?

— Oui.

Il remplit de nouveau le verre de Hunter.

— Pas question ! Aucun homme sain d'esprit ne voudra y aller. Qu'est-ce qui peut donc t'y attirer ?

Hunter ne répondit pas. Sanson fronça les sourcils et se perdit dans la contemplation de ses pieds. Il agita les orteils.

— Je ne vois que les galions… ceux qui se sont perdus dans la tempête. Ils se sont réfugiés là-bas, c'est ça ?

Hunter haussa les épaules.

— Attention, attention ! Quelles conditions proposes-tu pour cette expédition insensée ?

— Quatre parts.

— Quatre parts ! Vous devenez radin, capitaine Hunter. Et vous me vexez si vous estimez que je ne vaux que…

— Cinq ! lâcha Hunter.

— Cinq ? Disons huit et n'en parlons plus.

— Disons cinq et n'en parlons plus.

— Hunter, il se fait tard et je ne suis guère patient. D'accord pour sept ?

— Six !

— Par le sang de Dieu, tu es un vrai rat !

— Six, répéta Hunter.

— Sept. Tiens, bois encore un coup.

Hunter haussa les épaules. Sanson serait plus facile à contrôler s'il estimait avoir bien négocié.

Sinon, il risquait de se montrer vindicatif et de mauvaise humeur.

— D'accord pour sept !

— Mon ami, tu fais preuve d'une grande sagesse, acquiesça Sanson en lui tendant la main. À présent, explique-moi comment tu comptes opérer.

Sanson l'écouta exposer son plan sans prononcer un mot. Et, quand Hunter eut terminé, il se donna une grande claque sur la cuisse.

— C'est bien vrai ce qu'on dit sur la paresse des Espagnols, l'élégance des Français et… la ruse des Anglais !

— Je pense que c'est réalisable.

— Je n'en doute pas un seul instant.

Lorsque Hunter quitta la petite chambre, l'aube se levait sur les rues de Port Royal.

8

Il était évidemment impossible de garder secrète une telle opération. Trop de marins espéraient participer à cette course, et trop de marchands et de fermiers devaient avitailler le sloop de Hunter, le *Cassandra*. Dès le début de la matinée, tout Port Royal ne parlait plus que de sa prochaine expédition.

Le bruit courait qu'il allait attaquer Campeche. Qu'il allait mettre Maracaibo à sac. On racontait même qu'il se lançait à l'assaut de Panamá, à l'instar de Drake soixante-dix ans auparavant. Mais un tel voyage demandait un lourd approvisionnement et Hunter chargeait si peu de denrées que la plupart crurent que c'était La Havane qu'il visait. Cependant, La Havane n'ayant encore jamais été attaquée par les corsaires, ce projet semblait tenir de la folie.

Peu à peu, d'autres informations déroutantes vinrent ajouter à la perplexité générale. Œil noir achetait des rats aux enfants et aux bons à rien qui traînaient sur les docks. Aucun marin ne voyait ce qu'il allait pouvoir faire de ces bestioles. On savait aussi qu'il s'était procuré des entrailles de porc, qui pouvaient servir à prédire l'avenir, mais certainement pas pour un Juif. Il avait en outre fermé sa boutique, et condamné ses portes par des planches. Puis il avait disparu dans les collines avant le lever du jour, chargé de caisses de soufre, de salpêtre et de charbon.

L'approvisionnement du *Cassandra* intriguait tout autant. Seule une petite réserve de porc salé avait été commandée, cependant que de grandes quantités d'eau étaient embarquées, ainsi que des petites futailles que M. Longley, le tonnelier, avait fabriquées spécialement. M. Whitstall, le cordier, avait reçu commande d'une corde de plus de mille pieds, beaucoup trop épaisse pour servir au gréement d'un bateau. On avait demandé au voilier, M. Nedley, de confectionner plusieurs grands sacs de toile fermés par des cordons passés dans des œillets. Et Carver, le forgeron, avait fourni des grappins d'une conception particulière, avec des crochets articulés que l'on pouvait replier.

Survint ensuite un présage : pendant la matinée, les pêcheurs capturèrent un requin-marteau géant qu'ils hissèrent sur les quais près de Chocolate Hole, au niveau des nasses à tortues. Le squale, particulièrement hideux avec son large nez et ses yeux placés aux extrémités de cette protubérance, mesurait plus de douze pieds de long. Les pêcheurs comme les badauds déchargèrent leurs pistolets sur l'animal sans que cela semblât lui faire le moindre effet : il resta à se tordre sur les planches jusqu'à midi largement passé.

Quand on lui ouvrit le ventre et que ses viscères se répandirent sur le sol, la foule aperçut un éclat métallique. On découvrit dans ses entrailles l'armure complète d'un soldat espagnol avec cuirasse, casque et genouillères. Les badauds en déduisirent qu'il avait avalé en bloc l'infortuné soldat et digéré sa chair, mais pas son armure. Cela fut interprété par certains comme le signe annonciateur de l'assaut imminent de Port Royal par les Espagnols et par d'autres, au contraire, comme la preuve que le capitaine Hunter s'apprêtait à attaquer ces derniers.

Sir James Almont n'avait pas de temps à perdre en de telles conjectures. Il interrogeait un coquin de Français du nom de L'Olonnais, entré le matin même dans le port avec un brick espagnol qu'il venait de capturer. L'Olonnais n'avait pas de lettre de marque[1] et, de toute façon, l'Angleterre et l'Espagne se trouvaient officiellement en paix. Ce que le gouverneur lui reprochait surtout, c'était que sa prise ne contenait rien de précieux. À peine avait-on trouvé dans ses cales quelques peaux et du tabac !

Bien que corsaire réputé, L'Olonnais était un homme stupide et brutal. Nul besoin de posséder une grande intelligence pour se lancer dans la course. Il suffisait d'attendre aux bonnes latitudes

---

1. Lettre patente d'un souverain permettant à un capitaine et son équipage de courir sus aux navires d'une nation adverse dans les eaux territoriales internationales ou étrangères. (*N.d.T.*)

qu'un vaisseau intéressant apparaisse pour l'attaquer. Le chapeau à la main, L'Olonnais débitait son
histoire avec une naïveté puérile : il avait trouvé le
brick complètement désert, sans aucun passager à
bord, à la dérive.

— Sûr que la peste ou un autre fléau l'a frappé !
disait-il. Mais c'est un bon navire, monseigneur,
et j'ai cru servir la Couronne en le ramenant au
port.

— Tu n'as trouvé aucun passager ?

— Pas âme qui vive.

— Et des morts ?

— Non plus, monseigneur.

— Et pas d'indice quant à ce qui aurait pu causer
son infortune ?

— Aucun, monseigneur.

— Et son chargement…

— Tel que vos inspecteurs l'ont découvert, monseigneur. Vous pensez bien que nous n'y avons pas
touché.

Sir James se demanda combien d'innocents
L'Olonnais avait occis pour nettoyer les ponts du
navire marchand et où le pirate avait touché terre
afin de dissimuler la partie la plus précieuse de
la cargaison. La mer des Caraïbes comptait plus
d'un millier d'îles et d'îlots insalubres offrant des
cachettes idéales.

Sir James tambourina du bout des doigts sur
son bureau. L'Olonnais mentait, encore fallait-il
le prouver. Même dans un endroit aussi mal famé
que Port Royal, la loi anglaise prévalait.

— Très bien. Je dois cependant te signaler que la Couronne n'est pas satisfaite de cette capture. En conséquence de quoi, le roi en prendra un cinquième…

— Un cinquième !

En temps normal, le roi ne s'adjugeait qu'un quinzième des prises ou un dixième tout au plus.

— En effet, poursuivit Sir James d'un ton égal. Sa Majesté aura un cinquième et, si jamais il me vient aux oreilles que tu m'as trompé, tu seras jugé et pendu comme pirate et assassin.

— Mais, monseigneur, je vous jure que…

Sir James l'arrêta d'un geste.

— Assez ! Tu es libre de partir pour l'instant, mais garde mes paroles à l'esprit.

L'Olonnais fit une profonde révérence et sortit à reculons. Sir James appela son aide de camp.

— John, trouvez les hommes de L'Olonnais et faites-les boire pour leur délier la langue. Je veux savoir comment il s'est emparé de ce navire. Et fournissez-moi des preuves solides contre lui.

— Très bien, Votre Excellence.

— Et mettez de côté un dixième pour le roi et un dixième pour le gouverneur.

— Oui, Votre Excellence.

— Ce sera tout.

John s'inclina.

— Votre Excellence, le capitaine Hunter vient chercher ses papiers.

— Faites-le entrer.

Quand Hunter pénétra dans la pièce, Almont se leva et lui serra la main.

— Vous me semblez d'excellente humeur, capitaine.

— En effet, Sir James.

— Vos préparatifs avancent ?

— Ils avancent, Sir James.

— À quel prix ?

— Cinq cents doublons, Sir James.

Almont avait anticipé cette somme. Il sortit une bourse de son bureau.

— Cela devrait suffire.

Hunter la prit et s'inclina.

— Ensuite, poursuivit Sir James en lui tendant un document, j'ai fait rédiger cette lettre de marque pour l'abattage du bois de campêche à l'endroit de votre choix.

En 1665, l'abattage du bois de campêche était considéré comme un commerce légitime par les Anglais alors que les Espagnols en revendiquaient le monopole. Le campêche ou hématine servait à la fabrication d'une teinture rouge et de certains médicaments. Cette substance avait autant de valeur que le tabac.

— Je dois vous préciser que nous ne cautionnerons aucune attaque d'un établissement espagnol en l'absence de provocation.

— J'entends bien.

— Pensez-vous qu'il y aura provocation ?

— J'en doute, Sir James.

— Dans ce cas, votre attaque de Matanceros représenterait un acte de piraterie pure.

— Sir James, si jamais notre pauvre sloop *Cassandra*, si peu armé et à usage purement commercial, comme en témoignent nos documents de bord, venait à se faire tirer dessus par les canons de Matanceros, ne serions-nous pas en droit de riposter ? Nous ne pouvons tolérer qu'on tire sur un navire innocent.

— Non, en effet. Je sais que je peux compter sur vous pour agir en soldat et en gentilhomme.

— Je ne trahirai pas votre confiance.

— Une dernière chose, cependant, ajouta Sir James au moment où Hunter s'apprêtait à partir. Cazalla est un favori du roi Philippe. Sa fille est mariée à son vice-chancelier. Tout message de Cazalla qui différerait de votre version sur ce qui va se passer à Matanceros serait très embarrassant pour Sa Majesté le roi Charles.

— Je doute que Philippe reçoive la moindre dépêche de Cazalla.

— Je compte sur vous.

— Personne n'a jamais écrit du fond de la mer.

— Certes, approuva Sir James, et les deux hommes se serrèrent la main.

Alors que Hunter quittait le palais du gouverneur, une servante noire l'aborda sans un mot et lui remit une lettre. Hunter la décacheta tout en descendant l'escalier. Il reconnut aussitôt une écriture féminine.

Cher capitaine,

Je viens d'apprendre qu'une magnifique cascade se trouve à l'intérieur de l'île, dans la vallée de Crawford. Pressée de découvrir les délices de ma nouvelle résidence, je projette de m'y rendre en fin d'après-midi et j'espère que cette excursion sera aussi exquise qu'on me l'a laissé entendre.

Bien à vous,
Emily Hacklett

Hunter glissa la missive dans sa poche. En temps normal, jamais il n'aurait donné suite à cette invitation à peine masquée. Il avait bien trop à faire à la veille du départ du *Cassandra*. Mais il devait retrouver Œil noir à l'intérieur de l'île. S'il avait le temps… Avec un haussement d'épaules, il alla chercher son cheval à l'écurie.

9

Le Juif avait choisi de s'installer à Sutter's Bay, à l'est de Port Royal. Hunter repéra l'endroit de loin grâce à la fumée âcre qui s'élevait au-dessus des arbres et aux détonations sporadiques de charges explosives.

Il déboucha dans une petite clairière et trouva le Juif au milieu d'un décor étonnant : des cadavres d'animaux de toutes espèces jonchaient le sol où ils commençaient à dégager une odeur pestilentielle sous l'ardent soleil de midi ; sur le côté se trouvaient trois caisses en bois contenant respectivement du salpêtre, du charbon et du soufre ; des morceaux de verre brisé brillaient dans l'herbe haute. Quant au Juif, il avait le visage et les vêtements couverts de sang et noircis par les explosions de poudre.

Hunter sauta de cheval et contempla la scène sans cacher son étonnement.

— Au nom du Ciel, mais que faites-vous ?

— Ce que vous m'avez demandé. Et vous ne serez pas déçu, ajouta Œil noir. Venez, je vais vous montrer. D'abord, vous vouliez que je vous confectionne une mèche très longue qui brûle lentement, c'est bien cela ?

Hunter hocha la tête.

— Donc, impossible d'utiliser les mèches habituelles. On pourrait envisager une traînée de poudre, mais elle se consume trop vite. Quant à la mèche à feu, un simple morceau de corde ou de ficelle trempé dans du salpêtre, elle se consume trop lentement au contraire et sa flamme se révèle souvent trop faible pour allumer la charge finale. Vous me suivez ?

— Parfaitement.

— Très bien. On pourrait obtenir une flamme et une vitesse de combustion intermédiaires en augmentant la proportion de soufre dans la poudre. Hélas, ce type de mélange est connu pour son manque de fiabilité. Et on ne veut pas courir le risque que la flamme crachote et s'étouffe.

— Non.

— J'ai essayé avec différents types de cordes, de mèches et de chiffons, sans résultat. Rien n'est fiable. J'ai donc cherché une matière qui pourrait contenir une charge d'amorce et j'ai trouvé ceci, annonça-t-il triomphalement en soulevant une substance fine, blanche et visqueuse. Des boyaux de rat ! Je les ai fait sécher tout doucement sur des braises pour en extraire les liquides tout en préservant leur élasticité. Ensuite je n'ai eu qu'à remplir ces intestins de poudre pour obtenir une amorce parfaite. Je vais vous montrer.

Il prit une longueur de tube blanchâtre qui laissait deviner la masse sombre de la poudre. Il la posa par terre et en enflamma une extrémité. L'amorce brûla sans faiblir avec très peu de crépitements et se consuma avec lenteur, à la vitesse d'un ou deux pouces par minute.

— Vous voyez ? se rengorgea le Juif.

— Vous pouvez être fier de vous, reconnut Hunter. Et cette mèche est transportable ?

— Oui, avec certaines précautions. Le seul problème, c'est le temps. Au bout d'un jour ou deux, l'intestin se dessèche et risque de se fendiller.

— Nous devrons donc emporter des rats avec nous.

— Exactement. Mais je vous ai préparé une surprise. Peut-être ne vous sera-t-elle d'aucune utilité, pourtant cette invention me semble des plus admirables. Avez-vous déjà entendu parler de ce que les Français appellent une *grenade*[1] ?

— Non. Je connais seulement le fruit. S'agirait-il d'un fruit empoisonné ?

Les empoisonnements étaient alors fort en vogue à la cour du roi Louis.

— En quelque sorte, répondit le Juif avec un petit sourire. En fait, cet engin doit son nom aux grains que contient la grenade. Tout ce que j'en savais, c'est qu'il était d'une fabrication dangereuse. Je suis cependant parvenu à le confectionner. Tout tient dans la proportion de salpêtre. Je vais vous montrer.

Le Juif souleva un petit flacon en verre au goulot étroit.

1. En français dans le texte. (*N.d.T.*)

— Mais avant que vous me jugiez mal, poursuivit-il tout en y versant une poignée de grenaille et quelques fragments de métal, avez-vous entendu parler de la *Complicidad Grande*[1] ?

— Vaguement.

— Mon fils fut accusé d'y avoir participé, expliqua le Juif tout en préparant sa grenade. Il avait abjuré la foi juive depuis longtemps et vivait à Lima, au Pérou, où il prospérait. Hélas, il avait des ennemis. Et le 11 août de l'année 1639, on vint l'arrêter sous prétexte qu'il continuait à pratiquer le judaïsme en secret.

Le Juif rajouta de la grenaille dans la bouteille.

— Il fut accusé de ne pas vouloir commercer le samedi, de ne pas manger de bacon à son petit déjeuner. Considéré dès lors comme judaïsant, il fut torturé. Et quand on lui mit aux pieds des fers chauffés à blanc, il finit par avouer tout ce qu'on voulait.

Le Juif remplit le flacon de poudre à ras bord et le scella avec de la cire.

— Au bout de six mois de prison, il fut brûlé vif avec six autres condamnés. C'est Cazalla qui commandait la garnison chargée d'exécuter cet autodafé. Les biens de mon fils furent confisqués. Sa femme et ses enfants… disparurent.

Le Juif considéra brièvement Hunter et essuya ses yeux larmoyants.

1. La « Grande Complicité » : nom donné au prétendu complot qu'auraient fomenté les judaïsants du Pérou. (*N.d.T.*)

— Je ne vous raconte pas tout cela pour me plaindre. Je veux juste vous faire comprendre pourquoi j'ai fabriqué une telle arme.

Il souleva la grenade et y inséra une courte mèche.

— Vous feriez mieux de vous mettre à l'abri derrière ces arbres, ajouta-t-il.

Hunter obéit et regarda le Juif poser la bouteille sur un rocher, allumer la mèche puis courir vers lui comme un dératé.

— Que va-t-il se passer ? demanda-t-il.

— Vous allez voir, répondit le Juif et il sourit pour la première fois.

Subitement la bouteille explosa, projetant du verre et des éclats de métal dans toutes les directions. Les deux hommes s'aplatirent sur le sol en entendant les projections déchiqueter les feuillages au-dessus d'eux.

Quand Hunter releva la tête, il avait blêmi.

— Bon Dieu !

— Ce n'est pas une arme de gentilhomme ! reconnut le Juif. Elle ne cause vraiment de dommage qu'à ce qui est tendre, comme la chair.

Hunter le dévisagea avec curiosité.

— Mais les Espagnols ont mérité ce traitement, poursuivit Œil noir. Alors, qu'en pensez-vous ?

Hunter réfléchit. Tout son être se révoltait contre cet engin inhumain. Cependant il partait avec soixante hommes capturer un galion en territoire ennemi. Soixante hommes qui devraient affronter une forteresse défendue par trois cents soldats, sans compter l'équipage du navire qui devait représenter deux ou trois cents combattants de plus.

— Fabriquez-m'en une douzaine. Emballez-les soigneusement pour le voyage et n'en parlez à personne. Ce sera notre secret.

Le Juif sourit.

— Vous serez vengé, Don Diego.

Sur cette promesse, Hunter remonta sur son cheval et repartit.

10

La vallée de Crawford s'étendait plus au nord, au pied de la montagne Bleue, à une agréable demi-heure de cheval à travers la forêt luxuriante. Parvenu sur une hauteur, Hunter vit en dessous de lui les montures de Mme Hacklett et de ses deux esclaves, attachées le long d'un ruisseau qui cascadait d'un petit bassin et, plus loin, une nappe étalée sur l'herbe avec de la nourriture.

Il descendit au bord de l'eau et attacha son cheval à côté des autres. Un doigt sur les lèvres, il lança un shilling aux deux femmes noires qui s'éclipsèrent aussitôt en gloussant. Ce n'était pas la première fois qu'on achetait leur complaisance, mais elles pourraient raconter ce qu'elles voudraient, et même les espionner à travers les feuillages, Hunter s'en moquait. Le bruit de ses pas couvert par la cascade, il s'approcha subrepticement de Mme Hacklett qui s'ébattait dans l'eau.

— Sarah, demanda-t-elle, le prenant pour l'esclave qui se trouvait encore derrière elle quelques secondes plus tôt, connaissez-vous le capitaine Hunter ?

— Mmm… mmm…, répondit-il d'une voix haut perchée en s'asseyant à côté de ses vêtements abandonnés sur un rocher.

— Robert prétend que ce n'est qu'un coquin et un pirate. Mais Robert me délaisse. Dire que j'ai été la favorite du roi. Ah, le roi ! Voilà un homme qui savait s'amuser. Mais ce capitaine Hunter est si beau ! Savez-vous si beaucoup de femmes lui accordent leurs faveurs, Sarah ?

Hunter ne répondit pas et continua à la regarder s'éclabousser.

— Oui, sans doute, poursuivit-elle. Il a des yeux à faire fondre les cœurs les plus endurcis. Il émane de lui un courage et une force qui ne peuvent laisser aucune femme indifférente. Et la finesse de ses doigts et de son nez laisse bien augurer de ses attentions. Sais-tu s'il a une favorite en ville, Sarah ?

Hunter gardait le silence.

— Sa Majesté, elle aussi, possède des doigts d'une grande finesse et elle est admirablement pourvue pour la chambre, ajouta-t-elle avec un petit gloussement. Oh, Sarah, je ne devrais pas dire cela !

Hunter restait muet.

— Sarah ?

Mme Hacklett se retourna et vit Hunter qui la contemplait en souriant.

— Ne savez-vous pas qu'il est malsain de se baigner ? demanda-t-il.

Elle frappa l'eau avec humeur.

— Tout le mal qu'on m'a dit de vous était donc vrai ! Vous n'êtes qu'un répugnant et grossier personnage, un goujat, tout sauf un gentilhomme !

— Était-ce donc un gentilhomme que vous attendiez aujourd'hui ?

Elle battit l'eau de plus belle.

— J'espérais mieux qu'un vil espion et un voyeur. Je vous somme de vous éloigner sur-le-champ, que je puisse me rhabiller.

— Mais je me trouve fort bien ici.

— Vous refusez de partir ? explosa-t-elle, hors d'elle.

Dans l'eau claire, Hunter constata qu'elle était trop osseuse à son goût, avec une poitrine maigre et un visage pincé. Mais sa colère l'excita.

— Hélas, je le crains.

— Je vous avais donc mal jugé, monsieur. Je pensais que vous sauriez témoigner d'un minimum de courtoisie et d'éducation envers une femme en détresse.

— Mais de quelle détresse parlez-vous ?

— Je suis nue.

— Je le vois bien.

— Et ce ruisseau est froid.

— Vraiment ?

— Oui, vraiment.

— Et vous venez seulement de vous en apercevoir ?

— Monsieur, je vous demande une fois encore de cesser vos impertinences et de m'accorder un instant d'intimité pour que je me sèche et que je me rhabille.

En guise de réponse, Hunter s'approcha de la jeune femme, la prit par la main et la hissa sur le rocher où elle resta toute ruisselante à grelotter malgré la chaleur du soleil. Elle le fusilla du regard.

— Vous allez attraper la mort à frissonner comme ça, dit-il en souriant de son embarras.

— Dans ce cas, autant qu'on soit deux ! rétorqua-t-elle.

Et, avant qu'il ait pu faire un geste, elle le poussa dans le bassin tout habillé.

Il disparut dans une grande gerbe d'eau et le froid lui coupa le souffle. Quand il remonta à la surface en se débattant, Lady Sarah éclata de rire du haut de son rocher.

— Madame, je vous en supplie, aidez-moi !

Elle rit de plus belle.

— Madame, je ne sais pas nager, je vous en prie...

Il disparut de nouveau sous l'eau.

— Un marin qui ne sait pas nager ! s'esclaffa-t-elle lorsqu'il refit surface.

— Madame...

Incapable d'en dire plus, il coula de nouveau. Le voyant remonter en gesticulant dans tous les sens, sans aucune coordination, la jeune femme, soudain inquiète, lui tendit la main. Toussant et crachant, il saisit ce bras secourable... et projeta sa propriétaire par-dessus sa tête.

Elle poussa un cri strident et atterrit à plat sur le dos, ce qui lui arracha un nouveau glapissement, avant de disparaître sous l'eau. Il éclata de rire quand elle remonta à la surface, puis il l'aida à regagner le rocher chauffé par le soleil.

— Vous n'êtes qu'un bâtard, un gredin, une abominable canaille, une immonde crapule !

— À votre service, répliqua-t-il en l'embrassant.

Elle le repoussa violemment.

— Et un impudent !

— Et un impudent, acquiesça-t-il en l'embrassant de plus belle.

— Je suppose que vous avez l'intention de me violer comme une fille des rues !

— Je doute que ce soit nécessaire, répondit-il en se débarrassant de ses vêtements trempés.

Et il ne se trompait pas.

— Au grand jour ? s'écria-t-elle d'une voix horrifiée.

Ce furent ses dernières paroles intelligibles.

11

M. Robert Hacklett vint trouver Sir James Almont, hors de lui, au beau milieu de la journée.

— Toute la ville ne parle que de l'expédition du capitaine Hunter, celui-là même avec qui nous avons dîné avant-hier soir ! On raconte qu'il se prépare à piller un comptoir espagnol, peut-être même La Havane.

— Et vous accordez foi à de telles fables ? feignit de s'étonner Sir James.

— Votre Excellence, une chose est certaine : le capitaine Hunter vient d'embarquer des provisions pour une traversée à bord de son sloop, le *Cassandra*.

— C'est fort possible, mais je ne vois là rien de répréhensible.

— Votre Excellence, avec le grand respect que je vous dois, le bruit court également que vous auriez cautionné cette course et que vous l'auriez même en partie financée !

— Voulez-vous dire que je l'aurais payée ? demanda Almont d'un ton légèrement irrité.

— En d'autres mots, Votre Excellence.

Sir James soupira.

— Monsieur Hacklett, quand vous aurez vécu ici un peu plus longtemps, disons environ une semaine, vous vous apercevrez que le bruit court en permanence qu'une course se prépare et que je la commandite.

— Alors ces rumeurs sont infondées ?

— Le voyage du capitaine Hunter ne me concerne que dans la mesure où je lui ai donné une lettre l'autorisant à aller couper du bois de campêche là où il le souhaite. Mon implication s'arrête là.

— Et où doit-il couper ce bois de campêche ?

— Je n'en ai pas la moindre idée. Sans doute sur la côte des Mosquitos, au Honduras. C'est généralement là qu'on en trouve.

— Votre Excellence, toujours avec le respect que je vous dois, puis-je vous rappeler que, en cette période de paix entre l'Espagne et notre nation, l'abattage du bois de campêche provoque des frictions qu'il vaudrait mieux éviter ?

— Vous pouvez me le rappeler, mais vous vous fourvoyez. De nombreux territoires de cette région ont été revendiqués par l'Espagne alors qu'on n'y trouve ni habitations, ni villes, ni colons. En l'absence de telles preuves de colonisation, je considère tout à fait légitime d'aller nous y fournir en bois de campêche.

— Votre Excellence, malgré toute la sagesse de vos paroles, reconnaissez au moins que ce qui commence comme une expédition d'abattage pourrait facilement se transformer en acte de piraterie.

— Facilement ? Comme vous y allez, monsieur Hacklett !

À Sa Très Sacrée Majesté Charles, par la grâce de Dieu roi de Grande-Bretagne et d'Irlande, défenseur de la Foi...

... l'humble requête du gouverneur adjoint des plantations et des territoires de Sa Majesté en Jamaïque, dans les Indes occidentales...

... remontre très humblement que j'ai été chargé par Votre Majesté de promulguer les souhaits et les sentiments de la Cour concernant les expéditions pirates dans les Indes occidentales ; et ayant fait connaître, par la remise d'une dépêche ainsi que de vive voix, lesdits souhaits et désirs à Sir James Almont, gouverneur de la susdite Jamaïque, je me dois de rapporter que fort peu de soin a été donné à la cessation et à la suppression de la piraterie dans ces régions. Au contraire, je me vois dans la triste obligation de révéler que Sir James en personne s'associe à toutes sortes de coquins et de scélérats ; qu'il encourage de ses paroles, de ses actes et de ses propres subsides la poursuite d'expéditions lâches et sanglantes contre les territoires espagnols ; qu'il fait de Port Royal le lieu de ralliement des meurtriers et des forbans qui viennent y écouler leurs gains illicites ; qu'il ne manifeste aucun remords pour ces activités ni la moindre intention d'y mettre un terme ; qu'il se montre lui-même tout à fait incapable d'assumer ses hautes responsabilités du fait de sa mauvaise santé et de son manque de moralité ; qu'il se livre à toutes sortes de corruptions et de vices au nom de Sa Majesté. Pour toutes ces raisons dûment établies, j'implore très humblement Votre Majesté de retirer cet homme de sa position et de lui choisir, dans votre grande

sagesse, un successeur plus approprié qui ne bafouera pas quotidiennement la Couronne. J'implore très humblement Votre Majesté qu'elle accède à ma requête... Je ne cesserai jamais de prier... Restant à jamais votre plus fidèle et plus dévoué serviteur,

Robert Hacklett
QUE DIEU PROTÈGE LE ROI

Hacklett relut sa lettre, en fut satisfait et sonna un domestique. Ce fut Anne Sharpe qui se présenta.

— Mon enfant, je voudrais que tu veilles à ce que cette missive parte par le prochain bateau pour l'Angleterre.

Il lui donna une pièce.

Elle esquissa une petite révérence.

— Très bien, monsieur.

— Prends-en grand soin, ajouta-t-il, les sourcils froncés.

Elle glissa la pièce dans son corsage.

— Monsieur souhaite-t-il autre chose ?

— Hein ? sursauta-t-il en la voyant sourire avec impudence et passer la langue sur ses lèvres. Non. Va-t'en !

Elle quitta la pièce.

Il laissa échapper un soupir.

12

Hunter surveillait le chargement de son bateau à la lueur des torches. Les taxes d'amarrage étaient élevées à Port Royal : un navire marchand ordinaire ne pouvait se permettre qu'un appontement de quelques heures, le temps de débarquer ou d'embarquer sa cargaison. Mais le petit sloop passa une bonne vingtaine d'heures à quai sans qu'il lui en coûte un penny. Au contraire, Cyrus Pitkin, le propriétaire du dock, exprima le grand plaisir qu'il avait à offrir cet emplacement à Hunter et, afin de l'encourager à accepter son offre généreuse, alla jusqu'à lui octroyer cinq barriques d'eau gratuites.

Hunter eut la politesse d'accepter. Il savait que Pitkin n'agissait pas ainsi par magnanimité, mais dans l'espoir d'une récompense au retour du *Cassandra*. Et il l'aurait.

De la même manière, Hunter accepta un fût de porc salé de M. Oates, un fermier de l'île, et un baril de poudre de M. Renfrew, l'armurier. Tout cela fut mené avec une infinie courtoisie, chacun connaissant avec précision la valeur du geste et celle du cadeau attendu en échange.

Tout en menant ces aimables transactions, Hunter interrogea chaque membre de son équipage, qu'il fit ensuite examiner par M. Enders : il tenait à s'assurer que tous étaient en bonne santé avant de les embarquer. Hunter vérifia également toutes les provisions, ouvrant et reniflant chaque baril de porc, plongeant la main jusqu'au fond pour contrôler qu'il était bien rempli. Il goûta chaque barrique d'eau et vit avec satisfaction que les stocks de biscuits secs étaient frais, sans charançons.

Quand il s'agissait d'une longue navigation, le capitaine ne pouvait effectuer ces contrôles en personne. La traversée d'un océan nécessitait des tonnes d'eau et de nourriture pour les voyageurs ; et la plus grande partie de la viande était embarquée sur pied, meuglante et caquetante.

Mais les corsaires naviguaient différemment. Ils s'entassaient sur de petits navires, n'emportant qu'un approvisionnement des plus légers. Ils ne s'attendaient donc pas à bien manger à bord. Il leur arrivait même de prendre la mer sans aucune nourriture et ils comptaient alors sur leurs futures prises pour s'alimenter.

Les corsaires n'étaient pas non plus lourdement armés. Le *Cassandra*, petit sloop de soixante-dix pieds, n'embarquait que quatre sacres, des petits pierriers montés sur pivot à sa proue et à sa poupe. Ils représentaient son seul armement et offraient une bien piètre défense contre des navires de guerre de cinquième voire de sixième rang. Mais les corsaires comptaient essentiellement sur leur vitesse et leur manœuvrabilité, ainsi que sur leur faible tirant d'eau, pour échapper à leurs adversaires les plus dangereux. Ils remontaient mieux au vent et se réfugiaient dans des passages et des ports peu profonds où un navire plus important ne pouvait les poursuivre. Et ils se sentaient relativement en sécurité sur la mer des Caraïbes, car ils s'y trouvaient rarement hors de vue d'une île protégée par sa barrière de corail.

Hunter veilla au chargement de son bateau jusqu'à l'aube. Chaque fois que des curieux venaient rôder sur le quai, il les faisait chasser. Les espions pullulaient à Port Royal : les colonies espagnoles payaient bien ceux qui les prévenaient de l'imminence d'une attaque. Et Hunter ne voulait pas qu'on remarque l'équipement peu ordinaire qu'il montait à bord, que ce soit l'énorme quantité de cordes et de grappins ou les caisses de bouteilles étranges fournies par le Juif.

Ces dernières avaient d'ailleurs été enveloppées de toile cirée et placées sous le pont, hors de vue même des marins. Comme Hunter l'avait dit à Don Diego, cela devait rester leur « petit secret ».

Alors que le jour se levait, M. Enders s'approcha de Hunter, de sa démarche dynamique et sautillante.

— Pardonnez-moi, capitaine, mais un mendiant avec une jambe de bois a traîné toute la nuit autour de l'entrepôt.

Hunter scruta le bâtiment, encore plongé dans l'ombre. Les quais n'étaient pas l'endroit idéal pour mendier.

— Vous le connaissez ?

— Non, capitaine.

Hunter se rembrunit. En d'autres circonstances, il aurait envoyé le mendiant au gouverneur en demandant qu'on l'enferme quelques semaines dans la prison de Marshallsea. Mais le gouverneur dormait encore et n'apprécierait guère d'être dérangé.

— Bassa !

L'énorme silhouette du Maure se matérialisa à son côté.

— Tu vois l'homme à la jambe de bois ?

Bassa opina.

— Tue-le.

Bassa s'éloigna.

Hunter se tourna vers Enders, qui soupira :

— C'est mieux ainsi, capitaine. Et il cita le vieil adage : « Mieux vaut un voyage qui commence dans le sang qu'un voyage qui se termine dans le sang. »

— J'ai peur que nous n'ayons droit aux deux, répliqua Hunter avant de se remettre au travail.

Quand le *Cassandra* appareilla une demi-heure plus tard dans la faible lueur du petit matin, avec Lazue à la proue pour surveiller les récifs de Pelican Point, Hunter contempla le port. La cité dormait paisiblement. Les allumeurs de réverbères éteignaient les torches du dock. Les rares personnes venues leur souhaiter bon voyage s'en retournaient.

C'est alors qu'il aperçut le corps de l'unijambiste qui flottait sur le ventre, ballotté par les vagues, sa jambe de bois cognant contre un pilier.

Encore un présage ! songea-t-il. Bon ou mauvais, il n'aurait su le dire.

13

— « S'associe à toutes sortes de coquins et de scélérats » ! bafouilla Sir James. « Encourage… la poursuite d'expéditions lâches et sanglantes contre les territoires espagnols ». Dieu tout-puissant ! « Lâches et sanglantes », cet homme est fou ! « Fait de Port Royal le lieu de ralliement des meurtriers et des forbans qui viennent y écouler leurs gains illicites… incapable d'assumer ses hautes respon-sabilités… se livre à toutes sortes de corruptions et de vices au nom de Sa Majesté ». Que le diable emporte ce misérable ! explosa le gouverneur en agitant la lettre, au comble de la fureur. Que ce félon soit maudit ! Quand vous a-t-il remis cette missive ?

— Hier, Votre Excellence, répondit Anne Sharpe. J'ai pensé qu'elle vous intéresserait.

— Et tu as eu raison ! approuva-t-il en lui don-nant un shilling pour ce service. Si tu m'en rap-portes d'autres de cet acabit, tu seras dûment récompensée, ajouta-t-il en se félicitant de la per-spicacité de cette enfant. T'a-t-il fait des avances ?

— Non, Votre Excellence.

— Je m'en doutais. Eh bien, il nous faudra trouver un moyen pour faire perdre une bonne fois pour toutes le goût de l'intrigue à ce M. Hacklett.

Il s'approcha de la fenêtre de sa chambre. Dans les premières lueurs de l'aube, le *Cassandra* finissait de contourner Lime Cay : il hissa sa grand-voile, mit le cap à l'est et prit de la vitesse.

Le *Cassandra*, à l'instar de tous les bateaux corsaires, rallia d'abord Bull Bay, une petite crique à quelques milles à l'est de Port Royal. Là, M. Enders mit en panne et, tandis que les voiles faseyaient dans la brise, le capitaine Hunter s'adressa à son équipage.

Tout le monde à bord avait l'habitude de ces formalités. D'abord, Hunter demanda s'ils voulaient l'élire capitaine du navire et un chœur de « oui » lui répondit. Puis il établit les règles de l'expédition : pas de boisson, pas de fornication et pas de pillage sans son ordre, toute infraction étant punie de mort. Il s'agissait des règles d'usage et, après un vote de pure formalité, cette chasse-partie[1] fut adoptée à l'unanimité.

Ensuite, il établit le partage du butin. En tant que capitaine, il s'attribuait treize parts. Sanson en aurait sept – quelques grognements accueillirent cette annonce – et M. Enders une et demie. Lazue et Œil noir une un quart. Le reste serait divisé en parts égales entre les membres d'équipage.

L'un des gabiers se leva.

1. Contrat qui réglementait la vie des pirates et qui établissait la répartition des bénéfices, les indemnités, les punitions… (*N.d.T.*)

— Capitaine, c'est bien à Matanceros que vous nous emmenez ? C'est dangereux !

— En effet, mais le butin sera énorme. Il y en aura largement pour chacun d'entre vous. Que ceux qui trouvent les risques trop grands débarquent dans cette anse, je ne leur en voudrai aucunement. Je leur demande juste de partir avant que je vous dévoile de quel trésor il s'agit.

Il les dévisagea. Personne ne parla ni ne bougea.

— Très bien ! Le port de Matanceros abrite une nao espagnole chargée d'or et nous allons nous en emparer.

Un rugissement accueillit cette déclaration. Hunter dut attendre quelques minutes avant de pouvoir reprendre la parole. Quand il regagna enfin l'attention de ses hommes, il vit briller dans leurs yeux la fièvre de l'or.

— Vous me suivez ?

Ils répondirent par un hurlement.

— Alors, cap sur Matanceros !

DEUXIÈME PARTIE

LE VAISSEAU NOIR

14

Vu de loin, le *Cassandra* offrait un beau spectacle : gîtant de plusieurs degrés, ses voiles gonflées par la brise matinale, il fendait les eaux bleues. Mais à bord, tous manquaient cruellement de confort et d'espace. Soixante corsaires sales et puants se disputaient la place pour jouer aux cartes ou dormir. Ils se soulageaient par-dessus bord, sans cérémonie, et il arrivait fréquemment au capitaine de voir une demi-douzaine de culs nus alignés au-dessus du plat-bord sous le vent.

Aucune nourriture ni boisson ne fut distribuée le premier jour. Comme les hommes s'y attendaient, ils avaient bu et mangé tout leur soûl, la veille, à Port Royal.

Hunter ne jeta pas non plus l'ancre le premier soir. Les corsaires avaient l'habitude de relâcher dans une crique abritée pour passer la nuit à terre. Mais Hunter préféra continuer à naviguer. Il avait deux raisons de se hâter : d'abord, il craignait d'être devancé à Matanceros par des espions qui donneraient l'alarme ; ensuite, il ne voulait pas perdre une seconde, la nao risquant de quitter son abri à tout moment.

À la fin du deuxième jour, courant des bordées vers le nord-est, ils s'engagèrent dans le passage délicat entre Hispaniola et Cuba. L'équipage connaissait bien cette région, car elle se trouvait à une journée de voile de l'île de la Tortue, vénérable bastion pirate.

Hunter poursuivit ainsi sa route le troisième jour mais, le soir venu, il se mit au mouillage pour laisser à ses hommes fatigués le temps de se reposer. Le lendemain, ils entameraient le long parcours sur l'océan vers Inagua puis Matanceros. Ils n'auraient plus d'endroit sûr où faire escale, car dès qu'ils auraient franchi le vingtième parallèle, ils entreraient dans les dangereuses eaux espagnoles.

Le moral était bon : les hommes riaient et plaisantaient autour des feux de camp. Au cours des trois derniers jours, un seul d'entre eux avait souffert des hallucinations démoniaques qui accompagnent parfois la privation de rhum. Mais le malade avait recouvré son calme et ne tremblait plus.

Alors que, le regard perdu dans les flammes, Hunter goûtait une certaine sérénité, Sanson vint s'asseoir à côté de lui.

— À quoi penses-tu ?
— À rien de particulier.
— C'est Cazalla qui t'inquiète ?
— Non.
— Je sais qu'il a tué ton frère, dit Sanson.
— Il est en effet responsable de sa mort.
— Et ça ne te met pas hors de toi ?
— Plus maintenant, soupira Hunter.
Sanson le scruta à la lueur vacillante du feu.

— Comment est-il mort ?

— Peu importe.

Sanson réfléchit en silence quelques instants.

— J'ai ouï dire que Cazalla l'avait capturé sur un navire marchand, reprit-il. Qu'il l'avait pendu par les bras, qu'il lui avait coupé les testicules et qu'il les lui avait enfoncés dans la bouche jusqu'à ce qu'il en étouffe.

Hunter laissa s'écouler plusieurs secondes.

— C'est effectivement ce qu'on raconte.

— Et tu y crois ?

— Oui.

Sanson scruta son visage.

— Fieffé Anglais ! Où est passée ta colère, Hunter ?

— Je me la garde.

Sanson hocha la tête et se leva.

— Quand tu trouveras Cazalla, tue-le vite. Ne laisse pas la haine t'aveugler.

— J'ai l'esprit très clair.

— Non, je vois bien que non.

Sanson parti, Hunter resta un long moment à contempler le feu.

Au matin, ils pénétrèrent dans le périlleux passage du Vent, qui sépare l'extrémité sud-est de Cuba du nord-ouest d'Hispaniola. Malgré les vents imprévisibles et la mer agitée, le *Cassandra* réalisa un temps excellent. Au cours de la nuit, ils dépassèrent le sombre promontoire du Môle et laissèrent la pointe ouest d'Hispaniola sur tribord. À l'aube, l'île de la Tortue se détacha de la côte nord.

Ils poursuivirent leur route.

Tout le quatrième jour, ils naviguèrent en plein océan. Le temps était beau, la mer à peine clapoteuse. En fin d'après-midi, ils aperçurent Inagua à bâbord et, peu après, Lazue repéra les récifs qui annonçaient les Caïques, droit devant. Ceux-ci permettaient de situer un haut-fond particulièrement traître qui s'étendait sur plusieurs milles au sud de ces îles.

Hunter donna l'ordre de virer à l'est vers les îles Turques qu'on ne distinguait pas encore. Le ciel restait limpide. L'équipage chantait ou somnolait au soleil.

Le jour baissait lorsqu'un cri de Lazue secoua l'équipage assoupi :

— Navire en vue !

Hunter se leva d'un bond. Il plissa les yeux mais ne vit rien. Enders balaya l'horizon avec sa longue-vue puis la tendit à Hunter.

— Que je sois damné ! Il fond sur nous par le travers, capitaine !

Regardant à son tour, Hunter repéra un rectangle blanc, bas sur l'horizon. Sous ses yeux, celui-ci se transforma bientôt en deux carrés qui se chevauchaient.

— C'est quoi, à votre avis ? demanda Enders.

Hunter secoua la tête.

— Je n'en sais pas plus que vous.

À cette distance, il leur était impossible de déterminer la nationalité du navire, mais une chose était sûre, il voguait sur les eaux espagnoles. Hunter contempla l'océan. Inagua se trouvait loin derrière eux, à cinq bonnes heures de voile, et elle offrait peu de protection. Au nord, les Caïques étaient tentantes mais le vent de nord-est les contraindrait à naviguer trop au près pour garder une vitesse suffisante. À l'est, les îles Turques étaient toujours hors de vue, et elles se trouvaient dans la direction du bâtiment inconnu.

Il devait prendre une décision, même si aucune de ces options ne le séduisait.

— On change de route. Cap sur les Caïques !

Enders hocha la tête en se mordant les lèvres.

— Parez à virer ! lança-t-il.

L'équipage se précipita sur les écoutes. Le *Cassandra* remonta au vent et pivota vers le nord.

— Bordez ! dit Hunter en étudiant les voiles. Il faut gagner de la vitesse.

— Oui, capitaine ! répondit Enders.

Le front soucieux, l'artiste des mers considéra les voiles à l'horizon à présent nettement visibles à l'œil nu. L'autre vaisseau les rattrapait ; les perroquets se détachaient sur le ciel, les voiles de misaine apparaissaient.

L'œil collé à la longue-vue, Hunter compta trois voiles de perroquets : avec trois mâts, il ne pouvait s'agir que d'un navire de combat.

— Morbleu !

Alors même qu'il les regardait, les trois voiles se fondirent en une seule puis se séparèrent de nouveau.

— Il a viré. Il nous donne la chasse.

Enders se mit à danser d'un pied sur l'autre tandis que sa main se crispait sur le gouvernail.

— Nous n'arriverons jamais à le semer sous cette amure, capitaine !

— Ni sous aucune autre, grommela Hunter d'un ton sinistre. Nous n'avons plus qu'à prier que le vent tombe.

L'autre navire se trouvait à moins de cinq milles. Par un vent soutenu, il les rattraperait inexorablement. Il ne leur restait plus qu'à espérer une accalmie qui permettrait au *Cassandra*, moins lourd que son poursuivant, de le distancer.

Il arrivait que l'alizé baisse à la tombée du jour, mais il pouvait tout aussi bien fraîchir. D'ailleurs, peu de temps après, Hunter sentit le souffle de la brise forcir sur ses joues.

— Nous n'avons guère de chance aujourd'hui, lâcha Enders.

Ils apercevaient désormais les grand-voiles de leur poursuivant, rosies par le soleil couchant.

Leur seul refuge, les Caïques, se trouvait encore dramatiquement loin.

— Voulez-vous qu'on fasse demi-tour et qu'on prenne la fuite, capitaine ? demanda Enders.

Hunter secoua la tête. Le *Cassandra* filerait peut-être mieux vent arrière mais cela ne ferait que repousser l'inévitable. Totalement impuissant, il serra les poings de rage en regardant croître la voilure de l'autre vaisseau.

— C'est bien un navire de ligne, constata Enders. Mais je ne vois pas encore sa proue.

La forme de l'étrave offrait un excellent moyen de connaître la nationalité d'un navire : celle des bâtiments de guerre espagnols était moins élancée que celle des anglais ou des hollandais.

Sanson revint vers la barre.

— Tu vas combattre ?

Hunter se contenta de montrer le navire dont la coque se découpait à présent nettement sur l'horizon. D'une hauteur de plus de cent trente pieds au-dessus de la ligne de flottaison, il possédait deux étages de canons dont on entrevoyait les bouches massives par les sabords ouverts. Hunter s'épargna la peine de les compter ; il en voyait au moins une vingtaine, trente peut-être, sur le flanc tribord.

— J'ai l'impression que c'est un bâtiment espagnol, déclara Sanson.

— Oui, malheureusement, acquiesça Hunter.

— Vas-tu te battre ?

— Me battre contre ça ?

Alors même qu'il parlait, le navire de guerre tourna et lâcha une salve sur le *Cassandra*. Les canons se trouvaient trop loin et les boulets tombèrent dans l'eau à bâbord, sans faire de dégâts, mais l'avertissement était clair. Surtout que dans moins de cinq cents brasses, le *Cassandra* serait à sa portée. Hunter soupira.

— Face au vent, ordonna-t-il.

— Je vous demande pardon, capitaine ? s'inquiéta Enders.

— Mettez-vous face au vent et larguez toutes les écoutes !

— Entendu, capitaine.

Sanson décocha un regard assassin à Hunter et partit à grands pas vers l'avant. Hunter n'y prêta aucune attention, uniquement concentré sur son petit sloop qui tournait vers le vent tandis que les écoutes filaient. Les voiles battirent bruyamment dans la brise ; le *Cassandra* s'immobilisa. L'équipage de Hunter se précipita le long du bastingage bâbord pour regarder le colosse approcher. Sa coque était entièrement peinte en noir avec, comme seule décoration, les armes de Philippe, deux lions affrontés, brillant de tous leurs ors sur le château arrière. C'était bien un vaisseau espagnol !

— On va leur en faire voir quand ils viendront nous capturer ! murmura Enders. Vous n'aurez qu'à nous donner le signal, capitaine.

— Non. Sur un navire de cette taille, il doit y avoir plus de deux cents marins et autant de soldats en armes sur le pont. Que peuvent soixante hommes sur un sloop ouvert contre quatre cents combattants sur un navire pareil ? À la moindre résistance, le galion n'aura qu'à reprendre un peu de distance et tirer des bordées sur le *Cassandra* pour nous couler.

— Mieux vaut mourir une épée à la main qu'une corde papiste autour du cou, ou les pieds rôtis par ces maudits Espagnols, rétorqua Enders.

— On va attendre, insista Hunter.

— On va attendre quoi ?

Hunter ne répondit pas. Il regarda le navire de guerre approcher si près que l'ombre de la grand-voile du *Cassandra* se profila sur sa coque. Dans la pénombre croissante, ils entendirent une salve d'ordres retentir en espagnol.

Hunter ramena son attention sur ses hommes et vit Sanson armer précipitamment ses pistolets avant de les glisser dans sa ceinture.

Il s'approcha de lui.

— Je vais me battre, annonça Sanson. Libre à vous de vous rendre comme des femmelettes, mais moi, je me bats.

Hunter se pencha vers lui.

— Dans ce cas, voilà ce que tu vas faire.

Il lui chuchota quelques mots à l'oreille ; le Français s'éloigna discrètement.

On criait de plus belle sur le navire espagnol. Le pont principal était bordé d'une ligne ininterrompue de soldats, leurs mousquets pointés sur le sloop en contrebas. Des cordes furent lancées sur le *Cassandra*. Plusieurs Espagnols descendirent et, à la pointe de leur mousquet, forcèrent Hunter et ses hommes, l'un après l'autre, à grimper l'échelle de corde qui menait à leur vaisseau.

15

Après la promiscuité des derniers jours, le navire de guerre leur parut gigantesque. Son vaste pont principal s'étendait telle une plaine devant eux. Et, une fois rassemblés par les soldats autour du grand mât, les corsaires, qui remplissaient le sloop à craquer, ne formaient plus qu'une troupe ridiculement petite et insignifiante. Hunter se tourna vers ses hommes ; ils évitèrent tous son regard, leurs visages n'exprimant que la colère, la révolte et l'amertume.

Loin au-dessus de leurs têtes, les énormes voiles battaient dans la brise avec un tel vacarme que l'officier espagnol dut hurler pour se faire entendre.

— Vous le capitaine ? aboya-t-il.

Hunter hocha la tête.

— Quel nom ?

— Hunter.

— Anglais ?

— Oui.

— Vous voir capitaine.

Deux soldats l'entraînèrent vers le pont inférieur. Hunter n'eut que le temps de jeter un dernier coup d'œil par-dessus son épaule vers son pitoyable équipage. On leur attachait déjà les mains dans le dos ; les hommes du vaisseau de ligne se révélaient d'une efficacité redoutable.

Il dégringola l'escalier étroit qui menait au pont d'artillerie. Il aperçut brièvement la longue ligne de canons et leurs servants prêts à toute éventualité, avant d'être poussé sans ménagement vers l'arrière. Par les sabords ouverts, il entrevit le *Cassandra*, à couple avec le navire de guerre. Le sloop grouillait de soldats et de marins qui examinaient son équipement et son gréement, se préparant à appareiller. Il ne put s'attarder : le mousquet dans son dos le propulsa en avant. Ils arrivèrent devant une porte gardée par deux hommes à la mine patibulaire, armés jusqu'aux dents. Hunter remarqua qu'ils ne portaient pas d'uniforme et qu'ils affichaient des airs supérieurs. Ils lui jetèrent un regard dédaigneux. Puis l'un d'eux frappa à la porte et prononça quelques mots en espagnol. Un grognement lui répondit. L'homme entra en poussant Hunter devant lui et referma le battant derrière eux.

La cabine du capitaine se révéla étonnamment grande et fastueusement meublée. Tout évoquait l'espace et le luxe : la table de salle à manger préparée pour un dîner aux chandelles avec une belle nappe et des assiettes en or ; plus loin, le lit confortable recouvert d'une courtepointe de soie brochée d'or. Un tableau richement encadré, représentant le Christ en croix, était accroché dans un angle, au-dessus d'un canon dont le sabord était ouvert. Depuis une autre encoignure, une lanterne diffusait une lumière chaude et dorée.

À l'arrière de la cabine se trouvait une seconde table couverte de cartes marines. Derrière, assis dans un imposant fauteuil en velours rouge, trônait le capitaine.

Le dos tourné à Hunter, une carafe en cristal taillé à la main, il remplissait un verre de vin. Tout ce que voyait Hunter, c'était son impressionnante carrure et ses épaules de taureau.

— Eh bien, commença l'Espagnol dans un anglais parfait, accepteriez-vous de partager avec moi cet excellent bordeaux ?

Avant que Hunter puisse répondre, le capitaine se retourna et le corsaire reconnut avec stupeur les yeux brillants enfoncés dans leurs orbites, le visage aux traits épais, le nez puissant et la barbe d'un noir de jais.

— Cazalla ! s'exclama-t-il malgré lui.

L'Espagnol éclata de rire.

— Qui t'attendais-tu à voir ? Le roi Charles ?

Hunter resta sans voix. Il sentit vaguement que ses lèvres bougeaient, mais aucun son n'en sortit. Mille questions se bousculaient à son esprit : pourquoi Cazalla se trouvait-il ici et non à Matanceros ? La nao serait-elle repartie ? Ou Cazalla avait-il confié la forteresse à un talentueux lieutenant ? À moins qu'il n'ait été convoqué par une autorité supérieure. Ce navire se rendait peut-être à La Havane.

Une sueur froide le saisit alors que ces interrogations l'assaillaient. Et il dut faire un effort surhumain pour ne pas trembler.

— L'Anglais, ton trouble me flatte. Mais je suis très gêné de ne pas connaître ton nom. Je t'en prie, assieds-toi, prends tes aises.

Comme Hunter ne bougeait pas, le soldat le poussa brutalement vers le siège en face de Cazalla.

— Voilà qui est mieux, déclara ce dernier. Prendras-tu de ce bordeaux à présent ?

Par un terrible effort de volonté, Hunter réussit à saisir d'une main assurée le verre que l'Espagnol lui tendait. Mais il le posa aussitôt sur la table devant lui, sans y toucher.

Cazalla sourit.

— À ta santé, l'Anglais ! Je bois à ta santé tant que je peux le faire. Tu ne m'accompagnes pas ? Non ? Allons, l'Anglais ! Même Son Excellence le commandant de la garnison de La Havane n'a pas un aussi bon bordeaux. Il vient de France. C'est du haut-brion. Bois. Vas-y, goûte-le !

Hunter prit le verre et but une gorgée. Il se sentait hypnotisé, presque en transe. Heureusement le goût du vin brisa son envoûtement ; le simple geste de porter le bordeaux à ses lèvres et de déglutir le ramena à la réalité. Son premier choc passé, il se mit à noter mille petits détails. Il entendit la respiration du soldat, à deux pas derrière lui, estimat-il. Il nota la barbe mal taillée de Cazalla et en déduisit qu'il naviguait depuis plusieurs jours. Il remarqua le parfum de l'ail dans son haleine quand celui-ci se pencha vers lui.

— Maintenant, l'Anglais, si tu me disais comment tu t'appelles ?

— Charles Hunter, répondit-il d'une voix plus ferme et plus assurée qu'il n'eût osé l'espérer.

— C'est vrai ? Mais je te connais ! C'est toi, le Hunter qui a capturé la *Concepción*, l'an dernier ?

— C'est moi.

— Et le Hunter qui a mené l'attaque de Monte Cristo, à Hispaniola, et qui a exigé une rançon contre le planteur Ramona ?

— C'est moi.

— Quel porc, ce Ramona, n'est-ce pas ? s'esclaffa Cazalla. Et c'est aussi toi qui as capturé le négrier de De Ruyters, pendant qu'il était à l'ancre, en Guadeloupe, et qui as emporté tout son chargement ?

— C'est moi.

— Alors je suis ravi de faire ta connaissance, l'Anglais. As-tu conscience de ta valeur ? Non ? Eh bien, elle n'a cessé de grimper avec les années. Aux dernières nouvelles, le roi Philippe offrait deux cents doublons d'or rien que pour toi et huit cents en plus pour ton équipage. C'est sans doute davantage aujourd'hui. Les décrets changent, les usages aussi. Autrefois, nous renvoyions les pirates à Séville, où l'Inquisition les encourageait à se repentir de leurs péchés et de leur hérésie par la même occasion. À présent, nous n'envoyons plus que les têtes... nous préférons réserver nos cales à des marchandises plus profitables.

Hunter resta muet.

— Tu penses peut-être que deux cents doublons, ce n'est pas cher payé, poursuivit Cazalla. Et tu te doutes qu'aujourd'hui je partage cet avis. Mais apprendre que tu es le pirate le plus recherché de toutes les mers doit te flatter, non ?

— Je le prends comme il se doit, répondit Hunter.

Cazalla sourit.

— Je vois que tu es un gentilhomme. Et je tiens à t'assurer que tu seras pendu avec toute la dignité qui sied à un gentilhomme. Tu as ma parole.

Hunter esquissa une révérence depuis son siège. Il regarda Cazalla soulever une petite coupe en verre, fermée par un couvercle, qui contenait des feuilles vertes. Il en mit une dans sa bouche et la mâcha.

— Tu as l'air intrigué, l'Anglais. Tu ne connais pas cette plante ? Les Indiens de Nouvelle-Espagne l'appellent *coca*. Elle pousse en altitude. Elle donne de l'énergie et de la force. Et plus d'ardeur aux femmes, ajouta-t-il avec un gloussement. Veux-tu goûter ? Non ? Dédaignerais-tu mon hospitalité, l'Anglais ?

Il mâchonna quelques instants en silence sans quitter Hunter des yeux.

— On ne se serait pas déjà rencontrés ? finit-il par demander.

— Non.

— Pourtant ton visage me paraît bizarrement familier. Peut-être autrefois, quand tu étais plus jeune ?

— Je ne pense pas, répondit Hunter tandis que son cœur s'emballait.

— Tu as sans doute raison, murmura rêveusement Cazalla, les yeux perdus sur la peinture accrochée au mur. Tous les Anglais se ressemblent à mes yeux. Je n'arrive pas à les distinguer les uns des autres. Et pourtant, toi, tu m'as reconnu !

s'étonna-t-il en ramenant son regard sur lui. Comment est-ce possible ?

— Votre visage et vos manières sont tellement célèbres dans les colonies anglaises !

Cazalla croqua un morceau de citron vert avec ses feuilles.

— Sans doute ! sourit-il. Sans doute !

Il pivota brusquement sur son fauteuil et assena un grand coup sur la table.

— Assez bavardé ! Nous devons parler affaires. Comment s'appelle ton navire.

— Le *Cassandra*.

— Et à qui appartient-il ?

— J'en suis le capitaine et le propriétaire.

— D'où as-tu pris la mer ?

— De Port Royal.

— Dans quel but ?

Hunter réfléchit. S'il avait pu trouver une raison valable, il l'aurait aussitôt avancée. Mais sa présence dans ces eaux était difficilement justifiable.

— On nous a signalé le passage d'un négrier en provenance de Guinée, finit-il par répondre.

Cazalla claqua la langue et secoua la tête.

— Ah, l'Anglais ! L'Anglais !

— Nous faisions route vers Augustine, fit-il alors semblant d'avouer.

Il s'agissait de la ville la mieux établie de la colonie espagnole de Floride. Si elle ne possédait pas de richesses particulières, elle pouvait néanmoins intéresser des corsaires.

— Vous avez choisi une drôle de route. Et guère rapide, remarqua Cazalla en tambourinant sur son bureau. Pourquoi n'avez-vous pas pris par l'ouest de Cuba et le passage des Bahamas ?

Hunter haussa les épaules.

— Nous avions de bonnes raisons de croire qu'il y croisait des navires de guerre espagnols.

— Et pas ici ?

— C'était moins risqué.

Cazalla considéra la question tout en mastiquant bruyamment ses feuilles de coca et en sirotant son vin.

— Il n'y a rien à Augustine en dehors des marécages et des serpents. Du moins rien qui mérite de s'aventurer dans le passage du Vent. Et dans ces parages... je ne vois aucun comptoir qui ne soit correctement défendu, trop bien en tout cas pour ton petit bateau et ton misérable équipage. Allons, l'Anglais, que viens-tu faire par ici ? insista-t-il en fronçant les sourcils.

— Je vous ai dit la vérité : nous allions à Augustine.

— Ta vérité ne me satisfait pas.

Au même moment, on frappa à la porte. Un matelot passa la tête dans la cabine et parla rapidement en espagnol. Hunter ne connaissait pas cette langue mais, grâce à ses notions de français, il comprit que les marins de Cazalla aux commandes du sloop étaient prêts à appareiller. Cazalla hocha la tête et se leva.

— Nous partons. Tu vas venir avec moi sur le pont. Peut-être parmi tes hommes s'en trouvera-t-il de plus bavards que toi.

16

Les corsaires avaient été rassemblés sur deux rangées, les mains liées. Cazalla faisait les cent pas devant eux, frappant du plat de sa main la lame d'un couteau. Dans le silence, on n'entendait plus que le claquement de l'acier sur sa paume.

Hunter leva les yeux vers les voiles du navire de guerre. Il voguait cap à l'est, visant sans doute la protection de Hawk's Nest Anchorage au sud des îles Turques et Caïques. Il vit dans le soleil couchant le *Cassandra* qui les suivait à courte distance.

La voix de Cazalla le tira de ses pensées.

— Votre capitaine, beugla-t-il, refuse de me révéler votre destination. Il prétend que c'est Augustine. Un enfant mentirait mieux. Je vous préviens, je finirai par savoir où vous alliez. Alors, lequel d'entre vous me dira la vérité ?

Il dévisagea les deux rangées d'hommes qui gardaient tous un visage impassible.

— Dois-je vous encourager ? Hé, toi ! dit-il en s'approchant de l'un d'eux. Tu vas parler ?

Le corsaire ne fit pas un geste, ne dit pas un mot, ne cilla même pas. Au bout d'un moment, Cazalla reprit ses allées et venues.

— Votre silence ne rime à rien. Vous n'êtes qu'un ramassis d'hérétiques et de brigands et vous finirez tous pendus au bout d'une corde. Mais d'ici là, libre à vous de connaître une existence confortable ou non. Ceux qui parleront pourront vivre à l'aise jusqu'à ce jour fatal, je m'y engage solennellement.

Personne ne broncha. Cazalla s'immobilisa.

— Vous n'êtes que des idiots ! Vous sous-estimez ma détermination.

Il se tenait devant Trencher, à l'évidence le plus jeune des corsaires. Trencher tremblait mais il garda la tête haute.

— Toi, mon garçon, continua Cazalla d'une voix plus douce, je vois bien que tu n'es pas comme eux. Parle donc et dis-moi quel était le but de votre voyage.

Trencher ouvrit la bouche et la referma. Ses lèvres frémirent.

— Parle, répéta doucement Cazalla. Parle, parle…

Trop tard : Trencher s'était ressaisi et serrait fermement les lèvres.

Cazalla le fixa un instant et soudain, d'un geste vif, il lui trancha la gorge avec son couteau. Le mouvement fut si rapide que Hunter eut à peine le temps de le voir. Une tache rouge s'étala sur la chemise du garçon qui écarquilla les yeux d'horreur et secoua la tête, incrédule, avant de tomber à genoux, penché en avant, à contempler son propre sang qui giclait sur le pont et sur les bottes de Cazalla. L'Espagnol recula en poussant un juron.

Trencher resta ainsi un long moment avant de relever lentement la tête et de plonger son regard dans celui de Hunter. Un regard suppliant, éperdu, effrayé. Puis ses yeux roulèrent dans leurs orbites et son corps, parcouru de spasmes, bascula en avant sur le pont.

Tous les hommes virent Trencher mourir et pourtant aucun ne bougea. Le jeune marin se convulsa et ses chaussures raclèrent bruyamment le plancher du pont. Une grosse flaque écarlate s'étala autour de son visage. Enfin, il cessa de remuer.

Cazalla avait contemplé son agonie avec une attention extrême. Il s'avança, posa le pied sur le cou du cadavre et l'écrasa d'un coup sec. On entendit les os craquer.

Il considéra les deux files de corsaires.

— Je saurai la vérité. Je vous le jure, je la saurai. Enfermez-les dans la cale, ordonna-t-il à son premier maître. Et mettez-le avec eux ! ajouta-t-il en indiquant Hunter.

Puis il se dirigea vers le château arrière pendant qu'on liait les mains de Hunter avant de l'emmener avec les autres.

Le navire espagnol comptait cinq ponts. Les deux supérieurs étaient réservés à l'artillerie, certains marins y dormaient dans des hamacs tendus entre les canons. Le suivant abritait les quartiers des soldats. Dans le quatrième, on stockait munitions, nourriture, blocs et palans, accastillage, provisions et bétail sur pied. Quant au cinquième et dernier niveau, on ne pouvait le considérer véritablement comme un pont, avec ses quatre pieds à peine de hauteur entre le plancher et le plafond soutenu par de lourdes poutres. Comme il était situé sous la ligne de flottaison, il ne comportait aucune ventilation. Il empestait les excréments et l'eau croupie.

C'est là que fut conduit l'équipage du *Cassandra*. On les fit asseoir à même le sol, à une certaine distance les uns des autres. Une vingtaine de soldats se répartirent aux quatre coins de la cale et, régulièrement, l'un d'eux prenait une lanterne pour aller d'un prisonnier à l'autre vérifier qu'aucun lien ne s'était desserré.

Il leur était interdit de parler et de dormir ; celui qui s'y risquait recevait aussitôt un violent coup de botte. N'ayant pas le droit de bouger, ils devaient se soulager sur place. Avec soixante hommes et vingt soldats entassés dans cet espace exigu, l'air devint rapidement irrespirable. Même les gardes dégoulinaient de sueur.

Les captifs n'avaient aucun moyen d'estimer le passage du temps. Seul leur parvenait le sifflement monotone et sans fin de l'eau le long de la coque tandis que le navire filait. Hunter, assis légèrement à l'écart, tendait l'oreille, guettant l'instant où ce bruit cesserait, bien décidé à ignorer combien leur situation était désespérée : lui et ses hommes, enfermés dans les entrailles d'un puissant navire de guerre, entourés de centaines de soldats ennemis et totalement à leur merci. À moins que Cazalla ne décide de jeter l'ancre pour la nuit, ils étaient tous condamnés. Ils n'auraient de chance de s'en sortir que si le navire s'arrêtait.

Le temps passait ; Hunter attendait.

Enfin il perçut un changement dans le gargouillis de l'eau et dans le craquement du gréement. Il se redressa, tous ses sens en alerte. Aucun doute, leur vitesse diminuait.

Les soldats qui chuchotaient entre eux le remarquèrent aussi, car ils échangèrent des commentaires à ce sujet. Quelques minutes plus tard, le bruit du vent cessa complètement et Hunter entendit le raclement de l'ancre que l'on descendait. Celle-ci percuta l'eau bruyamment. Hunter nota dans un coin de son esprit qu'il se trouvait à l'avant du vaisseau, sinon ce bruit n'aurait pas été aussi net.

Du temps s'écoula encore. À présent, le navire au mouillage oscillait doucement. Ils devaient se trouver dans une crique bien abritée pour que la mer soit aussi calme. Comme le vaisseau possédait un fort tirant d'eau, Cazalla ne l'aurait jamais conduit de nuit dans un port qu'il ne connaissait pas.

Hunter se demanda où ils pouvaient être. Il espérait qu'ils avaient mouillé devant une des îles Turques qui possédaient plusieurs anses assez profondes.

Le roulis les berçait. Hunter se surprit plusieurs fois à somnoler. Les gardes continuaient à décocher des coups de pied à ceux qui s'assoupissaient. La pénombre sinistre était ponctuée par les ronflements et les grognements des hommes brutalement réveillés.

Hunter commençait à avoir des doutes sur son plan. Que se passait-il ?

Longtemps après, un soldat descendit et beugla :

— Tout le monde debout. Ordre du commandant Cazalla ! Allez, levez-vous !

Aiguillonnés par les coups de botte, les hommes se levèrent l'un après l'autre et se retrouvèrent pliés en deux sous le plafond bas, dans une posture abominablement inconfortable.

Encore plus tard, la garde fut relevée. Les nouveaux venus arrivèrent en se pinçant le nez et échangèrent des plaisanteries sur la puanteur. Hunter les fusilla du regard. Il y avait longtemps qu'il ne sentait plus rien.

Ces soldats, plus jeunes que les précédents, se montrèrent moins stricts dans l'application du règlement. Sans doute convaincus que les pirates ne représentaient aucun danger, ils se mirent rapidement à jouer aux cartes. Hunter détourna les yeux et contempla sa sueur qui gouttait sur le plancher. Il pensa au pauvre Trencher sans que cela éveille en lui colère, indignation ou peur : il était dans un état second.

Un autre militaire arriva. Sans doute un officier, car il se mit à beugler, mécontent de l'attitude de ses hommes. Ceux-ci s'empressèrent de faire disparaître les cartes. Il fit ensuite le tour de la cale en examinant les visages des prisonniers. Il en choisit un et lui ordonna de le suivre. Le corsaire s'effondra, ses jambes refusant de le porter ; deux soldats le soulevèrent et l'entraînèrent hors de la cale.

La porte se referma. Après un bref sursaut de discipline, les gardes se relâchèrent de nouveau, sans toutefois aller jusqu'à se remettre à jouer. Au bout d'un moment, l'un d'eux proposa de parier à qui pisserait le plus loin. Ils choisirent comme cible un corsaire à l'écart. Ce jeu déchaîna leurs rires tandis qu'ils faisaient mine de miser d'énormes sommes d'argent sur le vainqueur.

Hunter n'avait qu'une vague conscience de ce qui se passait autour de lui. Épuisé, les jambes coupées par la fatigue, le dos cassé par la douleur, il commençait à se demander pourquoi il avait refusé de divulguer à Cazalla le but de leur expédition. Tout cela lui paraissait soudain bien futile.

Il fut tiré de ses pensées par l'arrivée d'un autre officier qui aboya :

— Capitaine Hunter !

On le fit sortir à son tour.

Pendant qu'on le poussait sans ménagement à travers les ponts où les soldats dormaient dans les hamacs, une plainte étrange monta du navire.

Une femme pleurait.

17

Hunter n'eut pas le loisir de s'attarder sur cette singulière découverte qu'on le propulsait brutalement sur le pont principal. Il remarqua alors, sous les étoiles, entre les voiles roulées, que la lune était basse ; il ne restait donc qu'une heure ou deux avant le lever du soleil.

Le désespoir le submergea.

— L'Anglais ! Viens par ici !

Hunter vit Cazalla debout près du grand mât, au centre d'un cercle de torches. À ses pieds gisait l'homme qu'ils étaient venus chercher avant lui, bras et jambes écartés, solidement arrimé sur le pont et entouré de soldats espagnols ravis par ce spectacle.

Cazalla paraissait lui aussi très excité, sa respiration était courte et hachée. Hunter remarqua qu'il continuait à mâcher des feuilles de coca.

— L'Anglais, l'Anglais, tu arrives juste à temps pour assister à notre petit divertissement. Sais-tu que nous avons fouillé ton navire ? Non ? Eh bien, si ! Et nous y avons trouvé des choses fort intéressantes.

Oh, mon Dieu ! pensa Hunter. Non...

— Vous avez beaucoup de cordes, l'Anglais, et de drôles de grappins qui se replient et bien d'autres objets étranges dont l'utilité nous échappe. Mais le plus étonnant, l'Anglais, c'est cela.

Son cœur battait à tout rompre. Si Cazalla avait vu les grenades, ils étaient morts.

Mais Cazalla souleva une cage contenant quatre rats qui couraient en tous sens, affolés.

— Tu imagines notre stupéfaction, l'Anglais, en découvrant que tu avais embarqué des rats à bord de ton navire. Nous nous sommes demandé pourquoi. Pourquoi l'Anglais emporterait-il des rats à Augustine ? Augustine a ses rats, des rats de Floride, qui sont de très bonne qualité, non ? J'ai vainement cherché une explication.

Hunter vit alors un soldat se pencher sur le corsaire attaché sur le pont. Il crut qu'il lui caressait le visage avant de comprendre qu'il le tartinait de fromage.

— J'ai aussi constaté, poursuivit Cazalla en agitant la cage, que tu n'étais pas très gentil avec tes amis les rats, l'Anglais. Ils meurent de faim. Ils veulent manger. Tu vois comme ils sont énervés ? Ils ont flairé l'odeur de la nourriture. C'est cela qui les excite. Je pense qu'on devrait les nourrir, pas toi ?

Cazalla posa la cage à quelques pouces du visage du corsaire. Les rongeurs se jetèrent sur les barreaux, essayant désespérément d'atteindre le fromage.

Hunter fixa les rats puis les yeux terrifiés du prisonnier.

— Je me demande si notre ami va parler, continua Cazalla.

Le malheureux ne pouvait détacher son regard de la cage.

— À moins que tu ne décides de le faire à sa place, l'Anglais.

— Non, répondit Hunter d'un ton las.

Cazalla se pencha sur le marin et lui tapota la poitrine, l'autre main posée sur le loquet de la cage.

— Et toi, vas-tu parler ?

Le corsaire fixa le loquet tandis que Cazalla soulevait lentement la clenche, ligne par ligne[1]. Une fois la barre complètement dégagée, Cazalla maintint la trappe fermée d'un seul doigt.

— Je te laisse une dernière chance, mon ami.

— Non ! hurla le marin. *Je vais parler ! Je vais parler*[2] !

— *Parfait !* répondit Cazalla, passant au français, lui aussi.

— Matanceros ! lâcha le prisonnier.

Cazalla blêmit de rage.

— Matanceros ! Idiot ! Tu espères me faire croire que vous allez attaquer Matanceros ? cracha-t-il en ouvrant la cage.

Le prisonnier poussa un cri atroce quand les rats lui sautèrent au visage. Il secoua la tête, mais les quatre rongeurs, chicotant et couinant, s'accrochèrent à ses joues, à son cuir chevelu et à son menton. Il réussit à en éjecter un, mais celui-ci

1. Le pouce courant de 27,07 mm était divisé en douze lignes courantes de 2,256 mm. (*N.d.T.*)
2. En français dans le texte. (*N.d.T.*)

remonta aussitôt sur sa poitrine et le mordit au cou. L'homme hurla de terreur à n'en plus finir. Enfin, terrassé par la douleur, il s'évanouit et cessa de bouger pendant que les rats poursuivaient leur festin.

Cazalla se redressa.

— Vous me prenez tous pour un imbécile ! Je te jure que je finirai par connaître le véritable but de ton expédition, l'Anglais !

Il se tourna vers les gardes.

— Ramenez-le dans la cale !

Au moment où les hommes le poussaient dans l'escalier étroit, Hunter aperçut brièvement, par-dessus le bastingage, le *Cassandra* à l'ancre, à quelques brasses du vaisseau de ligne.

18

Le *Cassandra* était un bâtiment ouvert dont l'unique pont, exposé aux éléments, ne comportait que des compartiments de rangement, situés à l'avant et à l'arrière. C'est là que, dans l'après-midi, les soldats et le nouvel équipage avaient découvert les provisions et l'étrange cargaison qui intriguait tant Cazalla.

Ils avaient fouillé le sloop de fond en comble. Ils avaient même regardé par les écoutilles qui permettaient de voir jusqu'à la carlingue ; constatant à l'aide de lanternes que l'eau montait presque jusqu'au pontage, ils avaient raillé la paresse des pirates qui ne se donnaient même pas la peine de vider leur cale.

Une fois le *Cassandra* au mouillage à l'abri de la crique, à l'ombre du navire de guerre, les dix hommes qui constituaient son équipage se mirent à boire et à plaisanter sur le pont, à la lueur des torches. Au petit matin, roulés dans des couvertures, ils finirent par s'endormir d'un sommeil alourdi par le rhum. Rassurés par la proximité du navire voisin, ils négligèrent de monter la garde comme ils en avaient reçu l'ordre.

En conséquence, aucun d'eux n'entendit les gargouillements provenant de la cale lorsqu'un homme émergea de l'eau huileuse et fétide, un roseau dans la bouche.

Sanson, frissonnant de froid, avait passé des heures couché la tête contre le sac en toile cirée qui contenait les précieuses grenades. Personne n'avait remarqué ni le sac ni le corsaire. À présent, il avait juste assez de place sous le pontage pour sortir le menton de l'eau. Plongé dans l'obscurité totale, sans aucun repère, s'aidant des mains et des pieds, il se cala le dos contre la coque et tâta sa forme incurvée. Il en déduisit qu'il se trouvait sur le flanc bâbord du bateau et avança lentement, en silence, vers la ligne médiane. Puis, avec une prudence extrême, il remonta vers l'arrière jusqu'à ce que sa tête rencontre en douceur le dormant rectangulaire de l'écoutille. Il leva les yeux et perçut des rais de lumière entre les lattes de bois. Plus haut, des étoiles. Et aucun son en dehors d'un ronflement.

Retenant sa respiration, il haussa la tête et souleva ainsi le capot de quelques pouces. Il se trouva nez à nez avec un matelot, endormi à moins d'un pied de lui, qui ronflait comme un sonneur.

Sanson rabaissa le panneau et repartit vers l'avant. Il lui fallut presque un quart d'heure, allongé sur le dos, en poussant avec les mains, pour franchir les cinquante pieds qui séparaient les deux écoutilles. Quand il sortit la tête par l'autre ouverture, il n'aperçut aucun marin assoupi à moins de dix pieds.

Avec mille précautions, Sanson retira le capot et le posa sur le pont. Il se hissa hors de l'eau et inspira profondément l'air frais de la nuit, son corps trempé aussitôt glacé par la brise. Mais il n'y prêta aucune attention, entièrement concentré sur l'équipage qui dormait à même le plancher.

Il dénombra dix hommes. Ça devrait faire le compte, songea-t-il. En cas d'urgence, trois marins pouvaient piloter le *Cassandra* ; à cinq, c'était un jeu d'enfant et, à dix, plus que suffisant.

Il étudia leur disposition afin de décider dans quel ordre il devait les éliminer. Si tuer un homme dans le calme ne présentait pas de difficulté particulière, le faire dans un silence total était moins évident. Il lui fallait absolument supprimer les quatre ou cinq premiers sans se faire repérer, car un seul cri suffirait à déclencher l'alerte générale.

Sanson retira la cordelette qui lui servait de ceinture. Il l'enroula autour de ses mains et la tendit entre ses poings. Satisfait de sa résistance, il ramassa un cabillot en fer et avança.

Le premier soldat ne ronflait pas. Sanson le redressa en position assise. L'homme n'eut que le temps de grommeler dans son sommeil et Sanson lui enfonça brutalement le cabillot sur la tête avec juste un bruit mat.

Il le rallongea sur le pont et lui tâta le crâne dans l'obscurité. Il sentit une profonde entaille ; il l'avait sans doute tué, mais il ne voulut prendre aucun risque. Il glissa la cordelette autour de sa gorge et serra. Simultanément il posa son autre main à plat sur sa poitrine pour sentir son cœur. Une minute plus tard, il cessait de battre.

Sanson s'approcha du suivant et répéta le même processus. Moins de dix minutes lui suffirent pour se débarrasser de tout l'équipage. Il laissa les hommes couchés sur le pont, comme endormis.

Il supprima en dernier la sentinelle avachie sur la barre, hébétée par l'alcool. Sanson lui trancha la gorge et la poussa par-dessus bord. Le bruit qu'elle fit en percutant l'eau attira l'attention d'un garde sur le navire de guerre. Il se pencha vers le sloop.

— ¿ *Questa sta bene ?* lança-t-il.

Sanson, qui avait pris la place de la sentinelle, répondit d'un geste de la main. Bien qu'il soit trempé, et sans uniforme de surcroît, le garde ne pouvait s'en apercevoir dans cette obscurité.

— *Sta bene*, marmonna-t-il d'une voix ensommeillée.

— *Bassera*, répondit le garde avant de s'éloigner.

Sanson attendit un moment tout en examinant le navire espagnol. Il se trouvait à une vingtaine de brasses, une distance suffisante pour lui permettre, en cas de changement de vent ou de courant, de tourner autour de son ancre sans heurter le *Cassandra*. Sanson constata avec plaisir que les artilleurs avaient négligé de refermer les sabords. S'il parvenait à s'introduire par l'une des ouvertures du pont inférieur, il éviterait les sentinelles du pont supérieur.

Il se glissa sans bruit dans l'eau et nagea rapidement vers le navire en espérant que les Espagnols n'avaient pas jeté d'ordures par-dessus bord pendant la nuit : elles risquaient d'attirer les requins et le requin était l'une des rares créatures qu'il craignait. Mais sa traversée se déroula sans encombre et il atteignit rapidement la coque du vaisseau.

Le pont d'artillerie le plus bas se trouvait à une douzaine de pieds au-dessus de lui. Il entendait les gardes plaisanter tout en haut. Une échelle de corde pendait encore sur le côté mais il n'eut garde de l'utiliser de crainte qu'elle n'attire l'attention des soldats en grinçant ou en bougeant sous son poids.

Il préféra nager jusqu'au câble de l'ancre ; de là, il se hissa jusqu'aux implantations des sous-barbes du beaupré. Elles saillaient de la surface de la coque d'à peine quatre pouces, mais Sanson réussit à y prendre appui pour atteindre les cordages de la voile de misaine auxquels il se suspendit pour gagner l'un des sabords avant.

Il tendit l'oreille et perçut bientôt le pas cadencé et régulier de la ronde. Au bruit, il s'agissait d'un unique garde qui arpentait le pont de long en large.

Sanson le laissa passer, puis il se hissa à l'intérieur du navire et se tapit dans l'ombre du canon, haletant autant de fatigue que d'impatience. Même pour lui, c'était exaltant de se retrouver seul au milieu de quatre cents ennemis dont la moitié dormait paisiblement dans les hamacs qui se balançaient devant lui. Il attendit et réfléchit à ce qu'il allait faire.

Hunter attendait, lui aussi, plié en deux au fond de la cale fétide, au bord de l'évanouissement. Si Sanson n'arrivait pas bientôt, ses hommes n'auraient plus la force de s'évader. Leurs geôliers, qui s'étaient remis à jouer aux cartes tout en bâillant, ne leur prêtaient plus la moindre attention, ce qui était à la fois encourageant et frustrant. S'il parvenait à libérer ses marins pendant que l'équipage dormait autour d'eux, ils auraient peut-être une chance de s'en sortir. Mais dès que la garde serait relevée, comme cela risquait d'arriver d'un instant à l'autre, ou dès que l'aube poindrait et que l'équipage du galion se lèverait, tout serait perdu.

Il vit alors entrer un soldat espagnol. C'était la relève. Ses derniers espoirs s'effondrèrent.

Mais il s'aperçut peu après que l'homme était seul et qu'il ne s'agissait pas d'un officier, car les autres l'ignorèrent. Affectant de grands airs, il entreprit de vérifier les entraves des prisonniers. Quand il se pencha sur lui, Hunter sentit d'abord ses doigts courir sur sa peau tandis qu'il tâtait ses cordes, puis le contact d'un objet froid, et ses liens se relâchèrent.

— Cela te coûtera deux parts de plus, lui glissa l'homme à l'oreille et Hunter reconnut Sanson. Donne-moi ta parole !

Il hocha la tête sans rien dire, partagé entre la colère et la joie. Il le regarda retourner devant la porte pour la bloquer.

Sanson lança alors en anglais :

— Allez-y, mais surtout pas de bruit !

Sidérés, les soldats espagnols ne réagirent même pas lorsque les corsaires leur sautèrent dessus. À trois contre un, ils furent rapidement terrassés. Aussitôt, les marins les dépouillèrent de leurs uniformes et les enfilèrent.

Sanson revint vers Hunter.

— Tu ne m'as pas répondu tout à l'heure.

Hunter hocha la tête en se frottant les poignets.

— Tu auras deux parts de plus, c'est promis.

— Parfait !

Sanson ouvrit la porte, un doigt sur les lèvres, et entraîna ses compagnons hors de la cale.

19

Cazalla sirotait son vin, les yeux rivés sur le visage du Christ mourant, et songeait à ses souffrances, à son martyre. Depuis son plus jeune âge, il avait vu maintes représentations de cette agonie : ce corps supplicié aux muscles affaissés et aux yeux creusés, ce sang qui coulait de sa blessure au flanc et des clous plantés dans ses mains et dans ses pieds.

Le tableau lui avait été offert par le roi Philippe en personne. C'était l'œuvre du peintre préféré de Sa Majesté, un certain Vélasquez, disparu récemment. Un tel cadeau représentait une immense marque d'estime et Cazalla avait été stupéfait de le recevoir. Il ne prenait jamais la mer sans l'emporter. C'était son bien le plus précieux.

Vélasquez avait peint le corps d'un gris-blanc cadavérique et n'avait pas dessiné d'auréole autour du visage du Christ, ce que Cazalla regrettait même si l'ensemble était assez réaliste. Il était d'ailleurs surpris qu'un roi aussi pieux que Philippe ne l'ait pas fait rajouter. Peut-être n'aimait-il pas cette toile, ce qui expliquerait pourquoi il l'avait envoyée à l'un de ses chefs militaires en Nouvelle-Espagne.

Dans ses plus sombres moments, une autre pensée lui venait à l'esprit. Il n'était que trop conscient du gouffre qui séparait la vie raffinée à la cour de Philippe de la dure existence de ceux qui lui envoyaient l'or et l'argent des colonies, source de cette opulence. Et quand il rentrerait en Espagne, riche mais vieux, les courtisans se moqueraient sans doute de lui. Il lui arrivait de rêver qu'il les exterminait tous au cours de duels sanglants et furieux.

Il fut soudain tiré de ses songes par le roulis du navire. La marée devait descendre ; l'aube ne tarderait plus. Ils reprendraient bientôt la mer. Le moment était venu d'exécuter un autre Anglais. Il avait l'intention de les occire l'un après l'autre jusqu'à ce que l'un de ces pirates lui dise enfin la vérité qu'il souhaitait entendre.

Tandis que le vaisseau continuait d'osciller, quelque chose de singulier dans sa façon de se balancer alerta subitement Cazalla. D'instinct il sentit qu'il ne tournait pas autour de son ancre : il bougeait latéralement de façon anormale. Au même instant, il entendit un léger craquement et le navire s'immobilisa dans un frémissement.

Cazalla poussa un juron et sortit comme une furie sur le pont principal. Il se retrouva devant les frondes d'un palmier qui se balançaient à quelques pouces à peine de son visage. Son vaisseau venait de s'échouer à deux ou trois brasses du rivage ! Il rugit de colère. L'équipage affolé se bouscula autour de lui.

Le second s'approcha, tremblant de tous ses membres.

— Capitaine, ils ont coupé les câbles de l'ancre.

— Ils ? hurla Cazalla, d'une voix aiguë de femme.

Courant vers le bastingage opposé, il vit le *Cassandra* qui voguait vers le large, poussé par une douce brise.

— Les pirates se sont échappés, continua le second, livide.

— Échappés ! répéta Cazalla. Mais comment est-ce possible ?

— Je ne sais pas, mon capitaine. Tous les gardes sont morts.

Cazalla frappa l'officier au visage avec une telle force que celui-ci s'étala de tout son long sur le pont. Aveuglé par la fureur, Cazalla regarda fixement le sloop qui s'éloignait.

— Comment ont-ils pu s'échapper ? rugit-il. Par tous les démons de l'enfer, comment ont-ils pu s'échapper ?

Le capitaine d'infanterie accourut à son tour.

— Capitaine, nous sommes échoués. Voulez-vous que je débarque des hommes pour essayer de nous remettre à flot ?

— La marée baisse ?

— Oui, mon capitaine.

— Alors on ne peut rien faire avant qu'elle remonte, imbécile !

Il leur faudrait attendre douze sabliers, soit six heures, avant de pouvoir espérer dégager cet énorme vaisseau. Et rien ne garantissait leur réussite. Avec la lune descendante, chaque marée était un peu moins forte que la précédente. S'ils ne parvenaient pas à se libérer à la prochaine marée ou à la suivante, ils se verraient immobilisés pour au moins trois semaines.

— Imbéciles ! aboya-t-il.

Au loin, le *Cassandra* opéra un virement de bord et Cazalla sursauta en le voyant mettre cap au sud avant de disparaître à l'horizon.

— Ils vont à Matanceros ! gronda-t-il, secoué par une rage irrépressible.

Hunter, assis à l'arrière de son sloop, calculait sa course, sidéré de ne plus éprouver la moindre fatigue alors qu'il n'avait pas pris un instant de repos depuis deux jours. Ses hommes, affalés autour de lui, dormaient comme des souches.

— Ce sont de bons gars ! déclara Sanson en les observant.

— Oui, vraiment.

— Aucun n'a parlé ?

— Un seul.

— Et Cazalla l'a cru ?

— Pas sur le moment, mais il risque de changer d'avis.

— Il ne pourra pas se lancer à notre poursuite avant six heures.

— Et même dix-huit, avec un peu de chance, ajouta Hunter.

Matanceros se trouvait à deux jours de voile. Avec une telle avance, ils pouvaient arriver à la forteresse avant le navire de Cazalla.

— Nous naviguerons aussi la nuit, décida-t-il.

Sanson opina.

— Bordez cette écoute de foc ! aboya Enders. Du nerf !

La voile se raidit et, poussé par une bonne brise venant de l'est, le *Cassandra* fendit les eaux sous le soleil levant.

TROISIÈME PARTIE

MATANCEROS

20

Dans l'après-midi apparurent des nuages épars qui s'épaissirent lorsque le soleil baissa sur l'horizon. Il faisait chaud et lourd. C'est alors que Lazue repéra les premiers morceaux de bois. Très vite, le *Cassandra* se retrouva au milieu de douzaines de débris d'épave. L'équipage en repêcha quelques-uns pour les examiner.

— Ça m'a tout l'air de venir d'un navire anglais, remarqua Sanson quand un pan de fenêtre à croisillon peint en rouge et bleu fut hissé à bord.

Hunter hocha la tête. Un vaisseau important avait été coulé.

— Et il n'y a pas longtemps, ajouta-t-il en scrutant l'horizon à la recherche de survivants. Nos amis papistes sont en chasse.

Ils entendirent des fragments d'épave heurter la coque pendant encore un bon quart d'heure. Les hommes montraient des signes de nervosité, impressionnés par la vision d'une telle destruction. Un autre croisillon fut hissé à bord, ce qui permit à Enders de déduire qu'il s'agissait d'un navire marchand, sans doute un brick ou une frégate de cent cinquante pieds environ. Mais aucune trace de l'équipage.

Le ciel se couvrait au fur et à mesure que la nuit tombait. Un grain finit par crever et une pluie chaude martela le pont du *Cassandra*. Ne pouvant s'abriter, les hommes passèrent une mauvaise nuit. Cependant le jour se leva sur un temps clair et beau et ils aperçurent enfin leur destination à l'horizon.

De loin, la face ouest de l'île de Leres semblait particulièrement inhospitalière avec ses contours volcaniques abrupts et déchiquetés. Mis à part la végétation basse qui ourlait la côte, on n'apercevait qu'une terre brune sèche et stérile, ponctuée de rochers rougeâtres. Située à l'extrême est des Caraïbes, Leres recevait peu de précipitations tandis que son unique sommet était constamment balayé par les vents de l'Atlantique.

L'équipage du *Cassandra* regarda sans aucun enthousiasme l'île se rapprocher. Enders, qui tenait la barre, fronça les sourcils.

— Et encore, on est en septembre. C'est là qu'elle est la plus verte et la plus accueillante !

— Eh bien, on ne peut pas dire que ce soit le paradis, opina Hunter. Mais il y a sur la côte est une forêt avec de l'eau à profusion.

— Et des mousquets papistes à profusion, répliqua Enders.

— Et de l'or papiste à profusion. Quand penses-tu que nous toucherons terre ?

— Le vent est bon. À midi, au plus tard.

— Va vers la crique, ordonna Hunter, lorsque se profila sur la côte ouest une minuscule échancrure baptisée la crique de l'Aveugle.

Hunter alla rassembler le matériel et les provisions nécessaires à la petite troupe qui allait débarquer avec lui. Il trouva Don Diego occupé à préparer son matériel sur le pont.

— Quelle prévenance de la part des Espagnols ! ironisa le Juif. Ils ont tout inspecté mais ils n'ont rien pris.

— Sauf les rats.

— On pourra les remplacer par n'importe quel petit animal.

— Il le faudra bien.

Sanson, debout à l'avant du bateau, scrutait le sommet du mont Leres : de loin, cet arc de roche rouge vertical semblait infranchissable.

— Il n'y a pas moyen de le contourner ? demanda-t-il.

— Les rares accès sont gardés. Nous n'avons pas le choix. Il faut passer par-dessus.

Sanson esquissa un petit sourire. Hunter repartit à l'arrière donner ses ordres à Enders : après les avoir débarqués, il devrait conduire le *Cassandra* à Ramonas, l'île voisine, au sud. Il y trouverait une petite anse, avec de l'eau douce, où le sloop serait en sécurité.

— Vous connaissez ?

— Oui, répondit Enders. On y a relâché une semaine avec le capitaine Lewisham, le Borgne. Pas mal comme endroit ! Combien de temps devrons-nous y rester ?

— Quatre jours. Au soir du quatrième jour, vous irez mouiller en eau profonde à l'extérieur de la crique. Et vous attendrez minuit pour faire route sur Matanceros, de façon à y arriver juste avant l'aube du cinquième jour.

— Et après ?

— Vous foncerez dans le port au lever du jour et vous débarquerez les hommes sur le galion.

— Et les canons du fort ?

— Ils ne vous poseront plus de problème.

— Moi qui ne prie jamais, je ferai peut-être une exception.

Hunter lui donna une claque sur l'épaule.

— Vous n'avez rien à craindre.

Enders contempla l'île sans l'ombre d'un sourire.

À midi, sous la chaleur toujours accablante, Hunter, Sanson, Lazue, le Maure et Don Diego regardaient le *Cassandra* s'éloigner depuis l'étroite plage de sable blanc. À leurs pieds se trouvaient plus de cent vingt livres de matériel : cordes, grappins, sangles de toile, mousquets, tonnelets d'eau.

— Allons-y ! déclara Hunter, tournant résolument le dos à la mer.

Le long du rivage se dressait un enchevêtrement de palmiers et de palétuviers qui semblait aussi impénétrable qu'une muraille. Ils savaient d'amère expérience qu'ils ne pourraient pas se tailler un passage dans cette barrière ; tout au plus avanceraient-ils de quelques centaines de toises en une journée d'efforts surhumains. En général, la meilleure manière d'atteindre l'intérieur de l'île consistait à chercher un ruisseau pour le remonter. Ils étaient certains d'en trouver un en raison de l'existence même de la crique. Ces anses se formaient à la suite d'une ouverture dans le récif corallien creusée par l'eau douce s'écoulant de la terre. Ils suivirent la plage et finirent par repérer un mince filet d'eau qui ruisselait par une trouée boueuse sous les feuillages. Son lit était si étroit que la végétation le recouvrait, formant un tunnel moite et étouffant. Le passage ne serait pas facile.

— Voulez-vous qu'on en cherche un plus praticable ? proposa Sanson.

Le Juif secoua la tête.

— Il pleut très peu par ici. On ne trouvera pas mieux.

Partageant tous cet avis, ils s'engagèrent dans le boyau. Presque aussitôt, la chaleur devint insupportable et l'air brûlant, fétide. On avait l'impression de respirer de la filasse, comme le fit remarquer Lazue.

Au bout de quelques minutes, ils cessèrent de parler afin d'économiser leurs forces. On n'entendait plus que le bruit de leurs coutelas dégageant les feuillages, le gazouillement des oiseaux et les cris des animaux qui couraient dans les arbres, au-dessus de leurs têtes. Les corsaires progressaient si lentement que lorsqu'ils se retournèrent, à la fin de la journée, l'océan en contrebas leur parut désespérément proche.

Ils poursuivirent leur chemin, ne s'arrêtant que pour absorber un peu de nourriture. Sanson, véritable as de l'arbalète, abattit un singe et plusieurs oiseaux. Ils trouvèrent ensuite des crottes de sanglier près du ruisseau et leur moral remonta en flèche. En attendant mieux, Lazue ramassa quelques plantes comestibles.

À la tombée de la nuit, ils avaient parcouru la moitié de la jungle qui séparait la plage de l'éperon rocheux du mont Leres. Bien que la température ait un peu fraîchi, l'air prisonnier des feuillages ne perdait rien de sa moiteur. Les moustiques passèrent alors à l'attaque.

Ils surgissaient par nuages entiers, presque palpables, qui aveuglaient leurs victimes. Dans un vrombissement assourdissant, ils se jetaient sur toutes les parties du corps, s'introduisaient dans les oreilles, le nez et la bouche. Hunter et sa troupe eurent beau s'inonder d'eau et de boue, rien n'y fit. N'osant allumer un feu, ils mangèrent leur gibier cru avant de dormir d'un sommeil agité, adossés aux arbres, harcelés par les insectes.

Quand ils se réveillèrent au matin, le corps raide et couvert de boue séchée, ils rirent en se découvrant : ils étaient méconnaissables avec leurs visages rougis et bouffis par les piqûres. Hunter vérifia l'eau. Ils avaient bu un quart de leurs réserves ; il leur faudrait réduire leur consommation, annonça-t-il. Ils repartirent, tenaillés par la faim, mais stimulés par l'espoir de croiser un sanglier. Ils n'en virent aucun. Quant aux singes, ils semblaient les narguer du haut des arbres sans jamais laisser à Sanson le temps de les viser.

Dans l'après-midi, ils entendirent le vent. À peine une plainte dans le lointain au début. Mais quand ils arrivèrent à la lisière de la jungle, là où la végétation se fit moins dense et leur progression plus facile, le bruit augmenta. Bientôt ils sentirent son souffle et, quoique cette brise fût bienvenue, ils échangèrent des regards anxieux à l'idée de la tourmente qui les attendait à l'à-pic du mont Leres.

Le soleil baissait sur l'horizon quand ils atteignirent enfin la base de la paroi rocheuse. Le vent, à présent déchaîné et assourdissant, leur cinglait le visage et fouettait leurs vêtements. Ils devaient hurler pour s'entendre.

Hunter contempla la falaise de pierre qui les dominait. Elle était aussi lisse de près que de loin, et encore plus haute qu'il ne l'imaginait : quatre cents pieds de roche brute, battue par des rafales si violentes que des éclats de pierre ne cessaient de pleuvoir sur eux.

Il fit signe au Maure d'approcher.

— Bassa, penses-tu que le vent faiblira pendant la nuit ? hurla-t-il.

Bassa haussa les épaules et serra le pouce et l'index : un petit peu.

— Peux-tu l'escalader de nuit ?

Bassa secoua la tête. Puis il fit un oreiller de ses mains jointes et y posa la tête.

— Tu veux attendre le lever du jour ?

Bassa opina.

— Il a raison, renchérit Sanson. On ferait mieux de se reposer avant.

— Je ne sais pas si nous pouvons nous le permettre, murmura Hunter, les yeux tournés vers le nord où, au-delà de la mer calme, se profilaient des nuages noirs et menaçants.

Un orage s'étendant sur plusieurs milles de large avançait lentement vers eux.

— Raison de plus ! rétorqua Sanson. Autant laisser passer le grain.

De leur position, à la base de la falaise, ils se trouvaient à cinq cents pieds au-dessus du niveau de la mer. Hunter pivota vers le sud et aperçut Ramonas à une trentaine de milles. La mer était déserte : il y avait longtemps que le *Cassandra* avait gagné l'abri de la crique.

Hunter ramena son attention sur l'orage. S'ils attendaient le lendemain, peut-être les épargnerait-il. Mais s'il était très violent, ou durait longtemps, et qu'il leur faisait perdre ne serait-ce qu'une journée, toute leur organisation se verrait compromise. Et, dans trois jours, le *Cassandra* entrerait dans Matanceros, conduisant ses cinquante hommes d'équipage à une mort certaine.

— Il faut l'escalader tout de suite, décida-t-il.

Il se tourna vers le Maure. Bassa hocha la tête et alla chercher ses cordes.

Quelle sensation extraordinaire ! songea Hunter tandis que la corde vibrait et bougeait entre ses mains au fur et à mesure que le Maure escaladait la paroi. Elle mesurait au moins un pouce et demi d'épaisseur et pourtant, tout en haut, elle ne paraissait pas plus grosse qu'un cheveu. Quant au géant, c'est tout juste s'il arrivait à le distinguer dans le jour déclinant.

— Tu es fou ! cria Sanson. Nous allons tous y laisser notre peau.

— Tu as peur ? rétorqua Hunter.

— Moi, je n'ai peur de rien, mais tu as vu les autres ?

Hunter se retourna : Lazue tremblait, Don Diego était livide.

— Ils n'y parviendront jamais ! Que feras-tu sans eux ?

— Ils réussiront. Ils n'ont pas le choix.

Hunter contempla le mauvais temps qui approchait. Il n'était plus qu'à un ou deux milles. Le vent était déjà chargé d'humidité. Hunter sentit soudain une première secousse dans la corde, puis une seconde.

— Il a réussi.

Il leva la tête. Il ne voyait plus du tout le Maure.

Quelques secondes plus tard, une autre corde se déroula vers le sol.

— Vite ! Le matériel.

Ils attachèrent les provisions et donnèrent un petit coup sur le filin. Les sacs commencèrent leur ascension chaotique le long de la falaise. À deux ou trois reprises, des rafales les écartèrent de la roche de plusieurs pieds.

— Par le sang de Dieu ! jura Sanson.

Hunter dévisagea Lazue. Elle avait les traits crispés. Il s'approcha d'elle et passa une sangle sous ses bras et une autre autour de ses hanches.

— Mère de Dieu, Mère de Dieu, Mère de Dieu…, psalmodiait-elle d'une voix monocorde.

— Écoute-moi bien ! cria Hunter quand la corde redescendit. Ne lâche pas la longe et laisse Bassa te hisser. Reste tournée vers la paroi et, surtout, ne regarde pas en bas.

— Mère de Dieu, Mère de Dieu…

— Tu m'as entendu ? hurla Hunter. Ne baisse pas les yeux vers le sol.

Elle hocha la tête sans interrompre sa litanie. Quelques secondes plus tard, elle commença à s'élever, soulevée par les sangles. Il y eut quelques instants d'affolement alors qu'elle tournait sur elle-même et s'agrippait fébrilement à l'autre filin. Puis elle sembla reprendre ses esprits et son ascension se passa sans autre incident.

Vint le tour du Juif. Il fixa Hunter d'un regard vide pendant que celui-ci lui donnait ses instructions. Tel un somnambule, il passa les sangles et se laissa hisser.

Les premières gouttes de pluie tombèrent, précédant la tempête.

— Après ce sera ton tour, déclara Sanson.

— Non, répondit Hunter. Je passerai en dernier.

Il se mit à pleuvoir et le vent forcit. Les sangles réapparurent, trempées. Sanson les enfila et donna un coup sec sur la corde pour signaler qu'il était prêt.

— Si tu meurs, je prendrai tes parts ! lança-t-il à Hunter alors qu'il s'élevait le long de la paroi.

Et il éclata d'un rire que le vent emporta.

Il disparut rapidement dans la brume grise qui descendait du sommet de la falaise. Hunter attendit. Il commençait à trouver le temps long lorsqu'il entendit les harnais trempés s'abattre sur le sol. Il s'équipa précipitamment et, battu par le vent et la pluie, tira sur la corde.

Hunter se souviendrait de cette ascension jusqu'à la fin de ses jours. Il n'avait aucune idée de sa position, car il était noyé dans la grisaille et ne voyait que la pierre devant lui. Le vent qui le ballottait ne cessait de l'écarter et de le ramener brutalement contre la falaise. Les cordes, la roche, tout était trempé et glissant. Il tenait la longe en essayant de rester face à la falaise. Mais il perdait souvent pied et se cognait le dos et les épaules en tournoyant sur lui-même. La montée n'en finissait pas. Il ignorait s'il se trouvait à mi-hauteur, ou encore très bas, ou s'il était presque arrivé. L'oreille à l'affût des voix de ses compagnons, il n'entendait que les hurlements du vent et le crépitement de la pluie.

Les vibrations de la corde étaient constantes, régulières tandis qu'il se sentait lentement halé vers le haut. Il s'élevait de quelques pouces, une pause, quelques pouces de plus, nouvelle pause.

Brutalement, il cessa de progresser. Les sangles lui transmettaient toujours des vibrations mais celles-ci paraissaient différentes. Il se crut d'abord abusé par ses sens avant de comprendre ce qui lui arrivait. Après cinq passages sur la roche, le chanvre s'effilochait et commençait lentement mais inexorablement à céder.

Hunter s'agrippa à la longe de secours, imaginant la corde déjà réduite à un fil. Au même instant, celle-ci claqua d'un coup sec et s'abattit sur sa tête et ses épaules, gorgée d'eau.

Sa prise sur la longe se desserra et il glissa de plusieurs pieds... combien ? il n'aurait su le dire. Il tenta de faire le point sur sa situation. Il se trouvait le ventre plaqué contre la paroi, les cuisses emprisonnées et alourdies par les sangles, et la corde rompue, et ses bras déjà douloureux se seraient bien dispensés de ce poids mort. Il agita les pieds pour essayer de s'en débarrasser. Impossible. Il était condamné ! Les jambes entravées, il ne pouvait plus prendre appui sur les rochers. Et, quand la fatigue lui ferait lâcher prise, il s'écraserait au pied de la falaise. Déjà ses poignets et ses doigts souffraient le martyre.

Il perçut une petite secousse sur la corde, mais on ne le remonta pas. Il donna de nouveaux coups de pied désespérés quand une bourrasque brutale l'écarta de la paroi. Ces maudites sangles prenaient le vent comme des voiles ! Il vit la roche disparaître dans le brouillard alors qu'il s'en éloignait de dix pieds... de vingt...

Il agita encore les jambes et, soudain libéré des sangles, se sentit subitement plus léger. Hélas, son corps revenait déjà vers la paroi ! Et, bien qu'il s'attendît à l'impact, le choc lui coupa le souffle. Il laissa échapper un cri et haleta de douleur, agrippé au filin.

Puis, avec un terrible effort, il se hissa jusqu'à ce que sa poitrine arrive à la hauteur de ses mains. Il serra la longe entre ses pieds le temps de se reposer les bras et de reprendre son souffle. Les pieds ensuite appuyés contre la roche, il monta le long de la corde main par-dessus main. Ses pieds glissèrent et il se cogna les genoux. Mais il avait gagné quelques pouces.

Il recommença.

Encore et encore.

Il ne pensait plus ; son corps fonctionnait automatiquement, de sa propre volonté. Le monde autour de lui se perdit dans le silence. Il n'entendait plus le crépitement de la pluie ni les hurlements du vent. Rien, pas même son propre souffle saccadé. Tout se fondait dans la grisaille, lui le premier.

Il ne sentit même pas que des bras puissants le saisissaient sous les aisselles pour le hisser et le tirer à plat ventre sur le sommet.

Il n'entendit pas les voix. Il ne vit rien. Plus tard, ses compagnons lui apprirent que, même après avoir été amené sur le plat, il avait continué à ramper, à se regrouper et à s'étirer inlassablement, son visage ensanglanté pressé contre la roche, et qu'ils avaient dû l'immobiliser de force. Sur le moment, il n'en eut aucune conscience. Il ne savait même pas qu'il avait survécu.

Il fut réveillé par le gazouillis des oiseaux. Il ouvrit les paupières et aperçut des feuilles qui se balançaient dans la lumière. Il ne fit pas un geste, seuls ses yeux bougeaient. Il vit des parois de roche. Il se trouvait à l'intérieur d'une caverne, près de l'entrée. Sentant une odeur de nourriture qui cuisait, un parfum d'un délice indescriptible, il voulut s'asseoir. Le corps brutalement irradié de douleur, il se laissa retomber avec un gémissement.

— Doucement, mon ami, dit une voix. Doucement !

Sanson le contourna pour se mettre face à lui et se pencha pour l'aider à se redresser.

La première chose qu'il remarqua, ce fut l'état de ses vêtements. Son pantalon lacéré n'avait plus de pantalon que le nom. Il constata, entre les lambeaux, que l'état de sa peau ne valait guère mieux. Ses bras et sa poitrine non plus. Il contempla son corps sans le reconnaître, comme s'il ne l'avait jamais vu.

— Ta tête non plus n'est pas belle à voir, gloussa Sanson. Tu penses que tu pourras manger ?

Il voulut parler mais son visage était si raide qu'il avait l'impression de porter un masque. Il se toucha la joue et sentit qu'elle était couverte de croûtes.

Il secoua la tête.

— Pas de nourriture ? Alors bois, au moins.

Sanson sortit une flasque et la porta à ses lèvres. Hunter constata avec soulagement qu'il pouvait avaler sans souffrir, même s'il ne sentait pas le contact du goulot sur sa bouche.

— Pas trop ! le tempéra Sanson. Pas trop !

Les autres arrivèrent.

— Tu devrais venir admirer la vue ! lança le Juif avec un grand sourire.

Hunter éprouva une bouffée d'euphorie. Bien sûr qu'il voulait la voir ! Il tendit un bras douloureux vers Sanson, qui l'aida à se mettre debout. Les premières secondes lui furent une torture. Il tituba, pris de vertige, les jambes et le dos parcourus d'élancements. Appuyé sur Sanson, il avança d'un pas en grimaçant. Il pensa subitement au gouverneur Almont. Et à la soirée qu'il avait passée à négocier l'attaque de Matanceros. Il était si sûr de lui à ce moment-là, si détendu, si heureux dans son rôle d'aventurier intrépide. Il sourit à ce souvenir et ce sourire lui fit mal.

Mais dès qu'il aperçut la vue, il oublia Almont, ses courbatures et son corps endolori !

La caverne s'ouvrait sur le flanc de la face est du mont Leres. En dessous d'eux, le volcan descendait en pente douce jusqu'à la forêt tropicale qui s'étalait à ses pieds. Et tout en bas sinuait une large rivière qui se jetait dans le port, près de la forteresse de Matanceros. Le soleil se reflétait sur les eaux calmes qui entouraient le galion ancré à l'abri du fort. Hunter contempla ce panorama grandiose en songeant que c'était le plus beau spectacle du monde.

21

Sanson donna de nouveau à boire à Hunter.

— On voudrait vous montrer autre chose, capitaine, annonça alors Don Diego.

La petite troupe remonta vers le haut de la falaise qu'elle avait escaladée la veille. Ils marchaient lentement par égard pour Hunter qui souffrait à chaque pas. Mais à la vue du ciel bleu sans nuages, il éprouva une douleur d'une autre sorte : il avait commis une erreur qui aurait pu leur être fatale en les forçant à escalader la paroi sous l'orage. Ils auraient dû attendre le matin. Il avait fait preuve de folie et de précipitation et s'en voulut amèrement.

Avant d'atteindre le bord de la paroi, Don Diego s'accroupit. Les autres l'imitèrent. Sanson aida Hunter à se baisser. Il comprit la raison de leur prudence en apercevant, au-delà du précipice, derrière le rideau luxuriant de la jungle, le navire de Cazalla ancré dans la crique de l'Aveugle.

— Que je sois damné ! murmura-t-il.

Sanson se tapit à côté de lui.

— La chance est avec nous, mon ami. Le navire est entré dans la baie à l'aube. Et il n'a pas bougé depuis.

Hunter vit une chaloupe qui conduisait des soldats vers la côte. La plage grouillait de douzaines d'hommes en uniforme rouge qui fouillaient la grève. Cazalla, repérable à sa tunique jaune, donnait des ordres avec force gesticulations.

— Ils ont deviné nos intentions.

— Mais l'orage…, commença Hunter.

— Oui, il a dû effacer toute trace de notre passage.

Hunter pensa aux sangles de toile dont il s'était débarrassé en escaladant la falaise et qui avaient dû tomber au pied de la paroi. Heureusement, les soldats ne risquaient pas de les retrouver. Il leur faudrait une pénible journée de marche pour atteindre le pied de l'éperon rocheux. Les Espagnols n'entreprendraient jamais une telle expédition sans avoir la certitude que les Anglais avaient débarqué sur l'île.

Une nouvelle chaloupe chargée de soldats quitta le navire de guerre.

— Il n'a pas cessé de débarquer des troupes depuis son arrivée, poursuivit Don Diego. Il doit y avoir plus d'une centaine d'hommes à terre.

— C'est qu'il a l'intention de les laisser là, conclut Hunter.

— Tant mieux pour nous ! Espérons qu'il en descendra beaucoup.

Cela leur ferait autant d'ennemis de moins à affronter à Matanceros.

De retour dans la grotte, Don Diego confectionna une bouillie qu'il fit boire à Hunter pendant que Sanson éteignait leur petit feu. Lazue observait la baie à la longue-vue tout en décrivant d'une voix forte ce qu'elle voyait. Hunter, qui ne distinguait que les contours des bâtiments, comptait sur son regard d'aigle pour tout connaître en détail.

— Dis-moi combien tu vois de canons dans la forteresse.

Lazue compta en silence, l'œil rivé à la lunette.

— Douze. Deux batteries de trois, face à l'est et à l'océan. Une seule batterie de six vers l'entrée du port.

— Ce sont des couleuvrines ?

— Je pense. Des canons longs, en tout cas.

— Et ils te semblent récents ?

Elle garda le silence quelques instants.

— Nous sommes trop loin. Je te dirai ça plus tard.

— Et sur quoi sont-ils montés ?

— Sur des chariots. En bois, je pense, avec quatre roues.

Hunter hocha la tête. Il s'agissait donc de couleuvrines embarquées d'ordinaire sur les navires et transférées à terre pour défendre le fort.

— Je suis content qu'ils soient en bois, remarqua Don Diego. J'avais peur qu'ils soient en pierre. Cela ne nous aurait pas facilité la tâche.

— Nous allons faire sauter les chariots ? s'étonna Hunter.

— Bien sûr.

Les couleuvrines pesaient plus de deux tonnes chacune. Si l'on détruisait les chariots, elles devenaient inutilisables ; on ne pouvait plus les orienter ni les allumer. Et même si la forteresse de

Matanceros possédait des chariots de rechange, cela prendrait de nombreuses heures et mobiliserait de nombreux soldats pour les remplacer.

— Et il nous faudra déculasser les canons, ajouta Don Diego avec un petit sourire.

Cette idée n'avait pas effleuré son esprit mais Hunter en vit aussitôt l'intérêt. Les couleuvrines, comme tous les canons, se chargeaient par la bouche. Les artilleurs y introduisaient d'abord une gargousse de poudre puis le boulet. Ensuite, à travers la lumière, un petit orifice pratiqué dans la culasse, on insérait une épinglette pour percer le sac, puis une mèche qui, en se consumant, mettait le feu à la poudre et faisait partir la charge. Cette méthode était assez fiable tant que la lumière restait étroite. Mais après des tirs répétés, la mèche et l'explosif la corrodaient et l'élargissaient à tel point qu'elle agissait comme une soupape d'échappement pour les gaz en expansion. Du coup, la portée du tir se trouvait considérablement réduite ; pour finir, le canon n'avait plus la force d'expulser le projectile et devenait dangereux pour ses servants.

Confrontés à cette détérioration inévitable, les fabricants avaient équipé les culasses d'une pièce métallique remplaçable, plus large à une extrémité, avec une lumière percée en son centre. Cette pièce était sertie de l'intérieur du canon afin que les gaz d'expansion de la poudre l'enfoncent davantage à chaque tir. Dès que la lumière devenait trop large, la pièce entière était remplacée. Mais il lui arrivait d'être éjectée d'un seul tenant, en laissant un trou énorme dans la culasse. Et le canon se retrouvait inutilisable jusqu'à ce qu'on y fixe une nouvelle pièce, ce qui demandait des heures.

— Croyez-moi, quand nous en aurons terminé avec eux, ces canons seront tout juste bons à servir de lest dans la cale d'un navire marchand, ajouta Don Diego.

Hunter se retourna vers Lazue.

— Qu'est-ce que tu vois à l'intérieur de la forteresse ?

— Des tentes. Beaucoup de tentes.

— C'est sans doute la garnison.

Le temps se montrait si clément dans le Nouveau Monde que les troupes n'avaient pas besoin d'abris plus solides, en particulier sur une île aussi peu arrosée que Leres. Hunter imagina la consternation des hommes qui avaient dû dormir dans la boue, après le déluge de la veille.

— Et la poudrière ?

— J'aperçois une construction en bois, au nord, à l'intérieur des murs, qui y ressemblerait bien.

— Parfait ! murmura Hunter qui ne voulait pas perdre du temps à la chercher une fois qu'ils seraient entrés dans la forteresse. Y a-t-il des défenses à l'extérieur des murs ?

Lazue scruta le sol autour des murailles.

— Je ne vois rien.

— Bon. Alors parle-moi du galion, maintenant.

— Il n'a qu'un équipage réduit. J'aperçois cinq ou six marins sur les chaloupes amarrées au rivage, devant le port.

Hunter était étonné de découvrir que le petit comptoir se limitait à quelques bâtiments en bois élevés au bord de l'eau, à une certaine distance de la forteresse. Ils avaient sans doute été construits pour héberger l'équipage de la nao, ce qui prouvait que celui-ci avait l'intention de rester à Matanceros un certain temps, peut-être même jusqu'au prochain passage de la flotte d'argent.

— Et tu vois des soldats dans les rues ?

— Juste quelques jaquettes rouges.

— Et près des chaloupes ?

— Aucun.

— Ils nous facilitent la vie.

— Pour le moment, lâcha Sanson.

Le petit groupe rassembla son matériel et, après avoir effacé toute trace de son passage dans la grotte, entama sa longue descente vers Matanceros.

Ils se retrouvèrent alors dans des conditions opposées à celles de leur marche dans la jungle. Au sommet de la face est du mont Leres, non seulement la maigre végétation n'offrait aucune protection mais, constituée essentiellement d'épineux, elle ralentissait leur progression.

À midi, ils eurent la mauvaise surprise de voir le navire noir de Cazalla se présenter à l'entrée du port, relever ses voiles et jeter l'ancre devant la forteresse. Une chaloupe fut mise à la mer. Lazue, l'œil collé à la longue-vue, annonça que Cazalla se tenait à la proue.

— Voilà qui ruine tous nos plans ! marmonna Hunter en étudiant la position du navire de ligne, qui s'était mis parallèle à la côte de telle façon que toute une bordée de ses canons couvrait la passe.

— Qu'est-ce qu'on va faire ? demanda Sanson.

À cette question, Hunter ne voyait qu'une seule réponse :

— On n'a pas le choix. S'il reste à l'ancre, il faudra y mettre le feu.

— En lançant dessus une chaloupe enflammée ? Hunter hocha la tête.

— Y a peu de chances que ça réussisse, soupira Sanson.

— Il y a une femme ! s'écria Lazue, l'œil toujours rivé à la lunette.

— Quoi ?

— Dans la chaloupe, il y a une femme avec Cazalla.

— Fais voir.

Hunter arriva tout juste à distinguer une forme blanche et floue assise à l'avant, à côté de Cazalla qui se tenait debout, face à la forteresse.

— Décris-la-moi, dit-il en rendant la longue-vue à Lazue.

— Une robe blanche. Une ombrelle ou une grande capeline qui lui couvre la tête. Le visage sombre. C'est peut-être une négresse.

— Sa maîtresse ?

Lazue secoua la tête. La chaloupe venait d'être amarrée au pied du fort.

— Non, elle se débat.

— Peut-être qu'elle a perdu l'équilibre.

— Non, elle se débat vraiment. Ils se mettent à trois pour la maîtriser. Ils la font entrer de force dans la forteresse.

— Tu dis qu'elle a la peau sombre ? répéta Hunter, perplexe.

Il ne comprenait pas. Cazalla ne pouvait l'avoir capturée dans l'espoir d'une rançon, seules les Blanches avaient de la valeur.

— Oui, sombre, c'est tout ce que je peux voir.

— On attendra.

Intrigués, ils continuèrent leur descente.

Trois heures plus tard, au plus chaud de l'après-midi, ils s'arrêtèrent sous un bosquet d'acacias pour boire une ration d'eau. Lazue remarqua qu'une chaloupe quittait le fort, emportant cette fois à son bord un homme qu'elle décrivit comme « sévère, très mince, guindé et raide comme piquet ».

— C'est Bosquet, conclut Hunter. Cazalla l'accompagne ?

Bosquet était le second de Cazalla, un renégat français connu pour son inflexibilité et sa férocité.

— Non.

À peine Bosquet eut-il gagné le bord du navire espagnol que l'équipage s'employa à hisser la chaloupe sur le pont.

— Ils repartent ! jubila Sanson. Ta chance continue, mon ami.

— Attendons de voir s'ils ne se dirigent pas vers Ramonas, le tempéra Hunter en pensant au *Cassandra* qui s'y cachait avec son équipage.

Si le sloop se trouvait en eaux trop peu profondes pour craindre une attaque du vaisseau de guerre, Bosquet pouvait néanmoins le bloquer dans la crique. Et, sans le *Cassandra*, inutile d'attaquer Matanceros. Ils avaient besoin des hommes à son bord pour sortir le galion du port.

Le navire de ligne partit vers le sud, mais il ne faisait que suivre le chenal. Pourtant, une fois en pleine mer, il garda le même cap.

— Sacrebleu ! lâcha Sanson.

— Non, il prend juste de la vitesse, le rassura Hunter. Attends.

Il n'avait pas fini sa phrase que le navire remonta au vent et vira vers le nord, tribord amures. Hunter poussa un soupir de soulagement.

— Je sens déjà l'or couler entre mes doigts, exulta Sanson.

Une heure plus tard, le navire noir avait disparu.

À la tombée de la nuit, Hunter et sa troupe ne se trouvaient plus qu'à un quart de mille du comptoir espagnol. Dans la végétation de plus en plus dense, ils repérèrent un épais bosquet de mayaguanas sous lequel ils décidèrent de passer la nuit. Ne pouvant allumer de feu, ils mangèrent juste quelques plantes crues avant de s'allonger sur le sol humide. Malgré leur épuisement, ils éprouvaient une certaine impatience à entendre des voix espagnoles dans le lointain et à sentir les bonnes odeurs qui s'échappaient des feux de camp. Ces bruits et ces parfums leur rappelaient qu'ils étaient à la veille d'un dur combat.

22

Dès qu'il se réveilla, Hunter sentit qu'il se passait quelque chose d'anormal. Les voix espagnoles s'étaient dangereusement rapprochées. Et elles étaient accompagnées de bruits de pas et de froissements de feuilles. Il s'assit et tressaillit, surpris de trouver son corps encore plus douloureux que la veille.

Il considéra ses compagnons. Sanson, déjà debout, regardait à travers les palmes dans la direction des voix. Le Maure se levait tout doucement, le corps tendu, contrôlant le moindre de ses mouvements. Don Diego, appuyé sur un coude, écarquillait les yeux.

Seule Lazue était encore allongée, totalement immobile. Hunter lui fit signe de se lever. Elle secoua légèrement la tête et articula silencieusement : « Non. » Il remarqua son visage couvert d'une fine pellicule de sueur.

Il s'avança vers elle.

— Attention ! chuchota-t-elle d'une voix tendue.

Il s'arrêta net et l'observa. Elle était couchée sur le dos, les jambes légèrement écartées, les membres bizarrement raides. Il vit alors disparaître dans la jambe de son pantalon la queue rayée rouge, noir et jaune d'un serpent corail, sans doute attiré par la chaleur de son corps.

Il ramena les yeux sur le visage de Lazue qui le fixait, les traits crispés comme si elle souffrait le martyre.

Derrière lui, les voix s'amplifiaient. Au bruit des pas et au froissement des feuilles, il en déduisit que les Espagnols devaient être plusieurs. Il fit signe à Lazue d'attendre et s'approcha de Sanson.

— Ils sont six, chuchota ce dernier.

Hunter vit venir vers eux un groupe de jeunes soldats armés de mousquets et chargés de leur couchage et de nourriture, qui gravissaient la colline en plaisantant. Apparemment, ils ne prenaient pas leur mission très au sérieux.

— Ce n'est pas une patrouille, murmura Sanson.

— Laissons-les passer, répondit Hunter.

Sanson lui jeta un regard interrogateur. Hunter tendit le pouce vers Lazue, toujours allongée par terre. Sanson comprit aussitôt. Ils attendirent que les soldats les dépassent et poursuivent leur chemin en direction du volcan, avant de rejoindre Lazue.

— Où est-il ? demanda Hunter.

— Au genou, répondit-elle dans un souffle.

— Il continue à monter ?

— Oui…

— Il faut trouver des arbres ! murmura Don Diego en scrutant les alentours. De grands arbres. Là-bas ! Viens avec moi, ordonna-t-il au Maure en lui tapotant le bras.

188

Les deux hommes s'enfoncèrent dans les buissons en direction d'un maigre bouquet d'acacias. Hunter observa Lazue puis les soldats qui grimpaient la colline et qui les dominaient à présent d'une cinquantaine de toises. Il suffirait que l'un d'eux se retourne pour les voir.

— C'est un peu tard pour la saison des couvées, murmura Sanson en fronçant les sourcils. Enfin, si la chance ne nous lâche pas, ils trouveront peut-être un oisillon.

Il contempla le Maure qui grimpait dans un arbre pendant que Don Diego l'attendait près du tronc.

— Où est-il à présent ? demanda Hunter à Lazue.

— Au-dessus du genou.

— Essaie de te détendre.

Elle leva les yeux au ciel.

— Je te maudis, toi et ton expédition. Je vous maudis tous.

Hunter regarda la jambe du pantalon dont le tissu se soulevait au fur et à mesure que le serpent remontait.

— Mère de Dieu ! murmura Lazue en fermant les yeux.

— S'ils ne trouvent rien, il faudra la mettre debout et la secouer, chuchota Sanson.

— Le serpent la mordra.

Et ils savaient tous les deux quelles en seraient les conséquences.

Les corsaires étaient des durs à cuire ; ils considéraient la piqûre d'un scorpion, d'une veuve noire ou d'un mocassin d'eau comme un simple désagrément. Ils trouvaient même très amusant de laisser tomber un scorpion dans la botte d'un compagnon. Mais il y avait deux créatures venimeuses avec lesquelles ils ne plaisantaient pas : le fer-de-lance et le petit serpent corail, le pire de tous. Personne n'avait jamais survécu à sa timide morsure. Hunter imaginait la terreur de Lazue tandis qu'elle attendait le léger pincement sur sa jambe qui lui serait fatal. Ils savaient tous ce qui suivrait : d'abord une suée, puis des tremblements et une paralysie progressive qui s'étendrait au corps entier. Sa mort surviendrait avant le coucher du soleil.

— Où est-il ?

— Haut, très haut, murmura-t-elle d'une voix si faible qu'il eut du mal à saisir ses paroles.

Il vit le tissu onduler au niveau de l'entrejambe.

— Oh, mon Dieu ! gémit Lazue.

Hunter entendit alors un petit chuintement, à peine un pépiement. Il se retourna et vit Don Diego et le Maure qui revenaient, un large sourire aux lèvres. Le Maure tenait entre ses mains un minuscule oisillon qui battait des ailes en gazouillant.

— Vite, de la ficelle ! dit le Juif.

Hunter en sortit un bout de sa poche. Le Juif attacha une extrémité autour des pattes de l'oiseau et l'autre à un bâton qu'il ficha dans la terre, au bas du pantalon de Lazue. Affolé, le volatile se mit à voleter en pépiant de plus belle.

Ils attendirent.

— Tu sens quelque chose ? demanda Hunter.

— Rien, répondit Lazue.

Soudain elle écarquilla les yeux.

— Il s'enroule.

Ils virent un léger mouvement sous le tissu, puis plus rien.

— Il redescend, murmura Lazue.

Ils attendirent encore. Subitement, l'oisillon paniqua en lançant des cris perçants. Il avait senti le serpent.

Le Juif sortit son pistolet, en vida la poudre et la balle et le prit par le canon comme une masse.

L'attente se poursuivit. Ils virent le serpent descendre le long du genou puis du mollet, pouce par pouce, tout doucement. Brusquement, il surgit à la lumière, la langue dardée. L'oisillon poussa des pépiements de terreur de plus en plus aigus. Mais quand le serpent s'avança, le Juif lui écrasa la tête d'un coup de crosse. Lazue se releva d'un bond et recula en laissant échapper un hurlement.

Don Diego martela fiévreusement le corps du reptile sur la terre meuble pendant que Lazue se détournait pour vomir. Hunter n'y prêta aucune attention : depuis qu'elle avait crié, il ne quittait plus des yeux les soldats qui gravissaient la pente.

Sanson et le Maure aussi.

— Ils ont entendu ? demanda Hunter.

— On ne peut pas prendre de risque, répondit Sanson.

Il y eut un long silence interrompu seulement par les spasmes de Lazue.

— Vous avez remarqué qu'ils emportaient de quoi manger et dormir ? reprit Sanson.

Hunter hocha la tête. Il ne voyait qu'une explication : Cazalla les avait envoyés vers le sommet de la montagne en éclaireurs, à la recherche de pirates descendus à terre, mais aussi pour voir si le *Cassandra* n'apparaissait pas à l'horizon. D'un simple coup de mousquet, ce détachement pouvait déclencher l'alerte. Une fois là-haut, ils pourraient apercevoir le sloop de très loin.

— Je m'en occupe, murmura Sanson avec un petit sourire.

— Emmène le Maure, répondit Hunter.

Les deux hommes partirent à la poursuite des soldats. Hunter se retourna vers Lazue qui, le visage livide, s'essuyait la bouche.

— On peut y aller, murmura-t-elle.

Hunter, Don Diego et Lazue chargèrent leur matériel sur leurs épaules et reprirent leur descente.

Ils atteignirent la rivière qui se limitait, au début, à un mince filet d'eau facile à enjamber. Mais elle s'élargit rapidement *ce*pendant que la jungle sur ses berges s'épaississait.

Ils rencontrèrent leur première ronde en fin d'après-midi : huit Espagnols, armés jusqu'aux dents, qui remontaient silencieusement le cours à bord d'une chaloupe. De farouches combattants prêts à en découdre. À la tombée de la nuit, les grands arbres virèrent au bleu-vert, tandis que la surface de l'eau se teintait d'un noir opaque, où seules de petites ondulations trahissaient parfois le passage d'un crocodile. Des patrouilles, éclairées par des torches, sillonnaient la jungle de toutes parts. Trois autres chaloupes remontèrent la rivière, chargées de soldats dont les flambeaux dessinaient de longues traînées de lumière.

— Cazalla n'est pas fou ! lâcha Sanson qui les avait rejoints avec le Maure une fois leur mission accomplie. Il nous attend.

Ils ne se trouvaient plus qu'à quelques centaines de toises de la forteresse de Matanceros. Les murailles de pierre les écrasaient de toute leur hauteur. Il régnait une activité intense à l'intérieur comme à l'extérieur du fort. Des pelotons d'une vingtaine d'hommes quadrillaient les alentours.

— Attendus ou pas, nous devons suivre notre plan, répondit Hunter. Nous attaquerons ce soir.

23

Enders, chirurgien barbier et artiste des mers, debout à la barre du *Cassandra*, regardait les vagues se briser sur les récifs de l'îlot Barton dans un nuage d'écume argentée, à cinquante brasses sur bâbord. Plus loin, la masse noire de Matanceros grossissait à l'horizon.

Un marin s'approcha de lui.

— Le sablier vient d'être retourné.

Enders hocha la tête. Quinze sabliers s'étant écoulés depuis la tombée de la nuit, il devait être environ deux heures du matin. Poussé par un vent du nord qui soufflait à dix nœuds, le sloop atteindrait l'île dans une heure.

Enders lorgna le mont Leres. Il ne discernait pas encore le port de Matanceros. Il devrait contourner la pointe sud de l'île avant d'arriver en vue de la forteresse et du galion qu'il espérait trouver encore à l'ancre.

À ce moment-là, ils parviendraient également à portée des canons, sauf si Hunter et sa troupe avaient réussi à les réduire au silence.

Enders considéra son équipage debout sur le pont du *Cassandra*. Personne ne parlait. Ils contemplaient en silence l'île qui se rapprochait, conscients aussi bien des enjeux que des risques : dans une heure, chacun d'entre eux serait soit mort, soit fabuleusement riche.

Pour la énième fois, Enders se demanda comment l'expédition à terre s'était passée et où se trouvaient Hunter et sa troupe.

Dans l'ombre des murailles de Matanceros, Sanson mordit le doublon d'or et le tendit à Lazue. Elle fit de même avant de le passer au Maure. Hunter observait ce rituel muet, censé porter bonheur aux corsaires avant une attaque. Quand son tour arriva, il planta les dents dans le métal et sentit sa douceur. Et sous le regard attentif des autres, il jeta la pièce par-dessus son épaule droite.

Ils se dispersèrent ensuite tous les cinq sans un mot.

Chargés de leur matériel, Hunter et Don Diego contournèrent furtivement la forteresse par le nord, s'arrêtant fréquemment pour laisser passer les rondes. Hunter étudia les hautes murailles de Matanceros. Leur sommet était arrondi afin de n'offrir aucune saillie aux grappins. Connaissant les compétences limitées des Espagnols en maçonnerie, Hunter était cependant certain d'y trouver une prise.

Ils atteignirent la face nord de la forteresse, la plus éloignée de la mer, et attendirent. Dix minutes plus tard, une patrouille passa dans un cliquetis d'armures avant de disparaître dans la nuit.

Hunter courut vers le mur et lança son grappin. Il perçut un petit bruit métallique et tira sur la corde, mais l'engin retomba et s'écrasa à ses pieds. Étouffant un juron, Hunter tendit l'oreille.

Il ne perçut aucun bruit, rien qui indique qu'on l'avait entendu. Il relança le crochet dont il suivit la course jusqu'au sommet du mur. Il tira de nouveau. Et fit un bond de côté pour ne pas le recevoir sur la tête.

Sa troisième tentative fut la bonne mais, presque aussitôt, Hunter entendit une nouvelle patrouille approcher. Aiguillonné par la peur, soufflant et haletant, il escalada la muraille à toute vitesse et, dès qu'il eut atteint le parapet, sauta de l'autre côté et remonta la corde pendant que Don Diego se tapissait dans les broussailles.

La patrouille passa en dessous de lui.

Il redescendit la corde et Don Diego monta à son tour, tout en jurant en espagnol entre ses dents. Il n'avait guère de force et progressait avec une lenteur abominable. Enfin, il parvint à la portée de Hunter qui l'aida à se hisser en sécurité et ramena la corde. Puis les deux hommes, accroupis contre le rempart, étudièrent les alentours.

Le silence et l'obscurité enveloppaient la forteresse et les rangées de tentes remplies de centaines de soldats endormis. Il y avait quelque chose d'étrangement excitant à se trouver si près de tant d'ennemis.

— Des sentinelles ? chuchota le Juif.

— Juste les deux là-bas.

On distinguait deux silhouettes près des canons : des vigies placées là pour surveiller la mer et signaler l'approche des navires.

Don Diego hocha la tête.

— Il y aura un garde dans la poudrière.

— Sans doute.

Ils se trouvaient pratiquement au-dessus du bâtiment en bois que Lazue leur avait indiqué. De leur poste d'observation, ils ne voyaient pas de porte.

— Il faut commencer par là, chuchota le Juif.

Ils n'avaient apporté aucun explosif, juste des mèches, comptant trouver ce qu'il leur fallait dans la réserve de la forteresse.

Hunter se laissa glisser silencieusement jusqu'au sol. Don Diego le suivit en clignant des yeux dans la pénombre. Ils contournèrent le bâtiment et aperçurent l'entrée. Aucun garde n'y était posté.

— À l'intérieur ? murmura le Juif.

Hunter haussa les épaules, s'approcha de la porte, tendit l'oreille, puis retira ses bottes et ouvrit doucement le battant. Il se retourna et vit que Don Diego se déchaussait lui aussi. Il entra.

L'intérieur de la poudrière était entièrement doublé de plaques de cuivre et les rares chandelles, soigneusement protégées, diffusaient une chaleureuse lueur rouge. La pièce semblait bizarrement hospitalière, malgré les rangées de barils de poudre et les tas de gargousses, toutes étiquetées de rouge comme il se devait. Hunter avança sans bruit sur le sol en cuivre. Il ne voyait personne mais quelqu'un ronflait dans le dépôt.

Se glissant entre les tonnelets, il finit par trouver un soldat assoupi contre un fût. Hunter lui assena un coup sur la tête ; l'homme poussa un gémissement et s'affala.

Le Juif s'avança à son tour.

— Merveilleux ! murmura-t-il en contemplant la pièce.

Ils se mirent aussitôt au travail.

Si aucun bruit ne venait de la forteresse endormie, une joyeuse agitation régnait dans le port autour des baraquements de l'équipage du galion. Sanson, le Maure et Lazue apercevaient par les fenêtres des tavernes les soldats qui buvaient et qui jouaient à la lueur jaune des lanternes. Un homme ivre sortit d'un estaminet, bouscula Sanson et s'excusa avant de vomir contre une palissade, les laissant poursuivre sans encombre leur chemin vers l'embouchure de la rivière.

Alors que personne ne surveillait le débarcadère pendant le jour, trois soldats le gardaient à présent. Ils bavardaient tranquillement tout en buvant, assis dans le noir, au bout de la jetée, leurs jambes pendant dans le vide, le murmure de leurs voix se mêlant au clapotis de l'eau contre les piliers. Ils tournaient le dos aux pirates, mais les lattes de bois du ponton interdisaient toute approche silencieuse.

— Je m'en occupe, chuchota Lazue en retirant sa chemise.

Nue jusqu'à la taille, sa dague cachée derrière son dos, elle se dirigea vers les hommes en sifflotant.

Un des soldats se retourna.

— ¿ *Que pasa* ? demanda-t-il en soulevant sa lanterne, avant d'écarquiller les yeux de stupeur devant cette apparition : une femme à moitié nue qui s'avançait nonchalamment vers lui. ¡ *Madre de Dios* !

À peine eut-il le temps de sourire que la dague de Lazue lui transperçait le cœur.

Sidérés, les autres soldats n'eurent même pas le réflexe de se défendre qu'elle les tuait à leur tour, la poitrine éclaboussée par leur sang.

Sanson et le Maure accoururent et enjambèrent les trois cadavres tandis que Lazue se rhabillait. Sanson sauta dans une chaloupe et rama aussitôt en direction de la poupe du galion. Le Maure coupa les amarres des autres embarcations et les poussa dans le port, gardant la dernière pour y monter avec Lazue. Puis, à puissants coups de rame, il se dirigea vers la proue du navire. Personne n'avait prononcé un mot.

— Debout dans la chaloupe, frissonnant dans sa tunique trempée de sang, Lazue scrutait la masse sombre qui se rapprochait. Le grand vaisseau, d'une longueur de près de cent quarante pieds, était plongé dans l'obscurité ; seules quelques torches l'éclairaient par endroits. À sa droite, elle vit Sanson qui s'éloignait d'eux vers l'arrière du galion. Sa silhouette se détachait sur les lumières du rivage. Elle se tourna vers la gauche et contempla les contours gris de la forteresse en se demandant si Hunter et le Juif avaient réussi à y pénétrer.

Hunter regardait Don Diego qui, avec d'infinies précautions, remplissait l'intestin d'un opossum de poudre noire. Le procédé lui semblait interminable, mais le Juif refusait de se presser. Accroupi au centre du dépôt, une gargousse éventrée à ses pieds, il fredonnait doucement.

— Y en a encore pour longtemps ? s'impatienta Hunter.

— Non, non, répondit le Juif d'un ton nonchalant. Ne vous inquiétez pas. Ce sera vraiment très beau. Attendez de voir le résultat.

Une fois l'intestin rempli, le Juif le coupa en morceaux de différentes longueurs qu'il glissa dans sa poche.

— Très bien. On peut y aller.

Quelques minutes plus tard, les deux hommes émergeaient de la poudrière, ployés sous le poids des sacs de poudre. Ils traversèrent subrepticement la cour principale de la forteresse et s'arrêtèrent sous le lourd parapet de pierre qui supportait les canons. Les deux vigies se trouvaient toujours à leur poste.

Pendant que le Juif l'attendait en bas avec les explosifs, Hunter monta se débarrasser des deux gardes. Le premier mourut sans un bruit et le second ne laissa échapper qu'un faible grognement avant de s'affaler sur le sol.

— Diego ! appela Hunter à voix basse.

Le Juif monta le rejoindre et examina les canons. Il introduisit un refouloir dans la bouche du premier.

— Merveilleux ! Ils sont déjà chargés et amorcés. Je sens qu'on va s'amuser. Venez m'aider, dit-il en introduisant une seconde gargousse à l'intérieur. Maintenant, la charge.

Hunter fronça les sourcils.

— Mais ils vont ajouter un boulet avant de tirer.

— Justement. Avec deux sacs de poudre et deux boulets, ces canons vont leur sauter à la figure !

Ils passèrent rapidement d'une couleuvrine à l'autre, le Juif ajoutant la poudre, Hunter le boulet qui, chaque fois, roulait dans le canon avec un grondement sourd, mais personne n'était là pour l'entendre.

— Il me reste juste quelques petits détails à régler, reprit le Juif quand ils eurent terminé. Vous n'avez qu'à mettre un peu de sable dans chaque canon.

Hunter se laissa glisser du parapet sur le sol pour ramasser quelques poignées de sable et en versa une dans chaque fût. Le Juif pensait à tout : si, par malheur, les canons tiraient malgré leurs précautions, le sable en fausserait la visée et les abraserait de telle manière qu'ils ne retrouveraient jamais leur précision.

Sa tâche achevée, Hunter rejoignit le Juif qui, penché sur le chariot d'un canon, s'affairait sous le fût.

— C'est prêt, dit-il en se relevant.

— Qu'avez-vous fait ?

— J'ai placé une autre charge sous l'affût et je l'ai reliée par une mèche au canon, de façon qu'elle s'enflamme au moment du tir. Ce sera grandiose ! déclara-t-il avec un sourire ravi.

Le vent tourna et la poupe du galion pivota vers Sanson. Il s'amarra sous les dorures de l'arcasse et commença à escalader la paroi du château arrière. La brise lui apporta les bribes d'une chanson en espagnol. Il écouta les paroles obscènes sans parvenir à situer leur provenance.

Il s'introduisit par un sabord dans la cabine du capitaine. Elle était déserte. Il ressortit sur le pont d'artillerie et descendit par une échelle vers celui de l'équipage. Personne. Les hamacs vides se balançaient mollement au rythme de la mer. Il y en avait des douzaines, mais toujours aucune trace de marins.

Cela l'inquiéta. Si le navire n'était pas gardé, il ne devait plus rien contenir de précieux. Il sentit se réveiller les craintes qu'aucun d'eux n'avait jamais osé formuler : que le trésor ait été transféré en lieu sûr, à terre, peut-être même à l'intérieur de la forteresse, auquel cas tous leurs beaux plans s'effondreraient.

Sanson en finit presque par espérer tomber sur un équipage considérable. Il gagna la cuisine avant et, là, retrouva l'espoir car, si elle aussi était déserte, des reliefs témoignaient qu'elle avait servi récemment : restes de ragoût de bœuf et de légumes, morceau de citron qui oscillait sur le comptoir de bois.

Au moment où il ressortait, il entendit dans le lointain, sur le pont supérieur, la sentinelle interpeller Lazue et le Maure.

— ¿ *Que pasa ?* leur lança-t-elle en se penchant vers eux alors qu'ils amarraient la chaloupe à l'échelle de coupée.

— On apporte du rhum, répondit Lazue à mi-voix. Avec les compliments du capitaine.

— Le capitaine ?

— C'est son anniversaire.

— ¡ *Bravo, bravo !*

Avec un large sourire, le soldat s'effaça pour laisser passer Lazue. L'horreur se peignit sur son visage à la vue de sa tunique et de ses cheveux souillés de sang. Mais, déjà, un poignard s'enfonçait dans sa poitrine. De surprise, l'homme saisit le manche. Il ouvrit la bouche pour parler et s'écroula, mort, sur le pont.

Pendant que le Maure s'avançait sur la pointe des pieds vers quatre soldats qui jouaient aux cartes, Lazue descendit au pont inférieur. Elle trouva une dizaine d'hommes qui dormaient dans le compartiment avant et ferma doucement leur porte avant de la barrer. Cinq autres soldats chantaient et buvaient dans une cabine voisine ; par l'entrebâillement, elle vit qu'ils étaient armés. Bien décidée à ne se servir des pistolets glissés dans sa ceinture qu'en tout dernier recours, elle se mit donc en embuscade dans la coursive.

Au bout d'un moment, le Maure vint la rejoindre. Elle lui montra la cabine du doigt. Il secoua la tête et attendit avec elle.

Quelques minutes plus tard, un soldat annonça qu'il avait grand besoin de se soulager la vessie et quitta la pièce. Dès qu'il sortit dans le passage, le Maure lui enfonça un cabillot dans le crâne ; il heurta le plancher avec un bruit sourd, juste devant la porte. Les autres tournèrent la tête et ne virent que ses pieds à la lueur de leur lanterne.

— Juan ?

L'homme ne bougea pas.

— Il a trop bu, ricana une voix et la partie reprit son cours.

Cependant, l'un des joueurs finit par s'inquiéter et sortit à son tour. Lazue lui trancha la gorge tandis que le Maure bondissait dans la cabine en décrivant de grands cercles avec son cabillot et éliminait ses trois derniers comparses qui s'effondrèrent sans un cri.

De son côté, Sanson venait de se retrouver nez à nez avec un soldat complètement ivre, un baril de rhum sous le bras.

— Tu m'as fait peur ! s'esclaffa le pauvre bougre en espagnol. Je ne m'attendais pas à voir quelqu'un.

Il aperçut alors le visage sinistre de Sanson et ne le reconnut pas. Il n'eut pas le temps de se remettre de son étonnement que les doigts du corsaire se refermaient sur sa gorge.

Sanson descendit ensuite sous le pont de l'équipage pour aller inspecter les soutes avant. Il les trouva fermées à double tour avec des sceaux sur les verrous. Il se pencha pour les examiner. Malgré le peu de lumière, il reconnut dans la cire jaune la couronne et l'ancre de l'hôtel des monnaies de

Lima. Son cœur fit un bond ; les soutes contenaient encore l'argent du Pérou !

Il remonta sur le pont supérieur et se dirigea vers la barre, devant le château arrière. Il entendit de nouveau chanter sans pouvoir localiser la source. Il s'arrêta pour tendre l'oreille. La chanson s'interrompit et une voix inquiète demanda :

— *¿ Quién es ?*

Il leva la tête. Bien sûr ! De la hune du grand mât, un gabier se penchait vers lui.

— *¿ Quién es ?* répéta-t-il.

Sanson savait que le marin ne pouvait pas le distinguer nettement. Il recula dans l'ombre.

— *¿ Que pasa ?* s'affola l'homme.

Dissimulé par l'obscurité, Sanson sortit son arbalète, tendit le ressort en acier, posa la flèche et leva son arme, le regard rivé sur le gabier qui dégringolait les haubans en jurant.

Il tira.

L'impact de la flèche arracha l'homme aux cordages et le projeta dans la nuit. Il tomba à la mer dans une grande gerbe d'eau. Puis ce fut le silence.

Sanson continua son inspection. Enfin certain d'être seul, il saisit la barre entre ses mains. Un moment plus tard, il vit Lazue et le Maure apparaître sur le pont avant. Se tournant vers lui, ils lui firent signe, un grand sourire aux lèvres.

Le navire était à eux !

Hunter et Don Diego avaient regagné le dépôt de munitions pour installer une mèche à retardement sur les barils de poudre. Il fallait faire vite : quand ils avaient quitté les canons, le ciel pâlissait déjà au-dessus de leurs têtes.

Don Diego rassembla les barils par petits tas en différents points du dépôt.

— Cela évitera que tout saute d'un coup, expliqua-t-il à voix basse.

Il éventra deux tonnelets et étala la poudre noire sur le sol. Enfin satisfait, il alluma la mèche.

Au même instant, un hurlement bientôt suivi d'un autre retentit dans la cour de la forteresse.

— Que se passe-t-il ? s'inquiéta Don Diego.

Hunter fronça les sourcils.

— Ils ont dû trouver les corps des vigiles.

D'autres cris fusèrent, puis on entendit un bruit de course et soudain ce fut l'alerte :

— ¡ Piratas ! ¡ Piratas !

— Le sloop vient sans doute d'entrer dans la passe, déclara Hunter, les yeux rivés sur la mèche qui se consumait en crachotant.

— Dois-je l'éteindre ? demanda Don Diego.

— Non, laissez-la.

— Nous ne pouvons pas rester ici.

— Ce sera bientôt la panique dans la cour. On en profitera pour s'échapper.

— Prions le ciel qu'elle ne tarde pas trop.

Au-dessus des clameurs de plus en plus fortes, ils entendaient à présent le martèlement de centaines de pieds tandis que la garnison entière se mobilisait.

— Ils vont venir inspecter la poudrière, murmura nerveusement Don Diego.

— Sans doute.

Au même moment, la porte s'ouvrit à toute volée et Cazalla surgit dans le dépôt, l'épée à la main.

Hunter arracha une rapière accrochée au mur parmi des douzaines d'autres.

— Partez, Diego ! chuchota-t-il.

Le Juif s'enfuit alors que la lame de Cazalla engageait celle de Hunter, qui recula sous l'assaut.

— L'Anglais ! s'esclaffa Cazalla. Je jetterai ton corps à mes chiens…

Hunter ne répondit pas. Il soupesait cette épée inconnue et testait la souplesse de sa lame.

— … et je ferai déguster tes testicules à ma maîtresse !

Hunter continuait à reculer en obliquant vers la sortie, entraînant Cazalla loin de la mèche qu'il n'avait toujours pas remarquée.

— Aurais-tu peur, l'Anglais ?

Hunter arriva à la porte, Cazalla porta une botte, Hunter para en reculant. Cazalla porta une nouvelle botte et déboucha à son tour dans la cour.

— Tu n'es qu'un lâche, l'Anglais !

À présent qu'ils étaient hors du dépôt, Hunter engagea franchement le combat et Cazalla rugit de plaisir. Pendant quelques instants, ils luttèrent en silence tandis que Hunter continuait à s'éloigner subrepticement de la poudrière.

Tout autour d'eux, les soldats couraient en criant. N'importe lequel pouvait frapper Hunter par-derrière. Étonné que l'Anglais s'expose délibérément à un tel danger, Cazalla comprit brusquement pourquoi.

Il s'arrêta et jeta un regard par-dessus son épaule en direction du magasin.

— Sale fils de porc…

Il se précipita vers la poudrière à la seconde où la première explosion soufflait le bâtiment dans une lueur éblouissante et une chaleur d'enfer.

À cette vue, l'équipage du *Cassandra* qui remontait l'étroit chenal poussa des hurlements de joie. Mais Enders, à la barre, fronçait les sourcils. Les canons de Matanceros se trouvaient toujours à leur place : il voyait leurs bouches saillir par les embrasures des murs de pierre. Dans la lumière écarlate du feu qui enveloppait le dépôt de munitions, il distinguait nettement les artilleurs qui s'apprêtaient à tirer.

— Dieu nous vienne en aide ! murmura-t-il alors que le *Cassandra* arrivait dans l'axe des batteries. Attention, compagnons ! beugla-t-il. Nous allons manger du plomb espagnol !

De l'avant du galion, Lazue et le Maure avaient assisté, eux aussi, à la déflagration. Et ils frémirent en voyant le *Cassandra* arriver dans le champ de tir de la forteresse.

— Mère de Dieu ! gémit Lazue. Ils n'ont pas eu les canons ! Ils n'ont pas eu les canons !

Don Diego courait vers le rivage. Il ne ralentit pas quand l'explosion retentit derrière lui ; il ne se demanda pas si Hunter se trouvait toujours à l'intérieur ; il ne pensait à rien. Les poumons prêts à éclater, il n'avait qu'une idée : atteindre la mer.

Débarrassé de Cazalla, Hunter cherchait désespérément à sortir de la forteresse. Mais les soldats en patrouille à l'extérieur revenaient précipitamment par la porte ouest, lui coupant la retraite de ce côté-là. Il avisa une petite bâtisse en pierre et se précipita dans sa direction avec l'intention de monter sur le toit pour gagner le haut des murailles et sauter de l'autre côté.

Quatre soldats le prirent en chasse, épée au poing. Sans réfléchir, il entra dans la maisonnette et referma la porte à double tour derrière lui.

Tandis que ses poursuivants martelaient en pure perte le lourd battant, il se retourna et découvrit qu'il se trouvait dans les luxueux appartements de Cazalla. Une fille très brune était couchée dans le lit. Elle le dévisagea d'un air terrifié, les draps remontés sous son menton, pendant qu'il se précipitait vers les fenêtres donnant sur l'arrière. Il allait disparaître lorsqu'il l'entendit demander dans un anglais des plus aristocratiques :

— Qui êtes-vous ?

Il se retourna, sidéré.

— Et vous, qui diable êtes-vous donc ?

— Je suis Lady Sarah Almont. Je suis retenue prisonnière ici.

— Eh bien, habillez-vous vite, madame !

Au même moment, dans un fracas de verre brisé, Cazalla traversa une autre fenêtre et atterrit au beau milieu de la pièce, l'épée à la main, gris de poudre et noirci par l'explosion du dépôt de munitions.

La jeune femme poussa un hurlement de terreur.

— Habillez-vous, madame ! répéta Hunter tout en engageant le combat avec son adversaire, et il la vit se précipiter vers une robe blanche lourdement ouvragée.

Cazalla haletait, poussé par l'énergie du désespoir et peut-être aussi par la peur.

— L'Anglais...

Il ne put aller plus loin. L'épée de Hunter venait de lui transpercer la gorge. Il tomba assis dans le fauteuil devant son bureau. Puis il se pencha, saisissant la lame à pleines mains pour essayer de la retirer. Un bref instant, on aurait pu croire qu'il examinait les cartes étalées devant lui. Enfin, dans un gargouillement, il s'effondra en avant.

— Partons, murmura la jeune femme.

Sans un regard pour le corps de Cazalla, Hunter l'aida à sortir par la fenêtre. Mais quand ils se retrouvèrent au nord de la forteresse, à trente pas au-dessus du sol rocailleux couvert de broussailles, Lady Almont s'accrocha à lui, terrorisée.

— C'est trop haut !

— Nous n'avons pas le choix.

Il la poussa et elle tomba en hurlant. Avant de sauter à son tour, il se retourna un bref instant et vit le *Cassandra* qui s'avançait sous la principale batterie du fort. Les artilleurs s'apprêtaient à tirer. Il atterrit à côté de la jeune femme qui ne s'était pas relevée. Elle se frottait la cheville.

— Vous êtes blessée ?

— Non, non, rien de grave.

Il l'aida à se redresser et, un bras passé autour de sa taille, l'entraîna vers le rivage au moment où les premiers canons ouvraient le feu sur le sloop.

Les couleuvrines de Matanceros tiraient en série, à une seconde d'intervalle. À une seconde d'intervalle, elles explosèrent donc l'une après l'autre, dans une pluie de poudre et de fragments de bronze, tandis que les artilleurs se jetaient à terre. Enfin, toujours l'une après l'autre, les lourdes pièces reculèrent et se turent.

Les soldats se relevèrent lentement, hébétés, avant de s'approcher des canons. Ils se mirent à parler tous à la fois en découvrant les lumières éventrées.

C'est alors que les charges placées sous les chariots sautèrent à leur tour, projetant une nuée d'éclats de bois, et les couleuvrines s'effondrèrent sur le sol. La dernière roula le long du parapet, chassant devant elle les soldats terrifiés.

À moins de trois encablures de là, le *Cassandra* pénétra, indemne, dans le port.

Don Diego, qui s'était jeté à l'eau, cria à pleins poumons en voyant le sloop foncer sur lui. Il crut que personne ne l'avait vu ni entendu quand, à la dernière seconde, l'avant du bateau vira et des bras puissants le hissèrent sur le pont. Ses amis lui glissèrent aussitôt une flasque de tafia entre les mains tout en lui tapant dans le dos et en riant aux éclats.

Don Diego scruta le pont avec anxiété.

— Où est Hunter ? s'inquiéta-t-il.

Dans les premières lueurs de l'aube, Hunter courait avec la jeune Anglaise vers la plage à la pointe est de Matanceros. Il passait juste sous la batterie de la forteresse et les canons qui gisaient à des angles incongrus.

Ils s'arrêtèrent au bord de l'eau pour reprendre leur souffle.

— Savez-vous nager ? demanda Hunter.

La jeune femme secoua la tête.

— Pas du tout ?

— Je vous jure que non.

Il regarda le *Cassandra* qui s'approchait de la nao espagnole.

— Venez, dit-il en repartant vers le port.

Enders, génie de la navigation, amena doucement le *Cassandra* le long de la nao et aussitôt la plus grande partie de l'équipage grimpa à son bord. Enders les suivit. Il aperçut Lazue et le Maure appuyés au bastingage et Sanson à la barre.

— Je vous en prie, monseigneur, dit ce dernier, avec une révérence, avant de lui céder sa place.

— Tout le plaisir est pour moi, monsieur, répondit Enders, les yeux déjà levés vers la mâture où les gabiers escaladaient le gréement. Déferlez le petit hunier ! Hissez le foc !

Les voiles furent bordées. Le vaisseau s'ébranla lentement.

Pendant ce temps, l'équipage resté sur le *Cassandra* l'avait mis en remorque à l'arrière du navire ; le sloop pivota à sa suite tandis que ses voiles faseyaient.

Enders ne prêta aucune attention au *Cassandra*. Il était entièrement concentré sur le vaisseau qui continuait à avancer pendant que les marins relevaient l'ancre au moyen du cabestan.

— Quel sabot ! soupira-t-il en secouant la tête. Un vrai veau !

— Mais il tiendra la mer ? s'inquiéta Sanson.

— Ouais, si on veut.

Tandis qu'ils se dirigeaient vers la sortie du port, Enders scrutait le rivage à la recherche de Hunter.

— Il est là-bas ! hurla Lazue.

Il était debout avec une femme, au bord de l'eau.

— Tu peux t'arrêter ?

Enders secoua la tête.

— Non, on risque de se retrouver face au vent. Jetez-lui une corde.

Le Maure en avait déjà lancé une. À peine Hunter et l'Anglaise l'eurent-ils saisie qu'ils furent brutalement traînés dans l'eau.

— Remontez-les vite avant qu'ils se noient ! cria Enders en souriant.

Il s'en fallut de peu que la fille ne passe de vie à trépas : elle cracha de l'eau pendant des heures. Quant à Hunter, il retrouva sa bonne humeur dès qu'il prit les commandes de la précieuse nao et qu'ils filèrent de conserve avec le *Cassandra* vers la pleine mer.

À huit heures du matin, les ruines fumantes de Matanceros disparurent derrière eux. Hunter, déjà réconforté par une bonne dose de rhum, songea qu'il venait de réussir la plus extraordinaire expédition corsaire depuis le raid de Drake sur Panamá.

24

Ne tenant guère à s'attarder dans les eaux espagnoles, ils foncèrent cap au sud, en sortant toute la toile possible.

En temps normal, le galion transportait jusqu'à mille personnes dont un équipage de plus de deux cents marins. Hunter, lui, ne disposait que de soixante-dix hommes, en comptant les prisonniers, pour la plupart des soldats de garnison et non pas des matelots. Non seulement on ne pouvait leur faire confiance, mais ils n'y connaissaient rien. L'équipage de Hunter avait donc fort à faire pour manœuvrer les voiles et les écoutes.

Hunter interrogea les prisonniers dans un espagnol haché. À midi, il savait pas mal de choses sur le navire qu'il commandait. Il s'agissait de la nao *Nuestra Señora de los Reyes, San Fernando y San Francisco de Paula*, commandée par le capitaine José del Villar de Andrade, appartenant au marquis de Canada, comptant neuf cents tonneaux et construite à Gênes. Comme tous les galions espagnols toujours affublés de noms impossibles, il avait un surnom, le *Trinidad*, aux origines obscures.

Il avait été conçu pour porter cinquante canons, mais après son départ officiel de La Havane, au mois d'août précédent, il avait fait escale le long de la côte cubaine pour se délester d'une partie de son artillerie afin de prendre davantage de cargaison. Il ne lui restait plus que trente-deux canons de douze. Après l'avoir inspecté de fond en comble, Enders le déclara dans un état lamentable mais toutefois capable de naviguer. Et les prisonniers étaient à présent occupés à nettoyer les monceaux de détritus qui encombraient les cales.

— Et il prend l'eau, en plus ! maugréa Enders.

— Beaucoup ?

— Non, mais c'est un vieux vaisseau, il faut le surveiller. Il n'a jamais été correctement entretenu, ajouta-t-il d'un ton qui laissait percer tout le mépris qu'il éprouvait pour le laisser-aller légendaire de la marine espagnole.

— Sinon, comment se comporte-t-il ?

— Comme une truie engrossée jusqu'aux yeux, mais on devrait s'en sortir si le beau temps persiste et surtout si on ne fait pas de mauvaise rencontre.

Hunter hocha la tête. Il arpenta le pont en observant le gréement. Totalement toilé, le *Trinidad* portait quatorze voiles distinctes. Et la moindre manœuvre, comme relâcher un ris d'un hunier, exigeait pratiquement une douzaine de costauds.

— Si nous avons de la mer, il faudra naviguer à sec de toile, continua Enders.

Hunter approuva en silence. En cas de tempête, il n'aurait d'autre choix que de serrer toutes les voiles et d'attendre la fin du mauvais temps, ce qui se révélait souvent risqué sur un navire de cette taille. Mais la perspective d'une attaque l'inquiétait encore davantage : il aurait alors besoin d'une grande maniabilité et l'équipage était insuffisant pour manœuvrer correctement le *Trinidad*.

Surtout que se posait, en plus, le problème des canons.

Les trente-deux canons de douze, de fabrication hollandaise, récents et bien entretenus, représentaient une défense sinon formidable, du moins appréciable. Ils auraient permis au galion de se classer dans les bâtiments de troisième rang et, donc, de tenir tête à la plupart des navires de combat ennemis, si Hunter avait eu assez d'hommes pour les servir. Ce qui, hélas, n'était pas le cas.

Il fallait une quinzaine de servants sous les ordres d'un chef pour charger, viser, tirer, puis recharger un canon toutes les minutes. Si l'on tenait compte des inévitables pertes, de la fatigue du combat – les soldats s'éreintaient vite à pousser en tous sens des tubes de bronze brûlants de deux tonnes et demie –, vingt hommes y suffisaient à peine. Même en considérant qu'on ne tirait jamais des deux côtés à la fois, Hunter aurait eu besoin de plus de deux cent vingt hommes pour les manier. Et, déjà à court d'effectif sur le pont, il ne pouvait en fournir un seul.

Il était acculé : il lui aurait fallu un équipage dix fois plus nombreux pour se défendre correctement en cas d'attaque, et trois fois plus nombreux pour survivre à une tempête. La conclusion s'imposait d'elle-même : il devait éviter le combat à tout prix et prestement trouver un abri si le temps se gâtait.

Ce fut Enders qui exprima cette inquiétude à voix haute.

— Comme j'aimerais naviguer entièrement toilé ! déclara-t-il en considérant la mâture du *Trinidad* qui avançait sans voile de misaine, sans perroquet ni civadière.

— Combien fait-on ? s'enquit Hunter.

— Moins de huit nœuds. On devrait faire le double !

— On aura du mal à semer un autre navire.

— Et encore plus à fuir une tempête, renchérit Enders. Vous n'envisagez pas de couler le *Cassandra* ?

Hunter y avait longuement réfléchi. Certes, les dix hommes d'équipage du sloop seraient les bienvenus sur le galion, mais cela ne changerait rien à leur problème. La nao resterait largement en sous-effectif. Par ailleurs, son sloop représentait une valeur certaine. S'il le gardait, il pourrait vendre le vaisseau espagnol aux enchères aux marchands et aux capitaines de Port Royal, où il atteindrait un prix faramineux. Ou il pourrait l'inclure dans le dixième réservé à la Couronne, ce qui réduirait considérablement la part de trésor du roi Charles.

— Non, je préfère conserver mon bateau.

— Alors on pourrait alléger ce veau, poursuivit Enders. Il transporte beaucoup de poids inutile. Vous n'avez pas besoin de tout ce bronze ni des chaloupes.

— Non, mais j'ai horreur de me sentir sans défense.

— Quoi qu'il en soit, nous le sommes, insista Enders.

— Je sais. Il ne nous reste plus qu'à compter sur la Providence pour rentrer sans encombre. La chance semble de notre côté et nous serons pratiquement hors d'affaire quand nous atteindrons les mers du Sud.

Hunter avait prévu de descendre le long des Petites Antilles, puis de prendre cap à l'ouest dans l'immensité de la mer des Antilles, entre le Venezuela et Saint-Domingue, où il n'y avait guère de risque de croiser un navire espagnol.

— Je ne fais guère confiance à la Providence, répondit Enders d'un ton sinistre. Mais essayons toujours.

Lady Sarah Almont s'était installée dans une cabine arrière où Hunter la trouva en compagnie de Lazue qui, d'un air innocent, l'aidait à se coiffer.

Hunter demanda à Lazue de les laisser.

— Mais nous nous amusions si bien ! protesta Lady Sarah, tandis que la porte se refermait.

— Madame, je crains que Lazue n'ait des vues sur vous.

— Il a l'air si gentil. Et il fait preuve de tant de douceur.

— Eh bien, il ne faut pas se fier aux apparences, murmura Hunter en prenant un siège.

— Je m'en suis aperçue depuis longtemps ! J'ai embarqué à bord du navire marchand *Intrepid*, commandé par le capitaine Timothy Warner, parce que Sa Majesté le roi Charles le considérait comme un valeureux guerrier. Imaginez donc ma surprise en découvrant que ce couard tremblait encore plus que moi quand le vaisseau de guerre espagnol nous a attaqués. En fait, ce valeureux capitaine n'était qu'un lâche !

— Et qu'est-il advenu de l'*Intrepid* ?

— Il a été détruit corps et biens.

— Par Cazalla ?

— En personne. Il m'a faite prisonnière. Et il a fait exterminer l'équipage puis couler l'*Intrepid*.

— Il les a tous tués ? demanda Hunter en haussant les sourcils.

Il n'était pas vraiment surpris, mais cet incident lui fournissait la provocation dont Sir James aurait cruellement besoin pour justifier son attaque de Matanceros.

— Étant enfermée dans une cabine, je n'ai pas personnellement assisté à ce massacre, mais je le suppose. Peu après, Cazalla a capturé un autre navire anglais. Ce qu'il est devenu, je l'ignore.

— Je suis bien placé pour savoir qu'il lui a échappé, répondit-il avec une petite révérence.

— C'est possible, murmura-t-elle sans paraître saisir le sens de ses paroles. Mais, dites-moi, qu'est-ce que des vagabonds comme vous vont faire de moi ? Je présume que je me trouve entre les mains de pirates.

— Charles Hunter, corsaire du roi, à votre service, se présenta-t-il. Nous faisons voile sur Port Royal.

— Que ce Nouveau Monde est ennuyeux ! soupira-t-elle. Je ne sais plus qui croire. Pardonnez-moi si je me méfie aussi de vous.

— Vraiment, madame ! protesta-t-il, outré par l'ingratitude de cette jeune femme dont il avait sauvé la vie. Je suis juste descendu m'enquérir de l'état de votre cheville…

— Elle va beaucoup mieux, merci.

— … et vous demander si vous étiez installée à votre convenance.

— Vraiment ? railla-t-elle en le toisant. Ne voudriez-vous pas plutôt savoir si l'Espagnol a abusé de moi avant d'en faire autant ?

— Madame, jamais…

— Eh bien, sachez que l'Espagnol ne m'a rien pris que je n'eusse déjà perdu. Mais il s'en est vengé à sa manière, ajouta-t-elle avec un petit rire amer en pivotant sur son siège pour lui présenter son dos.

Elle portait une robe qu'elle avait trouvée sur le bateau, largement décolletée à la mode espagnole. Par l'échancrure, Hunter aperçut d'horribles traces de coups de fouet.

— Vous comprenez peut-être mieux à présent, dit-elle en lui faisant de nouveau face. Quoique j'en doute. Hélas, je porte d'autres glorieux témoignages de cette rencontre malheureuse avec la cour de Philippe dans le Nouveau Monde.

Elle baissa l'encolure de sa robe pour révéler une marque rouge sur son sein. Elle le fit avec tant de célérité et si peu de pudeur qu'il en resta sans voix. Il ne s'habituerait jamais aux mœurs de ces grandes dames de la Cour : elles se conduisaient réellement comme des catins depuis l'arrivée sur le trône du « joyeux monarque ». À quoi devait ressembler l'Angleterre d'aujourd'hui ?

— C'est une brûlure, dit-elle en posant un doigt dessus. J'en ai d'autres. Et je crains qu'elles ne laissent des cicatrices. Ainsi aucun époux potentiel ne pourra ignorer les sévices que j'ai subis, ajouta-t-elle en le défiant du regard.

— Madame, vous me voyez ravi de vous avoir vengée en tuant ce monstre.

— Voilà bien une réaction typiquement masculine ! s'écria-t-elle en fondant en larmes.

Hunter ne savait plus quoi dire.

— Madame…

— Mes seins étaient ma plus belle parure, hoqueta-t-elle. Je faisais l'envie de toutes les femmes de l'aristocratie londonienne. Vous ne comprenez donc rien ?

— Madame, je vous en prie…

Hunter fouilla vainement ses poches à la recherche d'un mouchoir. Il portait encore sa tenue saccagée par l'attaque de Matanceros. Il aperçut alors un napperon sur une table et le lui tendit.

Elle se moucha bruyamment.

— Je suis marquée au fer comme une criminelle. Je ne pourrai plus jamais suivre la mode. Je suis perdue.

Hunter n'en revenait pas. Non seulement elle était saine et sauve, mais elle retrouverait bientôt son oncle. De quoi se plaignait-elle ? Son sort s'était grandement amélioré en quelques heures.

La trouvant à la fois ingrate et incompréhensible, il lui servit un verre de vin.

— Lady Sarah, je vous en supplie, cessez de vous tourmenter.

Elle prit la coupe et la vida d'un trait. Puis elle renifla et poussa un long soupir.

— Après tout, ajouta-t-il, les modes changent.

— Oh, les hommes, les hommes, les hommes ! se lamenta-t-elle. Et tout cela parce que j'ai voulu rendre visite à mon oncle. Quel triste destin que le mien !

On frappa à la porte. Un marin passa la tête dans l'entrebâillement.

— Je vous demande pardon, capitaine, mais M. Enders dit que nous toucherons terre dans un sablier et qu'il y a encore tous les coffres à ouvrir.

— Je serai sur le pont, annonça Hunter avant de quitter la cabine.

Tandis qu'il refermait la porte derrière lui, il entendit Lady Sarah fondre de nouveau en larmes.

25

Cette nuit-là, alors qu'ils mouillaient dans la baie Constantine, à l'abri d'une île plate à la végétation rabougrie, les corsaires élirent six des leurs afin de compter le trésor avec Hunter et Sanson. Il s'agissait d'une affaire sérieuse et solennelle. Et si le reste de l'équipage en profita pour se soûler avec le rhum espagnol, les huit responsables restèrent sobres jusqu'à la fin de l'inventaire.

Le navire possédait deux chambres fortes. L'une contenait cinq caisses. Ils trouvèrent dans la première des perles certes d'une qualité inégale, mais d'une valeur toutefois inestimable. La deuxième était remplie à ras bord d'escudos en or qui luisaient faiblement à la lumière de la lanterne. Les pièces furent patiemment comptées et recomptées avant d'être remises dans la malle. L'or était très rare à cette époque, seul un navire espagnol sur cent en rapportait et les corsaires se réjouirent de leur bonne fortune. Les trois derniers coffres contenaient des lingots d'argent du Mexique. Hunter estima leur valeur totale à plus de dix mille livres sterling.

Ils forcèrent la seconde chambre forte et, à leur grande joie, y découvrirent dix autres caisses. Mais leur enthousiasme retomba dès qu'ils ouvrirent la première : si elle renfermait des lingots d'argent scintillants portant le sceau à l'ancre et à la couronne du Pérou, leur surface inégale lançait des reflets insolites.

— Ça ne me dit rien qui vaille ! grommela Sanson.

Les autres malles furent hâtivement déclouées. Leur contenu se révéla tristement identique.

— Allez chercher le Juif, ordonna Hunter.

Don Diego, affligé d'un hoquet dû au tafia espagnol, arriva en plissant les yeux dans l'obscurité. Il fronça les sourcils en voyant les lingots.

— Ça sent mauvais !

Il réclama un tonneau d'eau, une balance et un lingot de la première chambre forte.

Quand tout cela fut réuni, sous l'œil attentif des huit autres, il posa le lingot mexicain sur un plateau de la balance et testa différentes barres péruviennes jusqu'à ce qu'il en trouve une pesant exactement le même poids.

— Ces deux-là conviendront, déclara-t-il.

Il prit ensuite le tonneau devant lui et y plongea l'argent mexicain. Le niveau de l'eau monta. Avec la pointe de sa dague, le Juif marqua la hauteur atteinte sur l'intérieur du baril.

Il retira le lingot pour le remplacer par le péruvien. L'eau monta moins haut.

— Qu'est-ce que cela signifie, Don Diego ? C'est de l'argent ?

— Non, pas entièrement. Il n'est pas pur. Il contient un autre métal, plus lourd, mais de la même couleur.

— Est-ce du plomb ?

— Le plomb est mat et ce métal brille. À mon avis, il contient plutôt du platine.

Des grognements accueillirent cette nouvelle. Le platine n'avait aucune valeur.

— Quelle proportion de platine, Don Diego ?

— Je ne peux le dire. Il me faudrait prendre d'autres mesures pour le savoir.

— Maudits Espagnols ! fulmina Sanson. Non seulement ils volent les Indiens, mais ils se volent entre eux. Je plains le roi Philippe.

— Tous les rois se font berner, remarqua Hunter. C'est dans l'ordre des choses. Et ces lingots représentent malgré tout une grande valeur. Il y en a au moins pour dix mille livres. Nous avons quand même mis la main sur un trésor important.

— Ouais, mais ça aurait pu être encore mieux ! soupira Sanson.

Il y avait d'autres marchandises de valeur à bord. Les cales du navire contenaient divers objets d'usage courant, des tissus, du bois de campêche, du tabac et des épices comme le piment et les clous de girofle. Le tout, vendu aux enchères sur les quais de Port Royal, pourrait atteindre au bas mot deux mille livres.

L'inventaire se poursuivit tard dans la nuit, puis les hommes allèrent boire et chanter avec le reste de l'équipage tandis que Sanson suivait Hunter dans sa cabine.

Sanson s'enquit aussitôt de leur passagère.

— Comment va la femme ?

— Elle n'est pas à prendre avec des pincettes et elle pleure beaucoup.

— Mais n'est-elle pas indemne ?

— Elle est vivante.

— Il faut la compter dans les dix pour cent du roi. Ou dans la part du gouverneur.

— Sir James ne le permettra pas.

— Je suis sûr que tu sauras le persuader.

— J'en doute.

— Tu as sauvé son unique nièce…

— Tu connais Sir James : il a les doigts crochus et un sens aigu des affaires.

— Tu devrais au moins essayer de lui montrer la bonne façon de penser, ne serait-ce que pour l'équipage.

Hunter haussa les épaules. Il y avait déjà réfléchi et songeait effectivement à négocier avec le gouverneur. Mais il ne voulait rien promettre à Sanson.

Le Français se versa du vin.

— Eh bien, nous avons réalisé de grandes choses, mon ami. Qu'as-tu prévu comme route de retour ?

Hunter lui confia son intention de descendre très au sud, puis de revenir en pleine mer cap à l'ouest jusqu'à ce qu'ils arrivent au sud de Port Royal.

— Ne penses-tu pas que ce serait plus sûr de diviser le trésor entre les deux navires et de nous séparer maintenant pour rentrer par des routes différentes ?

— Il vaut mieux que nous restions ensemble. Deux navires représentent une force formidable, vus de loin. Seuls, nous risquons d'être attaqués.

— Ouais, mais une douzaine de navires de ligne espagnols patrouillent dans ces eaux. Si nous nous séparons, il y a peu de risque qu'on tombe tous les deux sur eux.

— Nous n'avons rien à en craindre. Nous sommes des marchands espagnols tout à fait réguliers. Seuls les Français ou les Anglais risquent de nous attaquer.

Sanson sourit.

— Tu n'as pas confiance en moi.

— Bien sûr que non, répondit Hunter en lui retournant son sourire. Je veux te tenir à l'œil et garder le trésor sous mes pieds.

— Comme tu voudras ! répondit le Français, mais il lui jeta un regard noir que Hunter se promit de ne pas oublier.

26

Quatre jours plus tard, ils aperçurent le monstre.

Ils naviguaient paisiblement le long des Petites Antilles par bon vent et mer calme. Plus ils s'éloignaient de Matanceros, plus Hunter se détendait.

Son équipage profitait du beau temps pour améliorer la navigabilité du galion. Les Espagnols l'avaient laissé dans un état lamentable, avec des cordages qui s'effilochaient, des voiles usées ou déchirées, des ponts crasseux, des cales putrides. Le travail ne leur manquait donc pas tandis qu'ils voguaient cap au sud, au large de la Guadeloupe et de San Marino.

Ce fut Enders, avec sa vigilance habituelle, qui nota un curieux bouillonnement à la surface de l'eau vers le milieu de la journée.

— Regardez ! dit-il à Hunter en montrant la mer à tribord.

Hunter se tourna. Seul un petit clapot agitait la surface vitreuse mais, à une cinquantaine de brasses, se dessinait une effervescence sous les vagues... Un énorme objet fonçait sur eux, et à une vitesse incroyable !

— Combien faisons-nous ?

— Huit nœuds, répondit Enders. Mère de Dieu...

— Si nous en faisons huit, cette chose en fait vingt.

— Au moins !

Enders jeta un coup d'œil vers les hommes sur le pont. Personne n'avait rien remarqué.

— Rapprochez-vous des côtes, ordonna Hunter. Amenez-nous sur des hauts-fonds.

— Ça ne plaira pas au kraken.

— Espérons-le.

La forme se rapprocha et passa le long du bateau à une vingtaine de brasses. Hunter eut à peine le temps d'entrevoir une masse d'un blanc grisâtre et l'ombre de longs tentacules qu'elle était déjà loin. Puis elle décrivit une courbe et revint sur eux.

Enders se gifla la joue.

— Je rêve, c'est certain ! Dites-moi que ce n'est pas vrai.

— Hélas, vous ne rêvez pas.

De la hune du grand mât, Lazue siffla Hunter. Elle avait repéré le monstre, elle aussi. Hunter secoua la tête pour lui intimer l'ordre de ne rien dire.

— Heureusement qu'elle n'a pas donné l'alerte ! souffla Enders. On n'a pas besoin de ça !

— Non, il nous faut juste gagner des eaux peu profondes et vite ! le pressa Hunter en voyant un nouveau bouillonnement foncer sur le galion.

Du haut du mât, Lazue dominait les eaux claires et ne perdait rien du spectacle. L'estomac retourné, elle surveillait l'approche de la créature légendaire qui avait inspiré tant de chansons de marins et de contes pour enfants. Mais peu de gens l'avaient aperçue et Lazue s'en serait volontiers dispensée. Elle crut que son cœur s'arrêtait quand elle vit la bête se précipiter sur le *Trinidad* à une vitesse effroyable et remonter à la surface.

Elle distingua alors nettement sa peau d'un gris sinistre, son extrémité effilée, son corps bulbeux de plus de vingt pieds de long parachevé par un enchevêtrement de tentacules, comme la tête de la Méduse. L'horrible animal passa sous la coque du navire sans la toucher, émergea de l'autre côté et replongea dans les eaux bleues de l'océan.

Lazue essuya son front couvert de sueur.

Lady Sarah Almont arriva sur le pont alors que Hunter se penchait par-dessus la lisse.

— Bonjour, capitaine, le salua-t-elle.

Il se retourna et inclina la tête.

— Madame.

— Je vous trouve bien blanc, capitaine. Vous ne vous sentez pas bien ?

Sans lui répondre, Hunter courut vers le bord opposé du château arrière pour regarder de l'autre côté.

— Vous le voyez ? demanda Enders depuis la barre.

— Non, il a plongé.

— Nous avons trente brasses de fond, continua Enders. Ça devrait le gêner.

— Qui donc ? s'enquit la jeune femme, avec une petite moue.

Hunter recula vers elle.

— Il va peut-être revenir, murmura Enders.

— Sans doute, acquiesça Hunter.

Elle les dévisagea l'un après l'autre. Les deux hommes ruisselaient de sueur, livides.

— Capitaine, je ne suis pas marin. Je vous somme de m'expliquer ce qui se passe.

Enders explosa.

— Par le sang de Dieu, nous venons de voir…

— … un présage, l'interrompit calmement Hunter en lui lançant un œil noir. Un présage, madame.

— Un présage ? Seriez-vous superstitieux, capitaine ?

— Ça, y a pas plus superstitieux que lui ! ricana Enders, les yeux rivés sur l'eau.

— Je comprends surtout que vous refusez de me dire ce qui se passe ! s'énerva Lady Sarah en tapant du pied.

— Exactement ! répondit Hunter avec un grand sourire.

Elle trouva son sourire charmant malgré sa pâleur, mais Dieu, que cet homme était exaspérant !

— Je sais que je ne suis qu'une femme, mais j'insiste…

— Navire en vue ! cria Lazue au même moment.

Hunter se précipita sur sa longue-vue et aperçut des voiles carrées par l'arrière, sur la ligne d'horizon. Il se retourna vers Enders qui hurlait déjà de sortir toute la toile que le *Trinidad* possédait. Une fois les perroquets déployés, la vitesse du galion augmenta.

Un coup fut tiré pour avertir le *Cassandra* à un quart de mille de là. Peu après, le petit sloop sortait lui aussi toutes ses voiles.

— Hunter reprit sa longue-vue. Le navire à l'horizon n'avait pas grossi… mais il n'avait pas diminué non plus.

— Par le sang de Dieu, on passe d'un monstre à un autre ! s'exclama Enders. Comment avançons-nous ?

— On tient.

— Il va bientôt falloir changer de trajectoire.

Hunter hocha la tête. Le *Trinidad* filait, poussé par un vent arrière d'est, mais cela l'entraînait trop à l'ouest, en direction d'un archipel sur leur droite. Bientôt il n'aurait plus assez de fond et ils devraient modifier leur cap, ce qui, sur n'importe quel bateau, signifiait une substantielle perte de vitesse, fût-elle temporaire. Surtout qu'avec si peu de marins, la manœuvre risquait d'être particulièrement ralentie.

— Pouvons-nous virer lof pour lof ?

Enders secoua la tête.

— Je ne préfère pas, capitaine. Nous ne sommes pas assez nombreux.

— Mais quel est le problème ? demanda Lady Sarah.

— Je vous en prie, regagnez votre cabine, répondit Hunter.

— J'exige de…

— Regagnez votre cabine ! hurla-t-il.

Elle recula de quelques pas mais resta sur le pont. Elle remarqua alors que le marin Lazue descendait des cordages avec une grâce féline et des mouvements quasi féminins et, quand le vent plaqua sa chemise sur sa poitrine, Lady Sarah distingua nettement ses seins. Ce jeune homme était donc une femme ! Mais elle n'eut pas le temps de méditer la question que déjà Lazue, Enders et Hunter se lançaient dans une conversation précipitée, tandis que Hunter montrait à grands gestes leur poursuivant, la chaîne de petites îles, le ciel sans nuages et le soleil qui commençait à baisser sur l'horizon.

— Vers quelle île voulez-vous aller ? demanda alors Lazue, les sourcils froncés.

— L'île au Chat, répondit Enders en montrant une grande terre au bout de l'archipel.

— L'anse des Singes ? s'enquit-elle.

— Exactement.

— Tu la connais ? demanda Hunter.

— Oui, mais ça fait des années que je n'y suis pas retournée et c'est un mouillage au vent. Où en est la lune ?

— À son troisième quartier.

— Et il n'y a pas le moindre nuage, soupira Lazue. Quelle guigne !

Ils hochèrent tous les trois la tête d'un air accablé.

— Es-tu joueur ? reprit Lazue.

— Quelle question ! ricana Hunter.

— Alors changeons de cap et voyons si on peut distancer l'autre navire. Si c'est le cas, on est sauvés, sinon, il sera toujours temps d'aviser.

— Je compte sur ton regard d'aigle.

— Tu peux, répliqua Lazue avant d'escalader les haubans pour regagner son poste d'observation.

Lady Sarah n'avait rien compris à cet échange, mais elle avait perçu leur inquiétude et leur tension.

Elle resta près du bastingage, les yeux rivés sur l'horizon où les voiles de leur poursuivant se distinguaient désormais nettement à l'œil nu.

Hunter s'approcha d'elle. À présent que sa décision était prise, il semblait plus détendu.

— Pouvez-vous m'expliquer ce qui se passe ? demanda-t-elle.

— C'est pourtant simple. Vous voyez le navire qui nous suit ?

— Oui.

— Et vous voyez devant nous l'île au Chat ?

— Oui.

— Il s'y trouve un mouillage, l'anse des Singes. C'est le premier abri que nous visons.

Lady Sarah considéra la distance qui les en séparait.

— Mais ce n'est pas loin, nous devrions y parvenir sans problème !

— Vous voyez le soleil ?

— Oui...

— Il se couche à l'ouest. Dans une heure, il va se refléter sur l'eau et nous éblouir à nous brûler les yeux. Nous ne pourrons plus voir les fonds à l'entrée de la baie. Or, tout navire qui se rapproche de ces côtes au coucher du soleil court le risque d'éventrer sa coque sur les coraux.

— Lazue a déjà franchi ce passage.

— Oui, mais il se trouve au vent. De ce fait, il est exposé aux tempêtes et à de forts courants qui peuvent en modifier la configuration. Un banc de sable peut se déplacer en quelques semaines, voire quelques jours. Et l'anse des Singes n'est peut-être plus telle que Lazue l'a connue.

— Oh… alors pourquoi nous y arrêter ? Nous n'avons pas fait escale depuis trois jours. Autant continuer à naviguer et profiter de la nuit pour semer nos poursuivants, déclara-t-elle, très fière de sa suggestion.

— Vous oubliez la lune. Elle est dans son troisième quartier. Et même si elle ne se lève que vers minuit, cela ne nous laissera que quatre heures d'obscurité pour nous échapper, ce qui ne sera pas suffisant.

— Qu'allez-vous donc faire ?

Hunter souleva la longue-vue et scruta l'horizon. L'autre navire gagnait tranquillement du terrain.

— Je vais me rendre à l'anse des Singes. En dépit du soleil couchant.

— Paré à virer ! hurla Enders.

Avec une lenteur exaspérante, le galion remonta au vent et changea pesamment de cap. Il leur fallut plus d'un quart d'heure avant de fendre de nouveau les eaux et, dans cet intervalle, les voiles de leur poursuivant avaient considérablement grossi.

Alors que Hunter l'observait à la lunette, ce gréement lui parut tristement familier.

— Ce ne serait pas…

— Quoi, monsieur ?

— Lazue ! hurla-t-il avec de grands gestes vers l'horizon.

Du haut de la hune, Lazue braqua sa longue-vue sur le vaisseau.

— Tu le reconnais ?

— Oui, c'est notre vieil ami ! répondit-elle.

— Quoi ? grogna Enders. Le navire de Cazalla ? Le vaisseau noir ?

— Lui-même !

— Qui le commande ? s'étonna Enders.

— Bosquet, le Français, répondit Hunter, se remémorant l'homme sec et maigre qu'il avait aperçu à Matanceros.

— Je le connais de réputation, soupira Enders. Un marin fiable et compétent qui connaît bien son boulot. Dommage que ce ne soit pas un Espagnol, on joue vraiment de malchance !

Les Espagnols étaient universellement considérés comme de piètres navigateurs.

— Dans combien de temps toucherons-nous terre ?

— Une bonne heure, au moins. Si le passage est étroit, il nous faudra réduire la toile.

Cela les ralentirait encore, mais il le faudrait bien s'ils voulaient garder le contrôle du navire sur un plan d'eau aussi restreint.

Hunter remarqua alors que le vaisseau de combat changeait de cap, lui aussi. Ses voiles s'inclinèrent tandis qu'il virait sur bâbord. Il perdit du terrain un moment avant de reprendre rapidement de la vitesse.

— Ce sera juste ! murmura-t-il.

— Ouais, opina Enders.

Lazue tendit le bras gauche et Enders fit pivoter le galion jusqu'à ce qu'elle le baisse, puis il garda ce nouveau cap. Peu après, elle leva le bras droit, plié au coude ; Enders corrigea de nouveau légèrement sa route sur tribord.

QUATRIÈME PARTIE

L'ANSE DES SINGES

27

À bord du *Cassandra*, Sanson lâcha un juron en voyant le *Trinidad* se diriger vers l'anse des Singes.

— Par le sang de Louis, ils gagnent la côte ! Avec le soleil de face !

— C'est de la folie ! gémit l'homme de barre.

Sanson se retourna vers lui.

— Alors, écoute-moi bien : tu vas te mettre dans le sillage de cette truie espagnole et lui coller aux fesses. T'as compris, tu ne varies pas d'un pouce. Nos étraves doivent fendre la même eau ou c'est ta gorge que je fends !

— Comment vont-ils y arriver avec le soleil ? se lamenta le timonier.

— Ils ont les yeux de Lazue. Ça devrait leur suffire.

Lazue surveillait l'eau. Elle contrôlait également ses gestes, car le moindre de ses mouvements entraînait un changement de cap. À cet instant, elle regardait vers l'ouest, la main gauche à plat sous son nez, pour se protéger du soleil qui se reflétait sur l'eau, juste devant la proue. Elle observait la terre, la côte verdoyante de l'île au Chat, qui ne formait encore qu'une ligne plate à l'horizon.

Elle savait que, bientôt, quand ils approcheraient, les contours de l'île se préciseraient jusqu'au moment où elle distinguerait enfin l'entrée de l'anse des Singes. En attendant, tout son travail consistait à amener le galion le plus vite possible sur l'endroit où elle espérait trouver cette ouverture.

Sa position élevée l'aidait : de là, elle apercevait à des milles les différentes nuances de l'eau qui dessinaient une palette ondoyante de bleus et de verts d'intensité variable. Son esprit les traduisait en profondeurs : elle les lisait aussi clairement que la plus détaillée des cartes.

Cet exercice demandait de la virtuosité. Un marin ordinaire, habitué à la clarté des eaux antillaises, aurait supposé tout naturellement que le bleu foncé indiquait une bonne profondeur, et le vert foncé une hauteur d'eau encore supérieure. Heureusement, Lazue ne s'y laissait pas tromper. Elle savait que si le fond était sableux, l'eau pouvait être bleu clair avec plus de cinquante pieds, ou qu'une eau bien verte pouvait cacher un champ d'algues posé sur moins de dix pieds de fond. Et le soleil rasant vous jouait de méchants tours. Tôt le matin ou en fin d'après-midi, les couleurs semblaient plus riches, plus contrastées : il fallait les corriger.

Cependant, pour le moment, ce n'était pas la profondeur qui la préoccupait. Elle scrutait la côte, cherchant un indice qui lui indiquerait l'entrée de l'anse. Elle se souvenait que celle-ci se trouvait à l'embouchure d'une petite rivière comme dans la plupart des criques praticables. Pour qu'il y ait un passage dans la barrière, il fallait qu'un courant d'eau douce empêche le corail de se développer.

Lazue savait que cette faille n'était pas forcément près de la sortie de la rivière. Selon les courants qui entraînaient cette eau douce vers le large, la brèche pouvait se situer à un quart de mille au nord ou au sud. Heureusement, on la repérait souvent à la couleur glauque de l'eau et à son aspect différent en surface.

À force de scruter les vagues, Lazue localisa enfin la passe au sud de leur cap. Elle indiqua aussitôt les corrections nécessaires à Enders en songeant qu'il valait mieux lui taire les difficultés à venir : il s'évanouirait s'il savait combien la trouée dans la barrière était étroite. On voyait des deux côtés affleurer des têtes de corail qui ne laissaient guère qu'un passage d'une douzaine de brasses de large.

Satisfaite du nouveau cap, Lazue ferma les yeux pendant quelques minutes. Elle percevait le soleil derrière ses paupières, mais ignora volontairement le roulis du navire, le vent dans les voiles et les odeurs de l'océan. Elle se focalisait uniquement sur ses yeux tandis qu'elle les laissait se reposer. Eux seuls comptaient. Elle respirait profondément, lentement, afin de se préparer à la fatigue à venir, de rassembler son énergie, d'aiguiser sa concentration.

Elle savait ce qui l'attendait ; elle connaissait l'inéluctable progression : des débuts faciles, puis la première douleur dans les pupilles, la souffrance croissante, enfin les larmes piquantes, cuisantes. Au bout d'une heure, elle serait épuisée, le corps vidé. Elle tomberait de sommeil comme si elle n'avait pas dormi depuis une semaine et s'effondrerait sans doute à peine redescendue sur le pont.

Chez Enders, la concentration prenait une forme différente. Quoiqu'il ait les yeux ouverts, ce qu'il voyait ne l'intéressait pas. Il était focalisé sur la barre entre ses mains, la pression qu'elle exerçait sur ses paumes, l'inclinaison du pont sous ses pieds, le bouillonnement de l'eau le long de la coque, le vent sur son visage, les vibrations dans les cordages, bref l'ensemble complexe de forces et de tensions qui contribuait à l'équilibre du bâtiment. Ainsi Enders se fondait-il complètement au vaisseau, comme s'il en faisait physiquement partie ; il en devenait le cerveau et en connaissait l'état jusque dans le moindre détail.

Il estimait sa vitesse à une fraction de nœud près ; il sentait si une voile était mal bordée ou si une partie de la cargaison bougeait dans une soute, et à quel endroit exactement ; il devinait la hauteur de l'eau à fond de cale ; il savait quand le navire avançait aisément, quand il était sous sa meilleure allure, quand il l'avait dépassée, combien de temps il pourrait la tenir et les limites qu'il ne pouvait dépasser.

Tout cela, s'il aurait pu le dire les yeux fermés, il était bien incapable de l'expliquer. À présent, la seule chose qui le préoccupait, c'était de devoir coopérer avec Lazue et donc de s'en remettre à quelqu'un d'autre. Même s'il ne ressentait pas directement les signaux qu'elle lui faisait, il les suivait aveuglément, sachant qu'il devait lui faire confiance. Cela l'angoissait néanmoins : il transpirait sur la barre, le vent lui semblait plus fort sur son visage moite pendant qu'il effectuait les corrections que Lazue lui indiquait en tendant les bras à droite ou à gauche.

Elle menait le navire cap au sud. Elle avait dû repérer la passe dans la barrière de corail. Ils franchiraient bientôt cette brèche. Cette simple idée lui donna de nouvelles sueurs froides.

D'autres problèmes taraudaient Hunter tandis qu'il arpentait le pont sans se soucier de Lazue ni d'Enders. Le navire de ligne espagnol se rapprochait à chaque minute, le bord supérieur de sa grand-voile se détachait à présent nettement sur l'horizon. Il voguait encore avec toutes ses voiles alors que le *Trinidad*, arrivé à moins d'un mille de l'île, les avait presque toutes rangées.

Pendant ce temps, le *Cassandra*, qui s'était aligné derrière le galion, se portait sur bâbord pour lui laisser ouvrir la route. Cette manœuvre s'imposait, car les voiles du *Trinidad* le déventaient et il n'avançait plus. Il ne pourrait reprendre de la vitesse que s'il se mettait très en arrière du galion. Hélas, il deviendrait ainsi une proie facile pour le navire de guerre. Le problème se poserait au moment où ils entreraient dans la baie. Ils devraient franchir la passe l'un derrière l'autre. Si le *Trinidad* heurtait un obstacle, le *Cassandra* le percuterait. Et si la

243

collision se produisait au milieu du chenal, cela pourrait vite tourner au cauchemar : les deux navires couleraient sur les récifs. Hunter était sûr que Sanson avait pleinement conscience du danger, et sûr aussi qu'il le suivrait de son mieux.

La manœuvre promettait d'être périlleuse. Hunter courut à l'avant pour étudier, au-delà des eaux éblouissantes, l'anse des Singes. Il apercevait à présent la crête de rochers qui prolongeait l'île sur le côté et abritait la baie. L'ouverture dans le récif lui était encore invisible, cachée au milieu de cette étendue scintillante.

Il leva la tête vers la hune du grand mât où se tenait Lazue et la vit frapper de son poing le dessous de sa paume.

Enders hurla aussitôt de rentrer davantage de voile. Cela ne pouvait avoir qu'une signification : la passe se rapprochait. Mais Hunter eut beau plisser les yeux, il ne discernait toujours rien.

— Sondeurs ! À bâbord et à tribord ! aboya Enders et, peu après, deux hommes sur chaque bord commencèrent à annoncer alternativement la profondeur.

La première mesure fit sursauter Hunter :

— Cinq brasses !

Cinq brasses, à peine trente pieds, c'était peu ! Le *Trinidad* avec ses trois brasses de tirant d'eau n'avait déjà plus guère de marge. Sans compter les excroissances de corail qui remontaient facilement d'une douzaine de pieds par endroits et dont les pointes acérées découperaient le bois de la coque comme du papier.

— *Cinq et demie*[1] !

C'était mieux. Hunter attendit.

— Six et plus.

Il recommença à respirer. Ils avaient dû franchir la barrière de corail extérieure. La plupart des îles en possédaient deux : une interne, avec des fonds très hauts, et une externe, plus dense et plus basse. Ils traversaient donc une bande d'eau relativement sûre avant d'atteindre le dangereux récif intérieur.

— *Moins de six*[2] !

Le fond remontait déjà. Hunter leva de nouveau la tête vers Lazue. Penchée en avant, elle semblait détendue, presque indifférente, dans une posture tellement décontractée qu'elle paraissait sur le point de tomber de son perchoir, se tenant à peine au garde-corps, en équilibre au-dessus du vide, les épaules abaissées, les muscles relâchés.

Mais s'il avait pu voir son visage, il aurait été frappé par ses traits tendus et crispés, sa bouche grimaçante et ses dents serrées tandis qu'elle scrutait l'eau aveuglante. Elle plissait les yeux depuis si longtemps que ses paupières en palpitaient. Cela aurait pu la distraire, mais elle n'en était pas même consciente, car elle avait sombré depuis longtemps dans un état second.

Son monde se réduisait à deux masses sombres – l'île devant elle et la proue du navire juste en dessous – séparées par une étendue d'eau éblouissante

1. En français dans le texte. (*N.d.T.*)
2. En français dans le texte. (*N.d.T.*)

245

dont les remous l'hypnotisaient. Elle ne distinguait pratiquement rien sur ce miroir, à part quelques affleurements révélés par de fugitives taches noires. Ou, parfois, une brève chute de vent laissait entrevoir des tourbillons ou des courants qui agitaient la surface étincelante.

Sinon, l'eau restait d'une brillance argentée et opaque. Lazue guidait le navire entièrement de mémoire, revoyant les positions des hauts-fonds, des têtes de corail et des bancs de sable qu'elle avait enregistrées alors que le navire se trouvait encore loin de la passe et que l'eau était encore transparente. Elle en avait dressé une carte mentale, appuyée par des repères pris sur terre et sur mer. Scrutant l'eau claire dans l'ombre de la coque à la recherche des écueils qu'elle avait mémorisés, elle repositionnait constamment le navire. Elle vit passer à bâbord une tête de corail qui ressemblait à un gargantuesque chou-fleur. Il fallait donc virer légèrement au nord. Elle tendit le bras droit et regarda pivoter la silhouette noire de la proue jusqu'à ce qu'elle arrive dans l'alignement d'un palmier mort sur la côte. Elle baissa aussitôt la main et Enders continua sur ce nouveau cap.

Les yeux plissés, elle distingua l'affleurement marquant les bords du chenal. Ils se dirigeaient droit sur la passe. Mais elle se souvenait que, juste avant de l'atteindre, ils devaient virer légèrement sur tribord afin d'éviter une autre protubérance. Elle tendit la main droite. Enders corrigea.

Elle vit la tête de corail passer dangereusement près de la coque : le navire frémit mais ne fit que l'effleurer.

Elle tendit le bras gauche : Enders modifia encore sa trajectoire. Puis elle reprit son alignement sur le palmier et attendit.

Enders, électrisé par le frottement sur le bois, s'était brusquement crispé sur la barre. Sentant la vibration parcourir toute la longueur du navire, il poussa un profond soupir, comprenant qu'ils caressaient seulement l'obstacle. Au dernier moment, il relâcha la barre, sachant que si le gouvernail, la partie immergée la plus vulnérable du navire, était trop tendu, cette corne de corail, tout juste bonne à débarrasser la coque de ses coquillages, pouvait le rompre. Dès que le danger fut dépassé, Enders reprit les commandes sans cesser de suivre les instructions de Lazue.

— Elle finirait par briser le dos à un serpent avec ses tortillements, marmonna-t-il pendant que le *Trinidad* continuait sa course sinueuse vers l'anse des Singes.

— Moins de quatre ! hurla un sondeur.

Hunter, debout à la proue entre les deux hommes qui jetaient leur plomb de sonde, ne quittait pas l'eau des yeux. Il ne voyait rien devant lui mais, sur le côté, il distinguait des formations de corail dangereusement proches que le Trinidad évitait avec dextérité.

— *Trois et demie*[1] !

1. En français dans le texte. (*N.d.T.*)

Il grinça des dents. Vingt pieds à peine. Ils ne pourraient pas aller beaucoup plus loin. Alors qu'il ruminait cette pensée, le navire toucha une autre tête de corail : il perçut un claquement sec puis plus rien. Cette fois, la coque avait brisé l'obstacle sans dévier de sa route.

— Trois un.

Ils avaient encore perdu un pied et le navire progressait toujours sur la mer chatoyante.

— Merde ! hurla le deuxième sondeur en se mettant à courir vers l'arrière.

Hunter comprit aussitôt : il avait coincé son fil dans un corail et tentait de le dégager.

— Trois !

Hunter fronça les sourcils. Ils auraient dû s'échouer à présent, s'il fallait croire les indications données par les prisonniers espagnols. Ils avaient juré que le *Trinidad* calait trois brasses. De toute évidence, ils s'étaient trompés. Le navire continuait d'avancer tranquillement vers l'île. Il maudit silencieusement les marins espagnols sans se faire néanmoins beaucoup d'illusions : un navire de cette taille avait forcément un tirant d'eau élevé.

— Trois !

Et soudain, il vit entre deux murs de corail une passe désespérément étroite qui se rapprochait à une vitesse effarante. Le *Trinidad* se trouvait au centre de cette faille et c'était une sacrée chance, car il restait moins de trois brasses de chaque côté quand ils la franchirent.

Il se retourna vers Enders qui se signa en voyant le navire passer si près des récifs.

— Cinq ! annonça le sondeur d'une voix rauque quelques secondes plus tard et l'équipage poussa des cris de joie.

Ils avaient enfin atteint les eaux plus profondes de l'intérieur de la barrière et se dirigeaient à présent vers le nord de l'anse, bien protégé, entre l'île et la crête rocheuse qui gardait la baie.

Dès qu'il découvrit la crique dans son ensemble, Hunter s'aperçut qu'elle n'offrait pas un havre idéal, loin de là ! Les endroits les plus abrités manquaient de profondeur. Il lui faudrait ancrer le galion dans un endroit exposé à l'océan, une perspective qui ne laissait de lui déplaire.

Il pivota et vit le *Cassandra* franchir la passe sans difficulté. Il suivait le galion de si près que Hunter pouvait lire l'angoisse sur le visage du sondeur à l'avant du sloop. Et derrière le *Cassandra*, à moins de deux milles de distance, venait le vaisseau de guerre ennemi.

Heureusement, le soleil baissait. Les Espagnols ne pourraient jamais entrer dans la baie avant la tombée de la nuit. Et si Bosquet décidait de s'y introduire à l'aube, Hunter serait alors prêt à l'accueillir.

— Jetez l'ancre, hurla Enders. Dépêchez-vous !

Le *Trinidad* s'immobilisa en tressaillant dans le soleil couchant. Le *Cassandra* le dépassa pour aller mouiller plus loin dans la crique ; son faible tirant d'eau le permettait. Quelques secondes plus tard, Sanson jeta l'ancre à son tour.

Les deux navires se trouvaient en sécurité, du moins pour l'instant.

28

Les deux équipages fêtèrent ce succès par des acclamations et des hurlements de joie puis échangèrent des félicitations et des insultes moqueuses dans le crépuscule. Hunter ne se joignit pas à la liesse générale. Debout sur le château arrière, il regardait le bâtiment espagnol continuer son approche malgré l'obscurité grandissante.

Il ne se trouvait plus qu'à un demi-mille de la baie, de l'autre côté de la barrière de corail. Bosquet avait un sacré culot de s'approcher autant à la tombée du jour. Il prenait des risques inconsidérés.

Ce fut Enders qui formula à voix haute la question qu'ils se posaient tous les deux.

— Pourquoi ?

Hunter secoua la tête en voyant le vaisseau jeter l'ancre si près que la brise lui apportait les ordres lancés en espagnol. Il régnait à présent une intense activité à l'arrière ; une seconde ancre fut mise à l'eau.

— Ça ne rime à rien ! grommela Enders. Il a toute la place qu'il veut pour passer la nuit et il préfère mouiller dans à peine quatre brasses de profondeur !

Hunter continua à l'observer. Un troisième grappin fut lancé sur le côté depuis l'arrière et de nombreuses mains halèrent la corde. La poupe pivota vers la rive.

— Que je sois damné ! murmura Enders. Vous ne pensez pas…

— Si. Il se prépare à nous tirer dessus ! Levez l'ancre !

— Hissez l'ancre ! hurla Enders à son équipage sidéré. Prêts sur le gaillard d'avant ! Halez sur le câble à plein ! On va s'échouer, pour sûr, ajouta-t-il en se tournant vers Hunter.

— Nous n'avons pas le choix.

Les intentions de Bosquet sautaient aux yeux. Il s'était ancré devant la passe, juste de l'autre côté de la barrière, uniquement pour avoir le galion à portée de ses canons. Il pourrait ainsi le bombarder toute la nuit. Et si Hunter ne mettait pas ses navires hors d'atteinte, en eaux peu profondes, quitte à risquer l'échouement, ils sombreraient bien avant le lever du soleil.

En effet, déjà les sabords se soulevaient, les bouches des canons apparaissaient et une première salve fut tirée dans la foulée. Les boulets traversèrent le gréement du *Trinidad* et tombèrent à la mer dans de grandes gerbes d'eau.

— Bougez-nous de là, monsieur Enders ! aboya Hunter.

Comme pour lui répondre, une seconde bordée partit du vaisseau ennemi. Le tir avait été ajusté. Plusieurs boulets frappèrent le *Trinidad*, fracassant du bois, sciant des cordages.

— Que je sois damné ! gémit Enders, comme s'il était lui-même touché.

Heureusement le galion s'ébranlait enfin et la volée suivante tomba à l'eau sans l'atteindre, soulevant néanmoins une ligne de gerbes d'écume d'une impressionnante rectitude.

— Il est bien commandé ! lâcha Enders.

— Vous croyez que c'est le moment de vous extasier sur leur virtuosité ? cracha Hunter.

Il faisait presque nuit. La quatrième salve se limita à un trait de flammes rouges le long de la coque sombre. Ils entendirent les boulets tomber à l'eau sans en distinguer l'impact.

Enfin la crête rocheuse qui fermait la baie leur cacha la vue du vaisseau ennemi.

— Jetez l'ancre ! hurla Enders.

C'était, hélas, trop tard ! Dans un doux crissement, le *Trinidad* s'échoua sur le fond sablonneux de l'anse des Singes.

Assis dans sa cabine, Hunter considérait la situation. Le fait qu'il soit échoué ne l'ennuyait pas le moins du monde. Le navire avait touché à marée basse et il pourrait facilement le remettre à flot dans quelques heures. Pour l'instant, ses deux bâtiments se trouvaient en sécurité. Si leur abri n'était pas idéal, il était néanmoins confortable. Hunter avait en eau et en vivres de quoi tenir quinze jours sans rationner son équipage. Et s'ils trouvaient de quoi compléter leur ordinaire à terre, ils pourraient rester dans l'anse des Singes pendant des mois.

Du moins tant qu'il n'y aurait pas de tempête, sinon ce serait un désastre. Non seulement la crique manquait de profondeur, mais elle se situait sur la côte au vent. Si la mer se levait, ses navires seraient réduits en miettes en quelques heures. C'était la saison des ouragans et ils ne pouvaient espérer y échapper très longtemps, ni envisager de rester dans cette anse si l'un d'eux frappait.

Bosquet devait le savoir. S'il avait été patient, il aurait bloqué la passe et attendu que les intempéries forcent le galion à quitter son abri et à l'affronter. Cependant, tout dans son comportement indiquait sa hâte d'en finir. Brillant par son audace et sa témérité, il était de ceux qui préfèrent passer à l'offensive dès que possible. D'autant qu'il n'avait aucun intérêt à attendre l'arrivée d'un ouragan. En effet, dans tout affrontement naval, le mauvais temps, souhaité par les plus faibles, redouté par les plus puissants, mettait les forces en présence à égalité : s'il frappait les deux navires, il réduisait surtout l'efficacité du meilleur des deux. Bosquet devait aussi savoir que Hunter manquait d'hommes et de munitions.

Hunter essaya de se mettre dans la peau de cet inconnu afin de deviner ses pensées. Après mûre réflexion, il en conclut que Bosquet attaquerait au matin.

L'assaut pourrait venir de la terre, de la mer, ou des deux. Tout dépendait du nombre de soldats dont disposait Bosquet et de leur fiabilité. Hunter se souvenait des hommes qui l'avaient gardé dans la cale du navire de guerre ; ils étaient jeunes, inexpérimentés, indisciplinés.

On ne pouvait pas compter sur eux.

Non, décida-t-il, Bosquet lancerait l'attaque depuis son vaisseau. Il s'avancerait dans la baie jusqu'à arriver en vue du galion, tablant sans doute sur le fait que le faible tirant d'eau empêcherait les corsaires de manœuvrer. D'ailleurs, en·cet instant précis, ils montraient leur poupe à l'ennemi, c'est-à-dire leur partie la plus vulnérable. Il suffisait à Bosquet de franchir l'entrée de la crique et de tirer des bordées jusqu'à ce qu'ils coulent. Et cela sans crainte des conséquences, puisque la nao sombrerait dans si peu d'eau que l'on pourrait sans peine faire plonger des indigènes pour récupérer le trésor.

Hunter appela Enders et commanda qu'on enferme les prisonniers à double tour. Puis il ordonna à tous les corsaires en état de se battre de prendre un mousquet et de gagner la terre sans délai.

L'aube se leva doucement sur l'anse des Singes. Poussés par une légère brise, des nuages évanescents s'étiraient dans le ciel, rosis par les premières lueurs de l'aube. À bord du navire ennemi, les équipages commençaient nonchalamment leurs corvées matinales.

Le soleil s'élevait déjà bien au-dessus de l'horizon lorsque l'ordre leur fut donné de déferler les voiles et de lever l'ancre.

C'était le moment qu'attendaient les corsaires. Positionnés sur la côte, de part et d'autre de l'entrée de la baie, ils ouvrirent un feu meurtrier. Les Espagnols ne s'y attendaient pas. En quelques secondes, les hommes qui remontaient l'ancre principale au cabestan furent éliminés, puis ce fut le tour de ceux qui halaient l'ancre à l'arrière et des officiers visibles sur le pont. Ensuite, avec une précision stupéfiante, les gabiers furent abattus les uns après les autres et tombèrent en hurlant sur le pont.

Et, tout aussi soudainement, le feu cessa. À part la fumée âcre et grise qui flottait dans l'air au-dessus du rivage, on ne percevait plus aucun signe de mouvement, ni le moindre bruissement de feuillage, rien.

Satisfait, Hunter, debout à la pointe de la crête rocheuse, contempla à la longue-vue le vaisseau noir d'où montaient les cris des blessés et le claquement des voiles à moitié déroulées qui battaient dans la brise. Plusieurs minutes s'écoulèrent avant que de nouveaux marins ne reviennent escalader les haubans et reprendre les manœuvres sur le pont. D'abord sur leurs gardes, ils s'enhardirent peu à peu en voyant le calme se prolonger.

Hunter attendit encore.

Il avait un avantage certain, il en était conscient. À une époque où les mousquets, à l'instar de leurs utilisateurs, manquaient totalement de justesse, les corsaires faisaient figure de véritables tireurs d'élite. Ses hommes pouvaient atteindre un marin sur le pont d'un navire depuis leur sloop ballotté par les vagues ; décimer l'ennemi depuis la terre ferme représentait pour eux un jeu d'enfant.

Cela ne les amusait même pas.

Dès qu'il vit la corde de l'ancre commencer à remonter, Hunter fit signe à ses troupes de tirer. Une nouvelle salve balaya le vaisseau de guerre avec un effet aussi dévastateur que la première. Le silence retomba.

Bosquet devait avoir compris que cela lui coûterait très cher de s'entêter à vouloir approcher la côte. Certes il pourrait y parvenir, mais en sacrifiant des douzaines, voire des centaines de soldats. Sans compter qu'il courait le risque de se retrouver privé d'hommes clés de son équipage, comme le timonier, ce qui laisserait son bâtiment sans barreur en eaux dangereuses.

Hunter entendit hurler des ordres puis ce fut de nouveau le silence. Tout à coup, il vit le câble de l'ancre principale tomber dans une grande gerbe d'eau. Ils l'avaient coupé. Quelques minutes plus tard, les cordes de poupe furent sectionnées à leur tour et le navire s'éloigna lentement de la barrière de corail.

Ce ne fut qu'une fois hors de portée des mousquets que les marins remontèrent sur le pont et grimpèrent dans les haubans. La toile fut envoyée. Hunter craignait que l'ennemi ne vire pour revenir vers le rivage. Mais il s'écarta juste d'une centaine de mètres plus au nord et jeta de nouveau l'ancre. Les voiles furent ferlées et le navire se balança doucement sur son mouillage, juste devant la crête qui protégeait la baie.

— Nous voilà bien avancés ! fulmina Enders. Les papistes ne peuvent pas entrer et nous ne pouvons pas sortir.

À midi, un soleil brûlant accablait l'anse des Singes. Sur le pont surchauffé du galion toujours échoué sur le sable, Hunter faisait nerveusement les cent pas, ulcéré par l'ironie de sa situation. Il n'avait pas réussi la plus audacieuse des attaques pirates depuis un siècle pour finir coincé par un unique vaisseau espagnol, au fond d'une misérable crique !

Mais si ce sort le révoltait, il s'avérait encore plus pénible pour son équipage. Les corsaires attendaient de leur capitaine qu'il les guide et dresse de nouveaux plans et ils voyaient bien qu'il était à court d'imagination. L'un d'eux ouvrit un tonnelet de rhum et le ton monta vite entre les marins excédés ; une dispute dégénéra en duel. Enders l'arrêta *in extremis*. Hunter fit savoir qu'il exécuterait personnellement tout homme qui en tuerait un autre. Il tenait à garder son équipage intact et leur ordonna d'attendre Port Royal pour régler leurs désaccords personnels.

— Je ne sais pas s'ils tiendront jusque-là, marmonna Enders, toujours aussi optimiste.

— Il le faudra bien.

Hunter se tenait debout dans l'ombre du grand mât avec Lady Sarah lorsqu'un coup de feu retentit dans les entrailles du navire.

— Qu'est-ce que c'était ? s'inquiéta-t-elle.

Quelques minutes plus tard, Bassa remontait un homme qui se débattait, suivi par Enders, hors de lui.

Hunter reconnut Lockwood, une forte tête de vingt-cinq ans qu'il avait déjà repérée.

— Il a transpercé l'oreille de Perkins avec ça, grommela Enders en lui tendant un pistolet.

L'équipage remontait lentement sur le pont en traînant les pieds. Hunter sortit sa propre arme de sa ceinture et vérifia l'amorce.

— Qu'allez-vous faire ? s'affola Lady Sarah, les yeux écarquillés.

— Ne vous mêlez pas de ça.

— Mais…

— Ne regardez pas.

Hunter leva son pistolet. Bassa lâcha le marin.

— C'est… c'est l'autre qui m'a attaqué, bredouilla l'homme à moitié abruti par l'alcool.

Hunter lui logea une balle dans la tête. Sa cervelle éclaboussa le plat-bord.

— Oh, mon Dieu ! gémit lady Sarah.

— Jetez-le par-dessus bord ! ordonna Hunter.

Bassa traîna le matelot dont les pieds raclèrent bruyamment le pont. Quelques secondes plus tard, on entendit son corps tomber à l'eau.

Hunter considéra son équipage.

— Voulez-vous élire un nouveau capitaine ? demanda-t-il d'une voix forte.

Les hommes marmonnèrent et se détournèrent. Personne ne répondit.

Quelques secondes plus tard, le pont était de nouveau désert. Les marins avaient regagné les niveaux inférieurs, fuyant l'ardeur du soleil.

Hunter regarda vers Lady Sarah.

Elle resta muette mais son expression en disait long.

— Ce sont des hommes rudes et qui vivent selon des règles que nous avons tous acceptées, murmura-t-il.

Elle s'éloigna sans un mot.

Hunter regarda Enders. Celui-ci haussa les épaules.

Plus tard dans l'après-midi, les sentinelles informèrent Hunter qu'il régnait une soudaine agitation sur le navire espagnol. Toutes les chaloupes avaient été mises à la mer, hors de leur vue du côté du large, où elles durent rester amarrées au navire car aucune ne réapparut. Par ailleurs, une fumée considérable montait du pont, à la grande perplexité des corsaires qui ne purent y trouver d'explication. Et cette animation dura jusqu'au coucher du soleil.

La tombée du jour leur parut une bénédiction. Dans l'air frais de la nuit, Hunter arpentait le pont d'artillerie du *Trinidad* en contemplant ses longues rangées de canons. Il passait de l'un à l'autre, laissant ses doigts traîner sur le bronze qui gardait encore la chaleur du soleil. Il examina rêveusement l'armement soigneusement rangé à côté : le refouloir, les gargousses, les grappes de raisin et autre mitraille, les boulets, les épinglettes et les boutefeux dans un seau à incendie.

Tout était prêt à servir : cette puissance de tir, ces munitions… Il disposait de tout un arsenal mais pas des hommes nécessaires pour le mettre en œuvre ! Sans artilleurs, ces canons ne lui servaient à rien.

— Vous voilà bien songeur !

Il se retourna d'un bond. Lady Sarah se tenait derrière lui, simplement vêtue d'une chemise de nuit blanche.

— Vous ne devriez pas sortir dans cette tenue avec tous ces hommes autour de vous.

— Il fait trop chaud pour dormir. Et je n'arrive pas à trouver le sommeil après le drame d'aujourd'hui…, continua-t-elle d'une voix hésitante.

— Vous semblez bouleversée.

— Je n'avais jamais vu une telle sauvagerie, même chez un monarque. Charles lui-même ne s'est jamais montré aussi impitoyable, aussi arbitraire.

— Charles ne songe qu'à son bon plaisir.

— Vous faites exprès de ne pas me comprendre, grommela-t-elle et, malgré l'obscurité, il remarqua que ses yeux brillaient de colère.

— Madame, dans cette société…

— Quoi ? Vous appelez cela une société ? s'écria-t-elle en embrassant d'un large geste le navire et les marins assoupis sur le pont.

— Bien sûr. Chaque fois que des êtres humains se rassemblent, des règles de conduite s'établissent. Ces hommes suivent des lois différentes de celles de la cour du roi Charles, ou du roi Louis, ou même de la colonie du Massachusetts où je suis né. Mais partout, il y a des règles à respecter et des châtiments infligés à ceux qui les enfreignent.

— Vous voilà bien philosophe ! lâcha-t-elle d'un ton sarcastique.

— Je ne fais que décrire la réalité. À la cour d'Angleterre, que vous arriverait-il si vous négligiez de vous prosterner devant Charles ?

Elle répondit par un grognement, voyant dans quelle direction il l'entraînait.

— C'est pareil ici. Ces hommes sont féroces et violents. Si je veux les mener, il faut qu'ils m'obéissent. Pour m'obéir, ils doivent me respecter. Pour me respecter, ils doivent reconnaître mon autorité absolue.

— Vous parlez comme un roi.

— Un capitaine est un roi pour son équipage.

Elle se rapprocha de lui.

— Et prenez-vous aussi votre plaisir comme un roi ?

Il eut à peine le temps d'y réfléchir qu'elle lui jetait les bras autour du cou et l'embrassait passionnément sur la bouche. Il lui rendit son baiser.

— J'ai tellement peur, murmura-t-elle quand ils s'écartèrent. Tout me semble si étrange ici.

— Madame, il est de mon devoir de veiller sur vous, en tout bien tout honneur, jusqu'à ce que je vous remette au gouverneur Sir James Almont, votre oncle et mon ami.

— Vous n'êtes pas forcé de prendre ce ton pompeux ! Seriez-vous puritain ?

— Uniquement par ma naissance, répondit-il avant de l'embrasser de nouveau.

— Dans ce cas, peut-être viendrez-vous me voir plus tard…

— Peut-être.

Elle descendit, non sans lui avoir jeté un dernier regard dans la pénombre. Hunter s'appuya à un canon sans la quitter des yeux.

— Plutôt aguichante, la donzelle, non ? lança une voix derrière lui.

Il se retourna : Enders souriait.

— Décidément, dès qu'une fille bien née a sauté le pas, plus rien ne l'arrête.

— C'est à croire, murmura Hunter.

Enders considéra la rangée de canons et frappa de la main celui qui se trouvait devant lui. Il résonna bizarrement.

— Quelle honte, tous ces canons dont on ne peut pas se servir !

— Vous feriez mieux d'aller dormir, rétorqua Hunter d'un ton sec.

Mais Enders avait raison. Tandis que Hunter continuait à arpenter le pont, oubliant complètement la jeune femme, ses pensées ne cessaient de le ramener à ces maudits canons. Il avait la conviction qu'il existait un moyen de s'en servir. Un moyen dont il avait entendu parler, autrefois, et qu'il avait oublié.

Cette jeune femme le prenait apparemment pour un barbare ou, pis encore, pour un prude. Il sourit à cette pensée. En fait, il avait reçu une excellente éducation. On lui avait enseigné les disciplines jugées indispensables depuis le Moyen Âge : l'histoire, le latin et le grec, la philosophie, la religion et la musique. Mais aucune de ces matières ne l'avait passionné. Dès son plus jeune âge, il s'était davantage intéressé aux connaissances pratiques et empiriques qu'aux réflexions de penseurs morts depuis longtemps. N'importe quel écolier savait désormais que le monde était bien plus vaste que ne le croyait Aristote. Lui-même n'était-il pas né sur un continent dont les Grecs ignoraient totalement l'existence ?

Mais pourquoi son esprit le ramenait-il donc constamment à la Grèce et aux Grecs ?

Il se mit à songer à la peinture accrochée dans la cabine de Cazalla, à bord du vaisseau espagnol. Il l'avait pourtant à peine remarquée sur le moment. Il ne s'en souvenait d'ailleurs pas précisément. Mais la présence de ce tableau sur un navire de guerre était suffisamment surprenante pour l'avoir intrigué.

Qu'importe, il ne connaissait rien à la peinture. Il la considérait même comme un art mineur, juste bon à la décoration, n'intéressant que les nobles assez vains et fortunés pour s'offrir un portrait flatteur de leur personne. Les peintres eux-mêmes n'étaient que des cabotins qui vagabondaient d'un pays à l'autre, tels des bohémiens, à la recherche d'un mécène. Des êtres superficiels, sans foyer ni racines, auxquels manquait le solide attachement à la nation qui les avait vus naître. Hunter, même si ses parents avaient fui l'Angleterre pour s'installer dans le Massachusetts, se considérait comme anglais à part entière et fervent protestant, ennemi inconditionnel des Espagnols et des catholiques, et il ne comprenait pas ceux qui n'éprouvaient pas le même patriotisme. Il fallait manquer singulièrement de tripes pour vouer son existence à la peinture !

Et pourtant les peintres couraient les routes. Il y avait des Français à Londres, des Grecs en Espagne, et des Italiens partout. Même en temps de guerre, les peintres allaient et venaient librement, surtout les Italiens. Il y en avait tellement.

Mais quelle importance ?

Il continua d'avancer le long des canons. Il en caressa un. Une devise était gravée sur l'arrière.

SEMPER VINCIT

Les mots le narguaient. Non, pas toujours vainqueur, songea-t-il. Pas quand on manquait d'hommes pour charger, viser et tirer. Il caressa les lettres, passa ses doigts sur les boucles, sentit la courbe fine du S, les lignes nettes du E.

SEMPER VINCIT

Il y avait de la force dans cette formule latine, dans ces deux mots d'une rude concision toute militaire. Deux qualités que les Italiens avaient perdues. Ils s'étaient transformés en des êtres faibles et maniérés et leur langue s'était affaiblie pour refléter cet amollissement. Il y avait bien longtemps que César avait déclaré sans ambages : *Veni, vidi, vici.*

VINCIT

Ce seul mot semblait vouloir suggérer quelque chose. Hunter regarda l'alignement de lettres bien régulier et, dans son esprit, vit apparaître d'autres droites, puis des angles et se trouva ramené aux Grecs et à la géométrie euclidienne qui l'avait tant ennuyé dans sa jeunesse. Il n'avait jamais pu comprendre pourquoi deux angles égaux à un troisième étaient remarquables, ni quel était l'intérêt de connaître le point d'intersection de deux droites. Quelle différence cela pouvait-il faire ?

VINCIT

Il revit la peinture sur le navire de Cazalla, une œuvre d'art déplacée sur un vaisseau de guerre, vaine. C'était bien là l'inconvénient de l'art : il n'avait rien de pratique. Il n'avait jamais permis de vaincre quoi que ce soit.

VINCIT

Vainqueur. Hunter sourit devant l'ironie de cette devise gravée sur un canon qui ne vaincrait rien. Un canon qui s'avérait aussi inutile que le tableau l'avait été pour Cazalla. Aussi vain que les postulats d'Euclide. Il frotta ses yeux fatigués.

Toutes ces pensées ne menaient à rien. Il tournait en rond, sans but ni méthode, aiguillonné seulement par la frustration d'un prisonnier cherchant vainement une issue.

C'est alors qu'il entendit le cri le plus redouté des marins :

— Au feu !

29

Il se rua sur le pont : six brûlots se dirigeaient droit sur le galion. Il reconnut aussitôt les chaloupes du vaisseau de guerre, qui avaient été enduites d'une épaisse couche de goudron. Elles illuminaient l'eau de leurs flammes ardentes en s'avançant lentement vers eux.

Il se maudit de ne pas avoir anticipé cette ruse ; les fumées qu'il avait vues au-dessus du navire ennemi étaient pourtant révélatrices. Mais il ne perdit pas une seconde en vains regrets. Ses marins s'étaient déjà précipités dans les chaloupes amarrées contre le flanc du galion et ramaient furieusement à la rencontre des barques incendiaires.

Hunter pivota vers Enders.

— Où sont nos vigies ? Comment cela a-t-il pu arriver ?

Enders secoua la tête.

— Je ne sais pas, les sentinelles étaient postées sur la plage et sur la pointe.

— Morbleu !

Ou bien les guetteurs s'étaient endormis à leur poste, ou les Espagnols avaient profité de l'obscurité pour nager jusqu'à eux, les surprendre et les tuer. Il regarda ses hommes dans la première embarcation essayer de retourner une chaloupe en flammes avec leurs rames. L'un d'eux s'embrasa et sauta à la mer en hurlant.

Hunter bondit dans un canot qui s'écartait du galion. Tout en manœuvrant, ses occupants s'inondaient d'eau. Plus loin, Sanson, à l'avant d'une barque du *Cassandra*, se joignait à la lutte contre le feu.

— Courbez-vous ! cria Hunter tandis que la chaloupe s'approchait de la fournaise.

Même à vingt-cinq toises de distance, les brûlots dégageaient une chaleur intense : les flammes montaient haut dans la nuit ; des projections de goudron crachaient et fusaient de toutes parts avant de retomber dans l'eau en grésillant.

L'heure qui suivit fut un véritable cauchemar. L'une après l'autre, les chaloupes enflammées furent remontées sur la rive ou maintenues à l'écart jusqu'à ce que leurs coques se consument et finissent par couler.

Quand Hunter, en loques et couvert de suie, regagna enfin son bord, il sombra aussitôt dans un sommeil profond.

Enders le réveilla le lendemain matin pour lui dire que Sanson souhaitait qu'il le rejoigne dans la cale.

— Il paraît qu'il a trouvé quelque chose d'intéressant, annonça-t-il d'un ton sceptique.

Hunter s'habilla en vitesse et descendit dans les tréfonds du galion. Sanson l'attendait avec un grand sourire malgré la puanteur dégagée par le fumier du bétail parqué juste au-dessus.

— Je suis tombé dessus par hasard. Je n'ai aucun mérite, venez voir.

Sanson le conduisit au compartiment du lest. Dans ce passage étroit, bas et étouffant, régnait une odeur infecte due aux eaux viciées qui clapotaient doucement au gré du balancement du navire. Hunter contempla le ballast et fronça les yeux en voyant que les pierres avaient toutes la même taille. Il comprit alors qu'il s'agissait de boulets de canon.

Il en ramassa un et le soupesa. Il était en fer, tout gluant d'eau croupie.

— Il doit peser dans les cinq livres, remarqua Sanson. Et nous n'avons rien à bord qui tire ce calibre.

Toujours souriant, il conduisit Hunter vers l'arrière. À la lueur tremblotante de la lanterne, Hunter distingua une forme à moitié immergée. Il reconnut immédiatement un sacre, un de ces pierriers qui servaient jadis sur les navires, passés de mode depuis plus de trente ans et remplacés par des petits canons pivotants ou, au contraire, par de la grosse artillerie.

Il se pencha sur le sacre et le tâta sous l'eau.

— Il peut encore tirer ?

— C'est du bronze. Le Juif dit qu'il fonctionne encore.

Hunter passa la main sur le métal. En effet, il n'avait pas l'air très abîmé.

— Alors nous allons pouvoir rendre aux papistes la monnaie de leur pièce !

Le pierrier, quoique d'une taille réduite avec son tube de sept pieds seulement, pesait mille six cents livres. Il leur fallut une bonne partie de la matinée pour le monter sur le pont du *Trinidad*. Et ce ne fut pas non plus chose aisée, sous le soleil impitoyable, de le descendre avec des cordes à bord d'une chaloupe. La tâche s'avéra aussi éreintante que délicate. Hurlant des ordres et des injures à s'en briser la voix, Enders fit déposer le canon en douceur au fond de l'embarcation, qui s'enfonça de plusieurs pieds sous son poids.

Hunter voulait installer le sacre en haut de la crête rocheuse qui fermait la baie. Il pourrait ainsi tirer sur le navire de guerre ennemi sans craindre de riposte, les canons espagnols se trouvant trop bas pour atteindre sa position. Ses hommes pourraient bombarder le vaisseau tant qu'ils auraient des munitions. Restait à savoir à quel instant précis ils devraient ouvrir le feu. Hunter ne se faisait aucune illusion quant à la force de frappe du pierrier : un boulet de cinq livres n'avait guère de puissance et il en faudrait beaucoup pour causer de réels dommages. Mais quand il entrerait en action à la tombée de la nuit, dans l'affolement, le navire espagnol pourrait tenter de se mettre hors d'atteinte. Et, au cours de la manœuvre dans ces eaux peu profondes, il avait de fortes chances de s'échouer, voire de couler.

Du moins Hunter l'espérait-il.

La chaloupe atteignit sans encombre le rivage, mais il fallut plus de trente hommes pour hisser le sacre sur la plage. Ils le firent ensuite rouler laborieusement sur des rondins, à travers la mangrove et les palmiers, jusqu'au sommet de la crête. Sans cabestan ni palan pour les soulager, ce fut une tâche harassante que les marins accomplirent pourtant avec vaillance.

Pendant ce temps, cinq hommes, commandés par le Juif, travaillaient avec autant d'acharnement à préparer des sacs de poudre. Puis ils débarrassèrent le canon de sa rouille et le Maure, charpentier accompli, construisit un affût.

À la tombée du jour, le canon se trouvait en position au-dessus du vaisseau de combat. Hunter attendit quelques minutes avant l'obscurité totale et ordonna de tirer. Le premier tir fut trop long et le boulet tomba de l'autre côté du navire, au large. Le second atteignit son but ainsi que le troisième. Puis la nuit leur cacha leur proie.

Le pierrier continua néanmoins à bombarder l'Espagnol pendant une heure. Dans l'obscurité, ils virent enfin les voiles blanches se déployer.

— Il tente de s'échapper ! s'écria Enders d'une voix enrouée.

Les artilleurs poussèrent des hurlements de joie. Ils lancèrent d'autres volées tandis que les voiles se gonflaient et que le navire reculait et quittait doucement son mouillage. Même longtemps après qu'il eut disparu, Hunter fit poursuivre le tir et le grondement du pierrier continua à retentir dans la nuit.

Dès les premières lueurs de l'aube, ils plissèrent les yeux, anxieux de découvrir le résultat de leurs efforts. Le vaisseau de ligne était allé mouiller un peu plus loin, à environ un quart de mille, mais, comme il se trouvait à contre-jour, il leur était impossible de juger des dégâts.

Dès qu'il vit la façon dont le navire se balançait sur son ancre, Hunter comprit avec découragement qu'il n'était pas gravement touché. Par une chance incroyable, il avait réussi à sortir de la baie sans toucher de récifs ni s'échouer ! L'un de ses espars de huniers pendait, brisé, ses cordages tailladés. Une partie de son bordé avant avait volé en éclats. Mais ce n'étaient que des dommages mineurs : le navire de Bosquet flottait tranquillement sur les eaux qui brillaient au soleil. Hunter se sentit tout à coup submergé par la fatigue et la consternation. Il fixait le vaisseau d'un regard vide, quand il remarqua l'état de la mer alentour.

— Par le sang de Dieu ! lâcha-t-il dans un souffle.

— La houle est longue, remarqua Enders, qui venait de faire la même observation.

— Pourtant le vent est faible.

— Oui, pour encore un jour ou deux.

Hunter scruta les vagues qui soulevaient le navire à l'ancre.

— Alors d'où vient cette houle ?

— À cette époque de l'année, elle ne peut remonter que du sud, répondit Enders.

À la fin de l'été, ils s'attendaient tous à affronter des ouragans. Et, en marins avertis, ils pouvaient prévoir l'arrivée de ces tempêtes monstrueuses jusqu'à deux jours à l'avance. Les premiers avertissements leur étaient toujours apportés par la surface de l'océan : les vagues, poussées par des vents de cent milles à l'heure, en étaient les prémices.

Hunter contempla le ciel d'un bleu immaculé.

— Dans combien de temps, à votre avis ?

Enders secoua la tête.

— Demain soir au plus tard.

— Tudieu !

Hunter se tourna vers le galion dans l'anse des Singes. Il n'était plus échoué et se laissait doucement bercer par les vagues. La mer était pleine, certes, mais beaucoup plus haute que d'habitude.

— Tudieu ! répéta-t-il.

D'une humeur massacrante, il regagna son bord et se mit à arpenter le pont sous le soleil accablant, comme un lion en cage. Alors qu'il n'avait aucune envie de faire la conversation, Lady Sarah choisit cet instant pour lui réclamer une chaloupe et des hommes car elle souhaitait descendre à terre.

— Pour quoi faire ? demanda-t-il d'un ton sec tout en s'étonnant intérieurement qu'elle ne lui fît aucune remarque sur le fait qu'il n'était pas allé la rejoindre dans sa cabine, la veille au soir.

— Je voudrais aller cueillir des fruits et des légumes afin de m'alimenter ! Vous n'avez rien qui me convienne à votre bord.

— Il m'est impossible d'accéder à votre requête, dit-il en s'éloignant d'elle.

Elle tapa du pied.

— Capitaine, sachez qu'il ne s'agit point d'un caprice de ma part. Je suis végétarienne, je ne mange pas de viande.

Il se retourna.

— Madame, je me soucie comme d'une guigne de vos excentricités et je n'ai ni le temps ni la patience de m'y plier !

— Mes excentricités ! répéta-t-elle, écarlate. Sachez donc que les plus grands esprits de tous les temps, de Ptolémée à Léonard de Vinci, étaient végétariens ! Et sachez également, monsieur, que je vous considère comme un rustre et un butor !

— Madame, explosa Hunter en montrant l'océan, malgré votre monumentale ignorance, ne voyez-vous donc pas que la mer a changé ?

Elle se tut, perplexe, et contempla la légère houle au large sans comprendre comment elle pouvait l'inquiéter à ce point.

— Ces vagues paraissent bien insignifiantes pour un navire de la taille du vôtre.

— Oui, pour l'instant.

— Et le ciel est clair.

— Pour l'instant.

— Je ne suis pas marin, capitaine.

— Madame, la houle est longue et profonde. Cela ne peut signifier qu'une chose : dans moins de deux jours, un ouragan s'abattra sur nous. Comprenez-vous ce qui nous attend ?

— Un ouragan est une terrible tempête, répondit-elle comme si elle récitait une leçon.

— Terrible, en effet. Et si nous sommes encore coincés dans cette maudite baie à ce moment-là, nous nous fracasserons sur la côte, le comprenez-vous ?

Malgré sa fureur, il s'aperçut en scrutant son visage innocent que cela dépassait son entendement. N'ayant jamais vu d'ouragan, elle ne pouvait imaginer à quel point ils différaient des tempêtes normales. Lui savait qu'il y avait autant de rapport entre un ouragan et une tempête qu'entre un loup féroce et un chien de manchon.

Sans lui laisser le temps de répondre, il alla s'accouder au bastingage. Il s'en voulait de lui avoir répondu si sèchement, d'autant plus qu'elle méritait qu'il lui accorde ce plaisir : elle avait passé la nuit à soigner les marins brûlés, ce qui était fort louable de la part d'une dame de sa condition.

— Pardonnez-moi, s'excusa-t-il en revenant vers elle. Demandez à Enders qu'il vous fasse conduire à terre. Je m'en voudrais de ne pas vous laisser perpétuer la noble tradition de Ptolémée et de Léonard de Vinci.

Il se tut brutalement.

— Capitaine ? demanda-t-elle, étonnée de ce silence.

Il fixait le vide.

— Capitaine, vous ne vous sentez pas bien ?

Il partit soudain à grands pas.

— Don Diego ! hurla-t-il. Qu'on me trouve Don Diego !

Don Diego accourut dans sa cabine et le trouva griffonnant fiévreusement à son bureau qui disparaissait sous les dessins.

— Je ne sais pas si c'est réalisable, marmonna Hunter. J'en ai juste entendu parler. Le Florentin de Vinci en avait eu l'idée mais personne ne l'a suivi.

— Les soldats ne prêtent guère attention aux artistes.

Hunter le fusilla du regard.

— Ils ont peut-être tort.

Don Diego considéra les croquis. On y reconnaissait la coque d'un navire vue de profil et de dessus, avec des lignes qui partaient de ses flancs.

— L'idée est simple. Sur un navire normal, chaque pièce a son canonnier responsable du tir.

— Oui…

— Une fois que le canon est chargé, le canonnier s'accroupit derrière et le règle sur la cible. Il indique à ses hommes comment l'orienter au mieux avec des anspects et des coins de mire. Puis il ordonne à ses hommes de faire glisser les coins pour ajuster la hauteur, toujours en fonction de sa propre estimation. Ensuite il fait feu. Et la procédure se répète ainsi pour chaque canon.

— Oui…

Don Diego n'avait jamais vu de canonnade en règle, mais il connaissait le principe. On réglait la visée de chaque pièce et un bon artilleur, capable de bien établir la hausse et l'angle de tir, était non seulement très apprécié mais très difficile à trouver…

— Par ailleurs, poursuivit Hunter en traçant des lignes perpendiculaires au flanc du navire, l'usage veut que les canons tirent parallèlement. Chaque canon lance sa charge tandis que son servant prie le Ciel d'atteindre sa cible. Mais en réalité, la plupart des tirs se perdent jusqu'à ce que les deux navires arrivent si près l'un de l'autre que tous les boulets font mouche. Disons quand ils sont à deux cents toises l'un de l'autre, vous me suivez ?

Don Diego hocha lentement la tête.

— Voilà ce que le Florentin préconisait, continua Hunter en traçant un nouveau navire. Au lieu de demander aux artilleurs d'orienter les canons avant chaque salve, pourquoi ne pas leur dire de les régler avant la bataille ? Regardez ce que cela donne.

Il tira depuis la coque des lignes convergentes.

— Vous voyez ? Vous concentrez la totalité du tir sur un seul point. Tous vos boulets frappent la cible au même endroit, où ils causent de graves dégâts.

— Ou alors ils la ratent et tombent à l'eau en un même point. Ou ils frappent le beaupré ou une partie sans importance du navire. Je vous avoue que je ne vois pas l'intérêt de votre idée.

— L'intérêt, insista Hunter en martelant le dessin avec son crayon, réside dans la façon dont le tir est effectué. Réfléchissez : si les canons sont chargés à l'avance, je peux envoyer une salve entière avec seulement un servant par pièce ou peut-être même un pour deux pièces. Et si la cible est à ma portée, je vous garantis que tous mes canons mettront dans le mille.

— Évidemment ! s'écria le Juif en battant des mains, comprenant que cela résoudrait leur problème d'effectif. Mais que se passera-t-il après la première bordée ? ajouta-t-il, les sourcils froncés.

— Après le premier tir, les hommes iront d'un canon à l'autre les recharger et les régler de nouveau selon des repères prédéterminés. Cela devrait prendre peu de temps, et si tout le monde est bien entraîné, je pourrai tirer une seconde volée dix minutes plus tard.

— L'autre navire aura eu le temps de changer de position.

— Oui, il se sera rapproché, mais en restant dans mon angle de visée, et le feu sera plus large mais toujours relativement concentré. Vous voyez ?

— Et après la seconde bordée ?

Hunter soupira.

— Je doute que nous ayons plus de deux chances de tirer. Si je n'ai pas coulé ou anéanti l'ennemi en deux salves, nous aurons perdu.

Dans un affrontement naval, les vaisseaux échangeaient une bonne cinquantaine de bordées avant que ne se décide l'issue du combat. Et s'ils étaient de force égale, avec des équipages bien disciplinés, ils pouvaient même s'en envoyer une centaine. En comparaison, deux volées semblaient bien futiles !

— Eh bien, deux, ce sera déjà mieux que rien ! finit par lâcher le Juif d'un ton peu optimiste.

— Surtout si nous frappons le château arrière ou la soute à poudre, renchérit Hunter.

C'étaient les deux points les plus vulnérables d'un vaisseau de combat. Le château arrière abritait tous les officiers, le timonier et le gouvernail ; s'il était gravement touché, le navire se trouvait privé de direction. Quant à la soute à poudre et au magasin de munitions, ils pouvaient emporter dans leur explosion le bâtiment entier. Hélas, aucun de ces deux points stratégiques n'était facile à atteindre. Et, à vouloir tirer très à l'avant ou très à l'arrière, Hunter risquait de n'infliger aucun dégât sérieux à l'ennemi.

— Le problème, c'est la visée, résuma le Juif. Vous allez procéder aux réglages en vous entraînant ici, dans la baie ?

Hunter hocha la tête.

— Mais comment ferez-vous, une fois en mer ?

— C'est exactement pour cela que je vous ai fait demander. Il me faut un instrument qui me permette d'aligner mon navire sur celui de l'ennemi. C'est un problème de géométrie et il y a bien longtemps que j'ai oublié tout ce que j'ai appris sur ce sujet.

De sa main gauche aux doigts mutilés, le Juif se gratta le nez.

— Il faut que je réfléchisse, murmura-t-il avant de quitter la cabine.

Enders, l'imperturbable artiste des mers, perdit cependant son flegme quand Hunter lui exposa son plan.

— Qu'est-ce que vous avez dit ?

— Je veux que vous installiez les trente-deux canons à bâbord, répéta Hunter.

— Le *Trinidad* va gîter sur bâbord comme une truie sur le point de mettre bas.

— C'est évident qu'il ne sera pas beau à voir. Mais pourrez-vous néanmoins le manœuvrer ?

— Je suis capable de faire naviguer le cercueil du pape avec la nappe de ma grand-mère ! soupira Enders. Et, bien sûr, vous voulez déménager les canons dès que nous serons en pleine mer ?

— Non, je veux le faire ici, dans la baie.

Enders soupira de nouveau.

— Ce qui veut dire que vous voulez débouquer d'ici avec votre truie.

— Oui.

— Alors il faut remonter la cargaison, murmura-t-il, les yeux perdus dans le vague. Nous allons arrimer les caisses le long du bastingage à tribord. Cela nous aidera, mais il n'empêche que nous serons trop chargés dans les hauts et mal équilibrés. Le galion va rouler comme un bouchon dans les vagues. Y a que le Diable qui pourra tirer avec ces canons.

— Je vous demande seulement si vous pourrez naviguer.

Il y eut un long silence.

— Oui, aussi finement que vous le souhaitez. Mais vous aurez intérêt à le rééquilibrer avant l'arrivée de la tempête, sinon il ne tiendra pas dix minutes.

— Je sais.

Les deux hommes se dévisagèrent tandis qu'un grondement ébranlait le navire : on amenait déjà les premiers canons de tribord à bâbord.

— Vous prenez de sacrés risques ! lâcha Enders.

— Nous n'avons pas le choix, répondit Hunter.

L'entraînement commença dès le début de l'après-midi. Un drap avait été tendu sur la plage à deux bonnes encablures du navire et chaque canon fut tiré individuellement jusqu'à ce qu'il atteigne la cible. Une fois sa visée ajustée, la position était marquée sur le pont à la pointe d'un couteau. Quand la nuit tomba, le drap blanc fut remplacé par un grand feu et cet exercice long et complexe se poursuivit malgré l'obscurité. À minuit, tous les canons étaient réglés, chargés et prêts à tirer. La cargaison amarrée à tribord compensait en partie la gîte sur bâbord. Mais, quoique Enders se soit déclaré satisfait de l'équilibre du navire, on le sentait malheureux.

Après avoir annoncé qu'ils partiraient avec la marée du matin, Hunter ordonna à tous ses hommes d'aller dormir. Juste avant de sombrer dans le sommeil, il se demanda ce que Bosquet avait pu penser de tous ces tirs. Avait-il compris ce qu'il complotait ? Et, dans ce cas, qu'allait-il faire ?

Hunter n'essaya pas de répondre à cette question. Il le saurait bien assez tôt, songea-t-il en fermant les yeux.

30

Dès l'aube, il arpentait le pont de long en large, surveillant ses hommes qui se préparaient au combat. Les écoutes et les bras avaient été doublés de manière que, si certains étaient coupés, d'autres prennent le relais. Des draps et des couvertures trempés d'eau protégeaient les bastingages et les cloisons des éclats de bois. Le pont entier avait été inondé à plusieurs reprises afin de détremper les planchers pour réduire les risques d'incendie.

Enders arriva en courant au milieu de ces préparatifs.

— Les guetteurs viennent de me prévenir : les papistes sont partis !

— Partis ? répéta Hunter, abasourdi.

— Oui, capitaine, pendant la nuit.

— On ne les voit plus du tout ?

— Non, capitaine.

— Ils ne peuvent pas avoir abandonné.

Hunter réfléchit quelques instants à cette éventualité. Peut-être le navire était-il juste allé se poster au nord ou au sud de l'île. Bosquet avait peut-être d'autres projets ou alors le pierrier avait provoqué plus de dégâts que les corsaires ne le pensaient.

— Très bien, décida-t-il. On part quand même.

Dans un premier temps, la disparition de l'ennemi le soulageait. Cela leur permettrait de sortir plus facilement de la baie, avec leur galion peu manœuvrant.

À l'autre bout de l'anse, il regarda Sanson qui dirigeait les préparatifs à bord du *Cassandra*. Le sloop s'enfonçait davantage dans l'eau depuis que Hunter avait fait transférer la moitié du trésor dans sa cale, au cours de la nuit. Comme il y avait de grands risques que l'un des deux navires soit coulé, il espérait ainsi sauver une partie du butin.

Sanson agita la main dans sa direction. Hunter lui fit signe à son tour en songeant qu'il n'aimerait pas être à sa place. Selon leurs plans, en cas d'attaque, le sloop devrait gagner l'abri le plus proche tandis que le galion engagerait le combat avec les Espagnols. Ce qui n'était pas sans danger pour Sanson : il aurait du mal à s'enfuir sans dommage si jamais l'ennemi choisissait de s'en prendre à lui en premier, car Hunter serait incapable de le défendre, ses canons ne pouvant tirer que deux bordées.

Mais si Sanson craignait cette éventualité, il n'en laissait rien paraître, car il le saluait avec entrain. Quelques minutes plus tard, les deux navires levaient l'ancre et, sous toile réduite, gagnaient le large.

La mer était mauvaise. Dès qu'ils franchirent la barrière de corail et s'éloignèrent des récifs, ils rencontrèrent un vent de quarante nœuds et des creux de douze pieds. Le *Cassandra* bondissait sur les vagues, mais le galion roulait et tanguait comme un animal à l'agonie.

Enders, qui maugréait dans son coin, finit par demander à Hunter de tenir la barre un instant. Hunter le regarda gagner la proue du navire, en avant des voiles. Enders se mit dos au vent et écarta les deux bras. Il resta ainsi quelques secondes puis se tourna légèrement, les bras toujours grands ouverts.

Hunter reconnut une astuce de vieux marin pour essayer de situer l'œil de l'ouragan. Si l'on se tenait les bras écartés, dos au vent, l'œil se trouvait toujours légèrement en avant de l'axe du bras gauche.

Enders revint vers la barre en jurant et en pestant.

— L'ouragan se trouve au sud-sud-ouest et que je sois damné s'il ne nous tombe pas dessus avant la nuit !

Le ciel s'assombrissait déjà et le vent forcissait de minute en minute. Le *Trinidad* gîta dangereusement quand, après avoir dépassé l'île au Chat, il affronta la pleine mer.

— Ces maudits canons m'inquiètent, capitaine. On ne pourrait pas en ramener deux ou trois à tribord ?

— Non.

— Le galion naviguerait mieux. Ça vous plairait, capitaine.

— Ça plaira surtout à Bosquet.

— Montrez-le-moi et je cesserai de critiquer votre artillerie, capitaine.

— Il est là, répondit Hunter, le doigt pointé vers l'arrière.

Enders se retourna et vit le vaisseau de guerre déborder de la pointe nord de l'île et se jeter à leur poursuite.

— Il nous court droit au cul. Et, par les os de Dieu, qu'il est bien bordé !

L'ennemi fonçait vers la partie la plus vulnérable du galion, son pont arrière. La poupe étant le point faible de tous les navires, le trésor était toujours arrimé à l'avant et les cabines les plus spacieuses toujours installées à l'arrière, dont celle du capitaine puisqu'il n'était pas censé l'occuper pendant les combats.

Hunter ne disposait d'aucun canon sur l'arrière : il les avait tous fait installer sur bâbord. Et la nao gîtait tellement qu'Enders ne pouvait avoir recours à la défense traditionnelle en cas d'attaque par l'arrière qui consistait à suivre une route sinueuse et imprévisible pour échapper au tir ennemi. À son grand désespoir, il devait conserver un cap constant s'il ne voulait pas embarquer à chaque lame.

— Continuez comme ça en gardant la côte à tribord, ordonna Hunter avant d'aller rejoindre Don Diego près du bastingage.

Le vieil homme maniait un appareil bizarre de sa fabrication. Il s'agissait d'un assemblage en bois de trois pieds de long, fixé au grand mât, qui portait à chaque extrémité un petit cadre en bois carré, avec du crin tendu entre les angles pour former un X.

— C'est assez simple à utiliser, expliqua le Juif. Vous vous placez à un bout et, quand les deux X sont alignés, vous êtes en position. Et vous touche-rez tout ce qui se trouve dans cet alignement.

— Et pour la portée ?

— Vous devrez voir cela avec Lazue.

Hunter hocha la tête. Grâce à ses yeux de lynx, Lazue estimait les distances avec une précision remarquable.

— Mais ce n'est pas la portée qui me tracasse, c'est la houle, poursuivit le Juif. Regardez.

Hunter se posta derrière l'appareil. Il ferma un œil et, dès que les X se chevauchèrent, il prit conscience de l'ampleur du tangage et du roulis : une seconde, il fixait le ciel, la seconde suivante, la mer déchaînée.

Entre l'instant où il ordonnerait la mise à feu et celui où les canonniers s'exécuteraient, il y aurait un délai. Il devait l'estimer. Ainsi que le temps mis par les boulets pour atteindre leur cible. Plus d'une seconde s'écoulerait entre son ordre et l'impact. Et pendant ce temps, le navire roulerait et tanguerait follement sur l'océan. Une vague de panique sub-mergea Hunter. Son plan désespéré n'était pas réa-lisable par mer agitée. Et, avec à peine deux salves, ils n'avaient aucune chance de toucher l'ennemi.

— La coordination étant primordiale, nous devrions procéder comme dans les duels, poursui-vit Don Diego.

— Excellente idée ! acquiesça aussitôt Hunter. Prévenez les canonniers. Les ordres seront les sui-vants : attention, trois, deux, un, feu !

— Oui, mais avec le bruit du combat...

Hunter hocha la tête. Heureusement que le Juif gardait les idées claires et faisait preuve d'un bien meilleur jugement que lui. Dans le tumulte du combat, ses ordres risquaient en effet de se perdre ou d'être mal interprétés.

— Je crierai les ordres et vous resterez à mon côté pour les confirmer par gestes.

Le Juif hocha la tête et descendit prévenir les canonniers. Hunter appela Lazue pour lui expliquer ce dont il avait besoin : le tir étant réglé sur deux cent cinquante brasses, elle devrait estimer cette distance avec précision. Elle lui répondit de ne pas s'inquiéter.

Il retourna auprès d'Enders qui lançait un chapelet d'imprécations.

— Nous allons bientôt goûter au dard de ces pédérastes. Je sens déjà notre galion frétiller du croupion !

Il n'avait pas fini sa phrase que le vaisseau espagnol ouvrait le feu avec son canon de proue. De la mitraille siffla dans l'air.

— Chaud comme un étalon ! hurla Enders en agitant son poing en l'air.

Une seconde bordée fit voler du bois sur le château arrière, heureusement sans causer grand dommage.

— Maintenez ce cap, ordonna Hunter. Laissons-les nous rattraper.

— Vous en avez de bonnes ! Comme si je pouvais faire autrement !

— Gardez votre sang-froid.

— C'est pas pour mon sang-froid que je m'inquiète, c'est pour mes fesses !

Une troisième volée traversa en sifflant le centre
du navire, sans faire de dégâts. C'était l'instant que
Hunter attendait.

— Les pots de fumée ! hurla-t-il, et l'équipage
s'empressa d'allumer les seaux de poix et de soufre
prévus à cet effet.

Une fumée épaisse tourbillonna dans les airs :
l'ennemi croirait ainsi qu'il avait fait mouche.
Hunter imaginait très bien l'allure que devait avoir
de loin le *Trinidad* gîtant sur bâbord et crachant un
épais nuage noir.

— Il a mis cap à l'est, annonça Enders. Il se prépare à la mise à mort.

— Parfait ! déclara Hunter.

— Parfait ! répéta Enders en secouant la tête.
Par le fantôme de Judas, notre propre capitaine
trouve que c'est parfait !

Hunter regarda le vaisseau espagnol s'avancer
vers le côté bâbord du galion. Bosquet avait engagé
le combat de manière très classique et continuait
sur cette lancée. Il manœuvrait loin de sa cible, se
mettant parallèle à elle, juste hors d'atteinte de ses
canons.

Une fois qu'il aurait aligné sa course sur celle du
galion, il réduirait l'écart. Et, dès que le *Trinidad*
serait à bonne distance, à partir de mille brasses,
Bosquet ouvrirait un feu continu sans cesser de se
rapprocher. Ce serait la partie la plus difficile pour
Hunter et son équipage. Ils devraient encaisser ces

bordées jusqu'à ce que l'Espagnol parvienne à leur propre portée.

Hunter regarda le navire ennemi prendre une trajectoire parallèle à la leur, à moins d'un mille sur bâbord.

— Gardez le cap, dit Hunter en posant une main sur l'épaule d'Enders.

— Vous me tenez à votre merci, marmonna Enders, et ce salaud de papiste aussi.

Hunter alla voir Lazue.

— Il est à mille brasses, dit-elle en plissant les yeux.

— Et à quelle vitesse se rapproche-t-il ?

— Très rapidement. Il est pressé.

— Tant mieux pour nous.

— Plus que neuf cents brasses.

— Préparez-vous au tir ennemi !

Quelques secondes plus tard, la première bordée partit du vaisseau de guerre et tomba à l'eau sur le flanc bâbord du galion.

Le Juif se mit à compter.

— Un, deux, trois, quatre…

— Moins de huit cent cinquante brasses ! annonça Lazue.

Le Juif arrivait à soixante-quinze lorsque tonna la seconde salve. Les boulets fusèrent de toutes parts mais aucun ne frappa le galion.

Le Juif recommença aussitôt à compter.

— Un, deux…

— Ils ne sont pas très rapides, remarqua Hunter. Ils devraient pouvoir recharger en moins de soixante secondes.

— Sept cent cinquante brasses ! annonça Lazue.

Une autre minute s'écoula et la troisième volée fut tirée. Elle les atteignit avec une force terrifiante ; Hunter se retrouva en plein chaos, entouré d'hommes qui hurlaient sous une avalanche de bois, de gréements et de cordages.

— Annoncez les dégâts ! rugit-il, à moitié aveuglé par la fumée, le regard rivé sur l'ennemi de plus en plus proche, sans voir le marin qui hurlait et se tordait de douleur à ses pieds, les mains plaquées sur son visage ruisselant de sang.

Le Juif se pencha sur le blessé : un énorme éclat lui avait traversé la joue pour se planter dans son palais. Lazue acheva calmement l'homme d'une balle dans la tête. Le pont se retrouva criblé d'une matière rosâtre. Avec un détachement étrange, le Juif prit conscience qu'il s'agissait du cerveau du marin. Il se retourna vers Hunter, qui n'avait pas quitté leur adversaire des yeux.

Une nouvelle salve frappa le galion.

— Rapport d'avaries ! hurla aussitôt Hunter.

— Beaupré balayé.

— Misaine emportée.

— Canon deux hors d'usage.

— Canon six hors d'usage.

— Hune d'artimon brisée.

— Attention en dessous ! brailla un homme, tandis que la vergue d'artimon s'abattait sur le pont dans un nouveau déluge de bois et de cordages.

Bondissant en arrière, Hunter se retrouva enseveli sous la voile. Un couteau fendit la toile à quelques centimètres de son visage et il recula la tête précipitamment. Par la coupure, il aperçut Lazue venue le libérer.

— Tu as bien failli me trancher le nez.

— Eh bien, tu t'en serais passé ! répondit-elle.

Une autre volée de boulets siffla au-dessus de leurs têtes.

— Ils tirent trop haut ! jubila Enders. Ils tirent trop haut !

Hunter regarda vers l'avant au moment où un boulet s'écrasait sur le cinquième canon. Le fût de bronze sauta en l'air, faisant voler des éclats de bois dans toutes les directions. Un servant reçut un fragment acéré comme un rasoir en pleine gorge. Se tenant le cou à deux mains, il s'effondra sur le sol dans un dernier râle.

Le marin à côté de lui, les jambes arrachées par un autre boulet, roula sur le pont en hurlant avant que la mort ne l'emporte.

— Rapport d'avaries ! cria Hunter alors que, tout près de lui, un matelot recevait en pleine tête une poulie de palan et s'effondrait dans une mare de sang, le crâne éclaté.

La vergue de la hune de misaine s'abattit sur deux gabiers, leur écrasant le bas du corps.

Et l'Espagnol continuait à les canonner.

Garder la tête froide au milieu d'un tel carnage était impossible, pourtant Hunter s'y essayait de son mieux pendant que le galion encaissait bordée sur bordée. Vingt minutes à peine s'étaient écoulées depuis que l'ennemi avait ouvert le feu ; le pont disparaissait sous les cordages, les voiles et le bois cassé ; les cris des blessés se mêlaient au sifflement des boulets qui fendaient l'air. Pour Hunter, il y avait longtemps que cet enfer ne formait plus qu'un arrière-plan auquel il ne prêtait aucune attention. Il savait que son navire se trouvait lentement et inexorablement détruit, mais toute son attention se concentrait sur le vaisseau ennemi qui se rapprochait de seconde en seconde.

Ils avaient subi de lourdes pertes, avec sept hommes tués, douze blessés, trois canons détruits. Le *Trinidad* avait perdu son beaupré avec sa voile, son mât de misaine ainsi que sa hune d'artimon et ses cordages de grand-voile du côté du vent ; il avait été touché par deux fois sous sa ligne de flottaison et prenait l'eau rapidement. Hunter le sentait déjà plus bas et moins manœuvrant : il y avait quelque chose de lourd et de mou dans son allure.

Inutile d'essayer de réparer les dégâts. Son équipage réduit avait déjà bien du mal à maintenir sa trajectoire. Ce n'était plus qu'une question de temps avant que le galion ne devienne impossible à manœuvrer, s'il ne coulait pas tout bonnement.

Hunter plissa les yeux pour ne pas perdre de vue l'ennemi masqué par la fumée du combat. Malgré le vent violent, un nuage acre et opaque s'accrochait aux deux navires.

L'Espagnol se rapprochait encore.

— Trois cent cinquante brasses ! annonça Lazue d'une voix atone.

Blessée au bras au cours de la cinquième bordée, elle s'était fait un garrot sommaire pour arrêter l'hémorragie et continuait à surveiller la progression de l'ennemi malgré le sang qui gouttait à ses pieds.

Avec un sifflement strident, une nouvelle salve s'abattit sur le *Trinidad*.

— Trois cents brasses !

— Prêt à tirer ! hurla Hunter en se penchant pour aligner les deux X de son appareil de visée.

Il voulait frapper le bâtiment espagnol en son centre, mais celui-ci avança légèrement et le château arrière apparut dans son viseur.

Qu'il en soit ainsi ! songea-t-il tout en suivant le balancement du *Trinidad* entre les croisillons, afin de s'imprégner de son rythme, en haut, en bas, en haut, en bas, visant tantôt le ciel, tantôt la mer, avant d'entrevoir à nouveau la coque. Le galion s'éleva de nouveau, il se mit à compter silencieusement.

— Deux cent cinquante brasses, annonça Lazue.

— Trois ! brailla-t-il quand les croisillons pointèrent vers le ciel.

Le navire redescendit et il entr'aperçut brièvement le vaisseau de guerre.

— Deux ! aboya-t-il lorsque les croisillons pointèrent vers la mer en furie.

Le navire sembla hésiter sur la vague. Hunter attendit.

— Un ! beugla-t-il dès qu'il sentit le galion remonter. Feu !

Les vingt-neuf canons délivrèrent tous ensemble leur bordée et la nao tangua follement. Hunter se trouva projeté contre le mât avec une telle force qu'il en eut le souffle coupé. Il n'en prit même pas conscience ; il guettait la descente, impatient de voir ce qu'il était advenu de leur ennemi.

— Tu l'as eu ! s'écria Lazue.

Effectivement, l'impact avait incliné le navire espagnol sur le flanc, déchiquetant le château arrière tandis que le mât d'artimon s'abattait dans l'eau avec une étrange lenteur, emportant la totalité de son gréement et de ses voiles. Hélas, Hunter comprit au même moment qu'il avait frappé trop en avant pour endommager le gouvernail, et pas assez pour éliminer le timonier. Le bâtiment de guerre était toujours manœuvrant.

— Rechargez ! hurla-t-il.

La panique régnait chez l'ennemi. L'arrière grouillait de marins qui coupaient les cordages pour se débarrasser du mât d'artimon.

Hunter savait qu'il venait de gagner du temps, mais il ignorait s'il obtiendrait les dix minutes dont il avait besoin pour tirer sa deuxième salve. Un instant, il crut que le gouvernail s'était pris dans les débris qui flottaient sur l'eau, malheureusement cet espoir fut vite déçu. Il sentit sous ses pieds les roulements sourds indiquant que ses canons étaient rechargés et ramenés l'un après l'autre vers les sabords.

L'Espagnol ne se trouvait plus qu'à deux cents brasses, mais sous un angle tel qu'il ne pouvait pas tirer de bordée.

Une minute s'écoula, puis une autre.

Hunter vit le vaisseau reprendre sa course alors que le mât d'artimon et son gréement sombraient dans son sillage.

Son avant tourna dans le vent : il virait de bord pour se placer du côté tribord, le flanc sans défense du galion !

— Que je sois damné ! murmura Enders. Je savais que c'était un rusé bâtard !

À peine aligné, le navire de combat délivra dans la foulée sa bordée par tribord. À si peu de distance, elle eut un effet dévastateur. Les espars et les cordages s'abattirent sur le pont autour de Hunter.

— On ne va pas tenir le coup longtemps, murmura Lazue.

Hunter se faisait la même réflexion.

— Combien avons-nous de canons chargés ? cria-t-il.

Don Diego se pencha vers le pont d'artillerie.

— Seize !

— Il faut les tirer !

Une nouvelle bordée ennemie les frappa de plein fouet. Hunter eut l'impression que le galion se désagrégeait autour de lui.

— Monsieur Enders ! hurla-t-il. Parez à virer !

Enders le dévisagea d'un air incrédule. S'ils viraient maintenant, ils amèneraient le galion directement devant la proue de l'ennemi, ce qui les rapprocherait terriblement.

— Parez à virer ! hurla de nouveau Hunter.

— Paré à virer ! beugla Enders tandis que les marins, éberlués, tiraient sur les écoutes pour les démêler.

La distance se réduisit.

— Cent soixante-quinze brasses ! annonça Lazue.

Hunter l'entendit à peine. Il se moquait de la portée. Il scrutait à travers les X de son appareil de visée le profil enfumé de sa cible, les yeux irrités, à moitié aveuglés par les larmes. Il les chassa d'un clignement de paupières et fixa un point imaginaire, très bas sur la coque de l'ennemi, juste sous la ligne de flottaison.

— Paré à virer ! La barre dessous ! aboya Enders.

— Prêt à tirer ! hurla Hunter.

Enders était stupéfait, Hunter le savait sans même le regarder. Les yeux rivés sur son viseur, il s'apprêtait à faire feu alors que le navire virait de bord. Ça ne s'était jamais vu, c'était de la folie pure !

— Trois ! cria Hunter.

À travers les croisillons, il vit son navire osciller sous le vent et pivoter en direction de l'Espagnol…

— Deux !

Le galion avançait lentement à présent ; dans l'alignement des X, Hunter vit se découper le profil flou du vaisseau ennemi, puis les sabords avant, le bois nu de la coque…

— Un !

Son angle de visée grimpa sur la cible, soudain trop haut. Hunter attendit le creux de la vague, sachant qu'au même moment l'autre vaisseau monterait légèrement et exposerait davantage son flanc.

Il patienta, sans oser respirer, sans oser espérer. Le navire de guerre commença à s'élever…

— Feu !

Une fois encore, son navire s'inclina sous la poussée des canons. Ce fut une bordée incomplète. Il le sentit et l'entendit, même si la fumée l'empêcha de le voir. Et, quand elle s'éclaircit et que le *Trinidad* se redressa, Hunter écarquilla les yeux de stupeur.

— Mère de Dieu ! gémit Lazue.

Il n'y avait pas le moindre changement dans le navire ennemi. Hunter l'avait manqué.

— Que je brûle en enfer ! jura-t-il, avant de relever l'ironie de ses paroles : ils étaient tous condamnés à périr dans les flammes, sous les tirs espagnols.

— C'était une noble tentative ! déclara Don Diego. Noble et courageuse.

Lazue secoua la tête et l'embrassa.

— Que les saints nous préservent tous ! murmura-t-elle tandis qu'une larme roulait sur sa joue.

Hunter était anéanti par le désespoir. Ils avaient raté leur dernière chance : il avait failli à son devoir. Il ne leur restait plus qu'à se rendre.

— Monsieur Enders, hissez le drapeau bl...

Il s'arrêta net en voyant Enders sauter de joie derrière la barre et se flanquer une grande claque sur la cuisse, brusquement hilare.

Puis il entendit des acclamations monter du pont d'artillerie. Les canonniers poussaient des cris de triomphe.

Étaient-ils fous ?

Près de lui, Lazue poussa un hurlement et se mit à rire aussi fort qu'Enders. Hunter se retourna d'un bond vers le vaisseau de guerre. Quand la proue s'éleva sur la houle, il aperçut le trou béant de sept ou huit pieds de diamètre en dessous de la ligne de flottaison. Une seconde plus tard, l'étrave du navire replongeait, dissimulant la voie d'eau.

Hunter eut à peine le temps d'assimiler la signification de ce qu'il voyait que des tourbillons de fumée jaillirent brusquement du château avant de l'ennemi. Une seconde plus tard, une déflagration effroyable résonna sur l'eau et une gigantesque boule de feu enveloppa le vaisseau tandis que la soute à poudre sautait. Il y eut une première série de détonations, si violentes que le *Trinidad* en trembla. Suivirent une deuxième, une troisième et le bâtiment ennemi se disloqua sous leurs yeux.

Hunter ne vit que des images fragmentées de cette destruction. Les mâts qui s'écrasaient sur le pont, les canons jetés en l'air par des forces invisibles, tout le navire qui se contractait sur lui-même avant d'exploser.

Quelque chose frappa le grand mât au-dessus de sa tête, tomba sur ses cheveux et glissa de ses épaules jusqu'au sol. Il crut que c'était un oiseau mais, en baissant les yeux, reconnut une main, tranchée au niveau du poignet, avec un anneau au doigt.

— Bon Dieu ! soupira-t-il et quand il ramena son regard vers la mer, il resta bouche bée.

Le vaisseau de guerre avait disparu !

Volatilisé ! Une minute avant, il était là, dévoré par les flammes et ravagé par les explosions et, la minute suivante, il n'en restait plus que des débris en feu, des voiles, des espars et des corps flottant à la surface de l'eau ; il entendait les cris et les appels des survivants, mais le navire s'était bel et bien désintégré.

Alors que tout autour de lui son équipage riait et dansait d'une joie frénétique, Hunter ne pouvait détacher ses yeux de l'endroit où il avait vu son ennemi pour la dernière fois. Parmi les fragments enflammés, son attention fut attirée par un cadavre qui flottait sur le ventre. À son uniforme bleu, il reconnut un officier espagnol. Son pantalon déchiqueté par les explosions laissait voir ses fesses nues. Hunter considéra fixement cette peau dénudée, sidéré qu'elle soit indemne sous les vêtements en loques. Il y avait quelque chose d'obscène dans la façon aléatoire et désinvolte dont la mort l'avait frappé, songea-t-il avant de s'apercevoir avec horreur, tandis que les vagues ballottaient le cadavre, qu'il était décapité.

Il prit subitement conscience que ses hommes ne hurlaient plus de joie. Ils se taisaient, tous, et le dévisageaient. Il contempla leurs visages épuisés, crasseux et maculés de sang, leurs yeux creusés et vidés par la fatigue.

Pendant un instant, il se demanda ce qu'ils attendaient de lui. C'est alors qu'il sentit quelque chose sur sa joue.

Il pleuvait.

31

L'ouragan les frappa avec une fureur sans bornes. En quelques minutes, le vent se mit à hurler dans les haubans à plus de quatre-vingts nœuds, accompagné d'une pluie cinglante. La mer se creusait et des lames de plus de trente pieds de haut, de véritables montagnes liquides, soulevaient le navire. Un instant propulsés vers le ciel, à la crête d'une vague, ils étaient précipités, quelques secondes plus tard, dans un abîme sans fond.

Ils savaient que ce n'était que le commencement. Le vent, la pluie et la mer forciraient et les éléments se déchaîneraient pendant des heures, voire des jours.

Ils se mirent au travail avec une énergie qui démentait leur extrême fatigue. Ils dégagèrent les ponts et roulèrent les voiles déchirées ; ils se démenèrent pour tendre une voile sur le flanc du navire afin de colmater les brèches dans la coque, sous la ligne de flottaison. Ils travaillaient en silence sur les ponts détrempés et glissants, conscients qu'à chaque instant ils risquaient de se faire balayer par-dessus bord sans que personne s'en aperçoive.

Mais leur première tâche, et la plus difficile, fut de rééquilibrer le navire en ramenant une partie des canons sur tribord. Ce qui était déjà laborieux par beau temps, sur un plancher sec, représentait un défi insurmontable et un véritable cauchemar avec les vagues qui déferlaient sur le pont incliné à quarante-cinq degrés. Pourtant ils devaient le faire s'ils voulaient avoir une chance de survivre. Hunter dirigea l'opération canon après canon. Il fallait anticiper la houle et éventuellement l'utiliser afin de soulager les hommes qui maniaient ces monstres de plus de cinq mille livres.

Ils perdirent le premier canon. Une corde céda et il traversa le pont comme une torpille, fit voler en miettes la rambarde et plongea dans l'océan, sous l'œil des corsaires terrifiés par la vitesse à laquelle tout cela s'était passé. Ils doublèrent les cordes autour du second canon, qui leur échappa néanmoins, écrasant cette fois un homme au passage.

Pendant cinq heures, les hommes du *Trinidad* luttèrent contre les éléments pour ramener les autres canons en position et solidement les amarrer. Quand ils eurent terminé, exténués au-delà du possible, ils s'accrochèrent comme des bêtes à moitié asphyxiées aux étais et au bastingage, usant leurs dernières forces à résister aux paquets de mer qui menaçaient de les emporter par-dessus bord.

Et, Hunter le savait, la tempête ne faisait que commencer.

L'ouragan, le plus impressionnant des phénomènes naturels, avait été découvert avec horreur par les voyageurs du Nouveau Monde. D'ailleurs, son nom, qui venait du mot « tornade » en arawak, n'avait pas d'équivalent dans les langues européennes. Mais les hommes de Hunter connaissaient les effets dévastateurs de ces gigantesques déchaînements de la nature et tentaient de s'en protéger par des croyances de marin et des rites ancestraux.

À la barre, Enders contemplait les montagnes d'eau en marmonnant toutes les prières qu'il avait apprises enfant, les doigts crispés sur la dent de requin qu'il portait autour du cou, accablé de ne pas pouvoir sortir davantage de toile : le *Trinidad* se démenait avec trois voiles alors que naviguer avec ce nombre fatidique portait malheur.

Sous le pont principal, le Maure sortit sa dague et s'entailla le doigt pour tracer de son sang un triangle sur le pont. Il plaça une plume en son centre et l'y maintint pendant qu'il murmurait des incantations.

À l'avant, Lazue jeta un tonneau de porc salé par-dessus bord et dressa trois doigts en l'air. Cette croyance, la plus ancienne de toutes, était tirée d'un vieux conte de marin selon lequel il suffisait de jeter de la nourriture à la mer et de lever trois doigts vers le ciel pour sauver un navire du naufrage. En fait, ces trois doigts symbolisaient le trident de Neptune et la nourriture un sacrifice au dieu des océans.

Même Hunter, qui d'ordinaire affichait un profond mépris pour toutes ces superstitions, descendit s'enfermer dans sa cabine où il s'agenouilla pour prier, sans s'occuper des meubles qui s'écrasaient contre les murs tandis que le navire roulait et tanguait. Dehors, la tempête hurlait avec une fureur démoniaque et le vaisseau craquait, laissant échapper des gémissements d'agonie. Brusquement, Hunter entendit au-dessus de ce vacarme un hurlement strident, bientôt suivi d'un autre.

Se précipitant hors de sa cabine, il aperçut cinq marins qui entraînaient Lady Sarah Almont vers une échelle. La jeune femme se débattait en braillant à pleins poumons.

— Arrêtez ! cria Hunter en courant vers eux alors que les vagues se fracassaient sur le pont au-dessus de leurs têtes. Qu'est-ce que vous faites ?

Aucun des hommes ne répondit ni n'osa soutenir son regard. Ce fut Lady Sarah qui s'écria :

— Ils veulent me jeter à la mer !

Le meneur semblait être Edwards, une brute qui avait déjà participé à des douzaines de courses.

— C'est une sorcière, voilà tout, capitaine ! cracha-t-il d'un air de défi. Et on survivra jamais à cette tempête avec elle à bord !

— Ne sois pas ridicule ! protesta Hunter.

— Croyez-moi, insista Edwards. On tiendra pas longtemps avec elle sur le galion. Si c'est pas une sorcière, j'veux bien être pendu !

— Et comment le sais-tu ?

— Suffit de la voir !

— Voyons, quelles preuves as-tu ?

— Cet homme est fou ! explosa Lady Sarah. Fou à lier !

— Quelles preuves as-tu ? hurla Hunter au-dessus des mugissements du vent.

Edwards hésita et se résigna finalement à lâcher la jeune femme.

— Pas la peine d'en parler, marmonna-t-il en s'éloignant. Mais vous verrez c'que j'vous dis !

L'un après l'autre, ses compagnons le suivirent. Hunter se retrouva seul avec la jeune femme.

— Retournez dans votre cabine et enfermez-vous à double tour. Ne sortez sous aucun prétexte. Et n'ouvrez plus votre porte, quoi qu'il arrive !

Les yeux écarquillés de frayeur, elle hocha la tête et regagna sa chambre. Hunter attendit qu'elle repousse son verrou, puis, après une courte hésitation, il monta sur le pont balayé par les éléments en furie.

D'en bas, la tempête semblait déjà terrifiante, mais à l'extérieur elle dépassait tout ce qu'on pouvait imaginer. Le vent se rua sur lui comme une brute, agrippant ses bras et ses jambes de mille mains invisibles pour l'arracher aux supports auxquels il se cramponnait. La pluie le frappa avec une telle violence qu'il laissa échapper un cri. Il lui fallut plusieurs secondes avant de pouvoir distinguer Enders à la barre, fermement ligoté à son poste.

Il s'approcha de lui en s'accrochant à un garde-corps tendu sur le pont et, quand il atteignit la protection du château arrière, il s'attacha à son tour avec une corde.

— Comment se comporte-t-il ? hurla-t-il en se penchant vers Enders.

— Ni bien ni mal. On tient et on devrait encore tenir un peu, mais pas des heures.

— Combien de temps ?

La réponse d'Enders fut noyée sous une montagne d'eau qui s'abattit sur le pont.

Cette réponse en valait une autre, songea Hunter. Aucun navire ne pouvait survivre à ce pilonnage très longtemps, surtout en étant déjà si mal en point.

De retour dans sa cabine, Lady Sarah Almont considéra le désordre d'abord provoqué par la tempête puis par l'irruption des cinq marins en plein milieu de ses préparatifs. Prudemment, elle redressa les chandelles qui avaient été renversées et les ralluma l'une après l'autre. Quand les cinq bougies rouges brillèrent, elle dessina un pentagramme sur le sol et se plaça au milieu.

Elle mourait de peur. Le jour où la Française Mme de Rochambeau lui avait montré le dernier engouement de la cour de Louis XIV, elle en avait ri et s'était même moquée. Mais ne disait-on pas qu'en France des femmes sacrifiaient leurs nouveau-nés pour s'assurer une jeunesse éternelle ? S'il y avait la moindre parcelle de vérité dans cette croyance, peut-être y avait-il moyen de sauver la vie d'une Anglaise...

Quel mal y avait-il à cela ? Elle ferma les yeux et entendit la tempête hurler autour d'elle. Agenouillée au milieu du pentagramme, elle commença à se caresser.

— Greedigut, articula-t-elle à voix basse. Greedigut, Greedigut, viens à moi !

Le *Trinidad* se cabra follement, les chandelles glissèrent d'un côté, de l'autre. Elle dut arrêter ses incantations pour les rattraper au vol. Tout cela était fort perturbant. Ce n'était pas facile de jouer les sorcières ! Mme Rochambeau ne lui avait pas parlé des sorts jetés en pleine mer. Peut-être restaient-ils sans effet. Peut-être tout cela n'était-il que des balivernes de Française.

— Greedigut…, gémit-elle en se caressant.

Elle eut soudain l'impression que la tempête s'apaisait.

Ou était-ce son imagination ?

— Greedigut, viens à moi, prends-moi, entre en moi…

Elle imagina des griffes, elle sentit le vent battre sa chemise de nuit, elle perçut une présence…

Et le vent tomba.

CINQUIÈME PARTIE

LA BOUCHE DU DRAGON

32

Hunter avait fini par sombrer dans un sommeil agité lorsqu'il fut réveillé par une impression étrange. Il s'assit dans son lit et s'aperçut que les éléments semblaient calmés : le galion n'était plus secoué comme un bouchon par les vagues et le vent se réduisait à un souffle.

Il se précipita sur le pont où ne tombait plus qu'une petite bruine. Il remarqua aussitôt que la mer s'était apaisée et que la visibilité s'améliorait. Enders tenait toujours la barre, à demi mort, mais souriant.

— On est sauvés, capitaine, dit-il en tendant la main vers bâbord.

Hunter vit se dessiner le profil bas et gris d'une île.

— Qu'est-ce que c'est ?

— Aucune idée. Mais on devrait y arriver sans problème.

Le galion ayant été poussé par la tempête pendant deux jours et deux nuits, ils ignoraient leur position. Ils approchèrent de la petite île plate et inhospitalière, à la végétation rabougrie. Même de loin, ils pouvaient voir que les cactus descendaient jusqu'à la côte.

— Je pense que nous sommes près des îles Sous-le-Vent, murmura Enders en plissant les yeux. À mon avis, nous ne devons pas être loin de la *Boca del Dragón*, et on n'est jamais tranquille dans ces eaux-là, soupira-t-il. Dommage qu'on n'ait pas un peu de soleil pour relever notre position.

La bouche du Dragon était le nom donné à la bande de mer qui s'étendait entre les Petites Antilles et la côte sud-américaine, une zone redoutable et redoutée, même si elle semblait assez paisible pour le moment.

Malgré les conditions clémentes, le *Trinidad* roulait et tanguait comme un ivrogne. En dépit de leurs voiles en lambeaux, ils réussirent à contourner la pointe sud de l'île et découvrirent, sur la côte ouest, une anse bien protégée avec un fond sablonneux idéal pour caréner. Dès que le galion fut ancré à l'abri, les hommes, épuisés, descendirent à terre se reposer.

Ils n'avaient vu aucun signe de Sanson ni du *Cassandra*, mais, dans leur fatigue extrême, ils ne se souciaient guère du sort de l'autre équipage. Ils s'affalèrent sur la plage dans leurs vêtements mouillés et dormirent le visage dans le sable, tels des cadavres rejetés par la mer. Alors que le soleil émergeait brièvement des nuages qui commençaient à se dissiper, Hunter sombra dans un profond sommeil, à bout de force.

Il fit beau pendant les trois jours suivants et l'équipage travailla dur à caréner le navire et réparer les dommages subis sous la ligne de flottaison et dans les superstructures. Ils avaient fouillé les cales de fond en comble sans découvrir le moindre bois de charpente. En temps normal, un galion de cette taille emportait toujours des espars et des mâts de rechange, mais les Espagnols avaient dû s'en débarrasser pour embarquer davantage de cargaison.

Enders releva la hauteur du soleil avec son astrolabe et calcula qu'ils ne se trouvaient pas très loin des bastions de Carthagène et de Maracaibo, sur la côte sud-américaine. Mais cela ne leur donnait pas le nom de leur île, aussi la baptisèrent-ils l'île Sans-Nom.

Hunter se sentait très vulnérable avec le *Trinidad* couché sur le côté, hors d'état de naviguer. En cas d'attaque, ils seraient en fâcheuse posture. Mais il n'avait aucune raison de s'inquiéter : cette île était à l'évidence inhabitée, à l'instar de ses deux voisines, plus au sud.

Pourtant il y sentait comme une hostilité, une menace. La terre aride disparaissait sous les cactus qui, par endroits, formaient une véritable forêt. Des oiseaux brillamment colorés jacassaient dans les hauteurs, leurs cris portés par le vent. L'alizé chaud soufflait à presque dix nœuds, les harcelant de jour comme de nuit, leur laissant à peine un léger répit à l'aube. Les hommes durent s'accoutumer à travailler et à dormir avec ses mugissements constants aux oreilles.

Hunter finit par poster des vigies sur le navire et autour des feux de camp, sous prétexte qu'il était temps de restaurer la discipline parmi ses hommes alors qu'en réalité une sombre appréhension le tenaillait. Le soir du quatrième jour, au dîner, après avoir attribué les tours de garde – Enders prendrait le premier, lui-même celui de minuit et Bellows le relèverait –, Hunter envoya un homme prévenir ce dernier. Le marin revint une heure plus tard, perplexe.

— Désolé, capitaine, je ne sais pas où est passé Bellows.

— Comment ça ?

— Personne ne l'a vu, capitaine.

Hunter balaya du regard la végétation le long de la côte.

— Il doit roupiller dans un coin. Débrouille-toi pour le retrouver. Il va m'entendre !

— Oui, capitaine.

Mais on eut beau fouiller la crique et ses alentours, on ne découvrit aucune trace du matelot. Au crépuscule, Hunter fit cesser les recherches et rassembla ses hommes autour des feux. Il en dénombra trente-quatre, en comptant les prisonniers et Lady Sarah. Il leur ordonna de rester groupés autour des foyers et confia le dernier tour de garde à un autre marin.

La nuit se déroula sans incident.

Au matin, Hunter décida de partir avec une dizaine d'hommes explorer l'îlot voisin, dans l'espoir d'y trouver du bois, même si de loin il semblait, hélas, couvert de la même végétation chétive que l'île Sans-Nom.

En réalité, un curieux pressentiment l'y poussait.

Ils débarquèrent sur la côte est et s'enfoncèrent dans une forêt de cactus malgré les épines qui s'accrochaient à leurs vêtements. Ils atteignirent le sommet vers midi et firent ainsi deux découvertes.

D'abord, ils aperçurent sur l'îlot suivant, plus au sud, des filets de fumée qui montaient d'une douzaine de foyers : il était donc habité. Mais, plus intéressant encore, ils découvrirent juste en dessous d'eux, sur la côte ouest, les toits d'un hameau qui avait toute l'apparence d'un comptoir espagnol.

Hunter et sa troupe descendirent prudemment vers les habitations en se glissant furtivement d'un bosquet de cactus à l'autre, leurs mousquets prêts à tirer. Alors qu'ils arrivaient à l'entrée du village, l'un des hommes vida son arme malencontreusement et le coup de feu résonna longuement, porté par le vent. Hunter lâcha un juron, s'attendant à une panique générale.

Il n'y eut aucune réaction, aucun signe de vie.

S'avançant encore, Hunter comprit que le comptoir était abandonné. Dans la première habitation, il ne trouva qu'une bible imprimée en espagnol et deux couvertures mangées par les mites, jetées en travers de paillasses de fortune. Des tarentules décampèrent dans l'obscurité.

Il ressortit dans la rue. Ses hommes émergèrent des autres maisons en secouant la tête, les mains vides.

— Ils ont peut-être été alertés de notre arrivée, suggéra un marin.

Hunter en doutait.

— Non, regarde la baie.

Quatre petits canots, ancrés non loin du bord, se balançaient doucement au gré des vagues. Si les villageois s'étaient enfuis, ce ne pouvait être que par la mer. Et ils n'auraient jamais laissé ces embarcations derrière eux.

— Venez voir ! cria un gabier qui s'était avancé sur la plage.

Hunter le rejoignit et aperçut dans le sable cinq longues traces laissées par des coques d'embarcations étroites, des canoës sans doute, que l'on avait tirés sur la plage. On voyait tout autour de nombreuses empreintes de pieds nus. Et des taches rouges.

— C'est du sang ?

— Je ne sais pas.

Hunter et ses hommes aperçurent au nord du village une église, aussi rudimentaire que les autres constructions. Ils trouvèrent l'intérieur saccagé, les murs maculés de sang. Un massacre y avait été perpétré ; il remontait déjà à plusieurs jours. L'odeur du sang séché donnait la nausée.

— Qu'est-ce que tu as vu ?

Hunter s'approcha d'un marin qui fixait, les yeux écarquillés, une peau couverte d'écailles abandonnée sur le sol.

— On dirait un crocodile.

— En effet, mais d'où vient-il ?

— Pas d'ici, répondit Hunter. Il n'y en a pas sur ces petites îles.

Il ramassa la peau. L'animal devait mesurer au moins cinq pieds de long. Les crocodiles des Antilles atteignaient rarement cette taille ; dans les marais jamaïcains, ils ne dépassaient jamais trois ou quatre pieds.

— Il a été tanné il y a longtemps, continua Hunter en l'examinant.

Des trous avaient été pratiqués autour de la tête et on y avait passé une lanière, comme pour porter cette peau sur les épaules.

— Que je sois damné ! Regardez là-bas, capitaine !

L'homme montrait l'île voisine. On ne voyait plus aucune fumée.

Ils entendirent alors un faible roulement de tambours.

— Nous ferions mieux de retourner au bateau, décida Hunter.

Les hommes ne se firent pas prier, mais il leur fallut une bonne heure pour regagner leur mouillage à l'est de l'île.

À leur arrivée, ils découvrirent sur la plage une nouvelle trace de pirogue.

Et, plus loin, près de leur chaloupe, au centre d'un cercle de sable soigneusement lissé et entouré de galets, ils aperçurent cinq doigts qui sortaient du sol.

— Quelqu'un a enterré une main ! s'écria un marin en tirant sur un doigt pour la sortir.

Le doigt vint tout seul. De surprise, l'homme le lâcha et fit un bond en arrière.

— Par les blessures de Dieu !

Hunter sentit son cœur s'accélérer. Il examina ses hommes : ils étaient épouvantés.

— Allons, allons ! grommela-t-il d'une voix qui se voulait rassurante.

Il se pencha pour ramasser les doigts l'un après l'autre et les tint dans sa paume, sous le regard horrifié de son équipage.

— Qu'est-ce que ça veut dire, capitaine ?

Il n'en avait aucune idée. Il les glissa dans sa poche.

— Retournons au galion, nous verrons ça plus tard.

Éclairé par le feu, il contemplait rêveusement les doigts. C'était Lazue qui avait répondu à la question que tous se posaient.

— Tu vois ces coupures ? avait-elle demandé en lui montrant la façon rudimentaire dont les doigts avaient été tranchés. C'est l'œuvre des Caraïbes, y a pas à s'y tromper.

— Des Caraïbes ! répéta Hunter, sidéré.

Il y avait longtemps que ces cruels guerriers des îles antillaises avaient été décimés. La plupart des Indiens des Antilles avaient été exterminés par les Espagnols dès les cent premières années de leur colonisation. On ne trouvait plus que quelques paisibles Arawaks, qui survivaient difficilement dans des îles reculées. Et il y avait belle lurette que les sanguinaires Caraïbes avaient disparu.

Du moins le prétendait-on.

— À quoi le vois-tu ? demanda Hunter.

— Aux coupures, répéta-t-elle. Elles n'ont pas été faites avec du métal mais avec de la pierre taillée.

— C'est encore une ruse des papistes pour nous effrayer ! protesta Hunter, qui avait du mal à accepter cette explication.

Mais alors même qu'il prononçait ces mots, il prit conscience que tout concordait : les traces de canoës, la peau de crocodile avec les lanières...

— Les Caraïbes sont cannibales, poursuivit Lazue, mais ils laissent les doigts en guise d'avertissement. Ça fait partie de leurs coutumes.

— Je vous demande pardon, capitaine, les interrompit Enders, mais Lady Almont n'est pas revenue.

— Quoi ?

— Elle n'est pas rentrée.

— Rentrée d'où ?

— Je l'ai autorisée à aller ramasser des fruits et des baies, avoua piteusement Enders, avec un geste vers les cactus plongés dans l'obscurité, loin de l'éclat des feux autour du navire. Elle m'a dit qu'elle était végétarienne...

— Quand l'avez-vous laissée partir ?

— Cet après-midi, capitaine.

— Et elle n'est toujours pas revenue ?

— J'avais demandé à deux hommes de l'accompagner. Je n'aurais jamais imaginé...

Il s'arrêta net en entendant soudain retentir dans l'obscurité le battement lointain des tambours indiens.

33

Debout à l'avant de la première des trois chaloupes, Hunter écoutait le clapotis de l'eau contre
la coque tout en scrutant la côte qui se rapprochait
dans la nuit. Le bruit des tambours avait augmenté
et on distinguait vaguement la lueur d'un feu à
l'intérieur de l'île.

— Ils ne mangent pas les femmes, murmura
Lazue qui était assise à côté de lui.

— Tant mieux pour toi !

— Et pour Lady Sarah. Il paraît que les Caraïbes
ne mangent pas non plus les Espagnols, gloussa-
t-elle. Ils sont trop durs. Les Hollandais seraient
dodus mais fades, les Anglais insipides et les
Français délicieux. Ça doit être vrai, tu ne
crois pas ?

— Il faut la récupérer, déclara Hunter d'une
voix sinistre. Nous avons besoin d'elle. Comment
veux-tu qu'on dise au gouverneur qu'on lui a sauvé
la vie si elle se fait boucaner par des sauvages.

— Tu ne trouves pas ça drôle ?

— Non, vraiment pas.

— Tu n'as aucun sens de l'humour.

— Non, pas ce soir.

Il se retourna vers les autres chaloupes qui suivaient dans le noir. Il avait pris avec lui vingt-sept hommes. Enders était resté sur le galion afin de poursuivre les réparations à la lueur des brasiers. Mais il avait beau réaliser des miracles, il y avait tant à faire que même s'ils arrivaient à ramener Lady Sarah au navire, ils ne pourraient pas quitter l'île Sans-Nom avant un jour ou deux. Ce qui laisserait aux Indiens tout le loisir de les attaquer.

Le fond de la chaloupe crissa sur le sable.

— On descend tous, sauf le Juif, chuchota-t-il. Et attention à ne pas l'éclabousser !

Les hommes obéirent et, dans l'eau jusqu'aux genoux, remontèrent la chaloupe au sec. Alors seulement le Juif mit pied à terre en serrant son précieux chargement contre lui.

— Vous ne l'avez pas mouillé ? s'inquiéta Hunter.

— Non, non, je ne pense pas. J'ai fait attention. Mais je n'y vois rien, ajouta-t-il en clignant des yeux.

— Suivez-moi.

Tandis que, derrière lui, les deux autres chaloupes déversaient le reste de ses troupes armées jusqu'aux dents, Hunter se dirigea vers l'intérieur de l'île. Profitant de la nuit noire et sans lune, les corsaires se glissèrent à pas furtifs entre les cactus, guidés par le martèlement des tambours et la lueur des feux.

Le village caraïbe était plus grand que Hunter ne s'y attendait : une douzaine de huttes en terre avec des toits de paille, disposées en demi-cercle autour de plusieurs feux. Les guerriers, la peau peinte d'un rouge écarlate, dansaient en braillant et leurs corps jetaient de longues ombres mouvantes. Certains portaient des peaux de crocodile sur la tête, d'autres brandissaient des crânes humains vers le ciel. Tous étaient nus comme des vers et scandaient une sinistre mélopée.

Au-delà des flammes, on pouvait observer l'objet de cette cérémonie : un tronc humain, sans bras ni jambes et éviscéré, trônait sur un treillis de baguettes de bois vert. À côté, des femmes nettoyaient des intestins humains.

Hunter cherchait vainement Lady Sarah des yeux. Le Maure tendit le doigt et il l'aperçut, couchée par terre, sur le flanc, les cheveux maculés de sang, inerte. Morte, sans doute.

Quand Hunter se retourna vers ses hommes, il lut la consternation et la rage sur leurs visages. Il chuchota quelques mots à Lazue et, après avoir fait signe à Bassa et à Don Diego de le suivre, il contourna le campement en rampant.

Ils entrèrent dans une hutte, le couteau à la main. Elle était déserte. Des crânes pendus au plafond s'entrechoquaient dans le vent. Un panier d'os était posé dans un coin.

— Vite ! les pressa Hunter.

Don Diego posa par terre une grenade dont il alluma la mèche. Les trois hommes ressortirent subrepticement avant de filer ventre à terre. Don Diego prit une seconde grenade à la main et ils attendirent.

La première explosa avec une force stupéfiante. La hutte se désintégra littéralement ; les guerriers rouges continuèrent à hurler, mais de terreur, cette fois. Don Diego jeta le second engin dans le feu. Il éclata, criblant les sauvages de fragments de métal et de verre.

Pendant que ses hommes ouvraient le feu depuis le sous-bois, Hunter et Bassa rampèrent jusqu'au corps de Lady Sarah Almont et le ramenèrent à l'abri des buissons. Tout autour d'eux, les Caraïbes succombaient sous les balles. Soudain, les toits de chaume s'enflammèrent. Le camp entier ne fut bientôt plus qu'un brasier.

Leur retraite s'effectua dans la confusion. Quand le géant Bassa chargea le corps de la jeune femme sur ses épaules, celle-ci laissa échapper un gémissement.

— Elle est en vie, s'écria Hunter.

Ils repartirent vers la plage en courant et remontèrent dans leurs embarcations. À l'aube, tous les hommes avaient regagné le galion, sains et saufs.

Enders, l'artiste des mers, chargea Hunter de poursuivre les réparations pendant qu'il descendait soigner la jeune femme. Il réapparut en milieu de matinée.

— Elle vivra, annonça-t-il. Elle a reçu un méchant coup sur la tête mais rien de grave. Dommage que tout le monde ne se porte pas aussi bien qu'elle, ajouta-t-il avec un regard angoissé sur le navire.

Malgré leurs efforts, le galion n'était toujours pas en état de naviguer. Il fallait encore consolider le grand mât, remplacer la hune ainsi que le mât de misaine, et l'énorme trou sous la ligne de flottaison n'était toujours pas colmaté. Ils avaient démonté une grande partie du pont supérieur pour se procurer le bois nécessaire et il leur faudrait bientôt s'attaquer au pont d'artillerie. Ils progressaient lentement.

— Nous ne pourrons pas prendre la mer avant demain matin, soupira Hunter.

— Ça ne me dit rien qui vaille de passer la nuit ici, murmura Enders en contemplant l'île. C'est tranquille pour l'instant, mais je crains l'obscurité.

— Moi aussi.

Plus que jamais pressés de partir, les corsaires décidèrent de travailler toute la nuit malgré leur épuisement. Hélas, il fallut employer nombre d'entre eux à monter la garde, ce qui ralentit d'autant les réparations, mais Hunter jugeait que c'était nécessaire.

À minuit, les roulements de tambours retentirent à nouveau pendant une bonne heure. Puis le silence retomba, inquiétant, oppressant.

Les hommes, à bout de nerfs, ne voulaient plus travailler et Hunter dut les secouer. Peu avant l'aube, un marin qui l'aidait à poser une planche se frappa le cou en lâchant un juron.

— Maudits moustiques !

Une seconde plus tard, il s'effondrait sur le pont et trépassait dans un spasme.

Hunter se pencha pour l'examiner et ne vit sur sa gorge qu'une minuscule piqûre avec une gouttelette de sang. Et pourtant il était bel et bien mort !

Un cri retentit à l'avant et un autre homme s'affala sur le sol, tué net. Ce fut la panique. Les sentinelles revinrent en courant vers le galion. Les autres se cachèrent derrière la coque.

Hunter étudia de nouveau le malheureux étendu à ses pieds. Il remarqua alors qu'il serrait quelque chose dans sa main : c'était une minuscule flèche à la pointe fine comme une aiguille. Un dard empoisonné !

— Ils arrivent ! crièrent les gardes et chacun s'abrita comme il put.

Une attente angoissante commença. Mais il ne se passait rien. Aucun bruit ne leur parvenait de la rive couverte de cactus.

Enders s'approcha de Hunter en rampant.

— Si on se remettait au travail ?

— Combien avons-nous de morts ?

— Peter, là-bas, et Maxwell, répondit Enders en baissant les yeux vers le corps à leurs pieds.

Hunter secoua la tête : il ne lui restait plus que trente et un hommes.

— Je ne peux pas me permettre d'autres pertes. Attendons le lever du soleil.

— Je fais passer le mot.

À peine Enders s'éloigna-t-il, plié en deux, qu'Hunter entendit un petit claquement sec. Une fléchette venait de se ficher dans le bois, au ras de son oreille. Il s'accroupit précipitamment et ne bougea plus.

Rien ne se passa jusqu'au lever du jour, quand, brusquement, avec des cris lugubres, une horde de guerriers peinturlurés de rouge jaillit des buissons et déferla sur la plage. Les hommes de Hunter répondirent par une volée de balles de mousquets. Une douzaine de sauvages s'effondrèrent sur le sable pendant que les autres disparaissaient derrière les cactus.

Les corsaires attendirent, tapis dans l'ombre, jusqu'à midi. Hunter donna finalement l'ordre de reprendre le travail. Puis il partit avec une petite troupe vers l'intérieur de l'île. Il ne vit aucune trace de leurs attaquants. Ils s'étaient volatilisés.

Il revint au bateau. Les hommes, harassés et hagards, n'avançaient guère, pourtant Enders reprenait espoir.

— Croisons les doigts et prions le Ciel, avec un peu de chance, nous devrions bientôt nous remettre à flot.

Tandis que les coups de marteaux redoublaient, Hunter descendit prendre des nouvelles de Lady Sarah.

Il la trouva couchée dans son lit, les yeux rivés sur la porte.

— Madame, comment vous sentez-vous ?

Elle le fixa sans rien dire, comme si elle ne le voyait pas.

— Madame ?

Pas de réponse.

— Madame ?

Il passa une main devant son visage. Aucune réaction. Elle ne cilla même pas.

Il repartit en secouant la tête.

Ils profitèrent de la marée du soir pour remettre le *Trinidad* à flot. Mais ils ne pouvaient pas quitter la crique avant l'aurore. Hunter arpentait le pont de son navire sans détacher son regard de la côte. Les tambours retentirent de nouveau. Bien qu'exténué, Hunter ne dormit pas. On entendait régulièrement des fléchettes mortelles siffler dans la nuit. Personne ne fut touché. Enfin, après avoir inspecté le navire à quatre pattes, Enders se déclara satisfait, si ce n'est content, des réparations effectuées.

Dès les premières lueurs de l'aube, ils levèrent l'ancre et larguèrent les voiles pour gagner le large. Hunter surveillait la côte, s'attendant à voir surgir une flotte de canoës chargés de guerriers. À présent qu'il pouvait leur délivrer une bordée de boulets, il brûlait même d'impatience de les voir.

Mais les Indiens n'attaquèrent pas et, alors que le vent gonflait les voiles et que l'île Sans-Nom disparaissait derrière eux, tout cet épisode lui parut bientôt un mauvais rêve. À bout de force, il ordonna à ses hommes de se reposer et laissa Enders à la barre avec un équipage limité.

Enders rétorqua aussitôt que cela ne lui plaisait pas.

— Pardieu, vous n'êtes jamais content ! Nous venons à peine d'échapper aux sauvages, de remettre notre navire à flot et de gagner le large ! Que souhaitez-vous de plus ?

— Vous oubliez que nous sommes dans la *Boca del Dragón* et ce n'est vraiment pas l'endroit idéal pour naviguer avec un équipage réduit !

— Les hommes ont besoin de dormir, répliqua Hunter.

Et il descendit dans sa cabine étouffante, où il sombra instantanément dans un sommeil agité.

Il rêva que son galion chavirait dans la *Boca del Dragón*, là où s'étendaient les plus profonds abysses de la mer des Antilles. Il s'enfonçait dans les eaux bleues, puis noires…

Réveillé en sursaut par une femme qui appelait, il se rua sur le pont. Dans la brise légère, les voiles du *Trinidad* se teintaient de rose sous les dernières lueurs du soleil couchant. Lazue avait relevé Enders à la barre.

— Regarde ! s'écria-t-elle, la main tendue vers la mer.

Hunter aperçut un bouillonnement et une forme phosphorescente bleu-vert qui fonçait sur eux.

— Le dragon ! murmura Lazue. Ça fait plus d'une heure qu'il nous suit.

Hunter vit la créature luminescente se rappro-cher et avancer parallèlement au navire, à la même vitesse que lui. Elle était gigantesque, constituée d'une énorme masse de chair brillante et de longs tentacules qui s'étiraient derrière elle.

— Non ! s'écria Lazue alors que la barre lui était arrachée des mains et que le vaisseau tanguait dan-gereusement. Il nous attaque !

Hunter se précipita pour reprendre le gouvernail. Mais la force qui le contrôlait, bien supérieure à la sienne, le projeta brutalement contre le plat-bord. Il poussa un cri, sonné par le choc.

Les marins se ruèrent sur le pont, alertés par les hurlements de Lazue.

— Le kraken ! Le kraken ! hurlaient-ils de toutes parts.

À peine Hunter se redressait-il qu'un tentacule se glissa au-dessus du plat-bord et s'enroula autour de sa taille. Des ventouses aux crochets cornés coupants comme des rasoirs s'accrochèrent à ses vêtements et le traînèrent vers le bastingage. Sur-montant sa révulsion au contact de la peau glacée du monstre, il donna des coups de poignard dans

le bras visqueux qui l'encerclait. Celui-ci le souleva du sol avec une puissance colossale. Hunter
continua à plonger sa dague dans la chair flasque,
encore et encore. Un liquide vert coula le long de
ses jambes.

Subitement, le tentacule lâcha prise et Hunter
tomba sur le pont. À peine relevé, il en vit d'autres
serpenter de tous côtés, surgissant aussi bien de la
poupe que de la proue du *Trinidad*. Un marin se
débattit en hurlant tandis que la créature l'emportait dans les airs avant de le précipiter dédaigneu-
sement à l'eau, comme s'il la dégoûtait.

— Descendez sous le pont ! Mettez-vous à
l'abri ! hurla Hunter.

Il entendit une volée de mousquets partir du
milieu du navire. Ses hommes, penchés par-dessus
le bastingage, tiraient sur l'animal.

Hunter courut à l'arrière : l'horrible monstre
bulbeux s'accrochait au vaisseau par ses nombreux
tentacules qui fouettaient l'air et s'insinuaient partout. Tout son corps brillait d'un vert phosphores-
cent dans l'obscurité croissante. Hunter remarqua
soudain que des tentacules tentaient de s'introduire par les fenêtres du château arrière. Songeant
à Lady Sarah, il se précipita vers le pont inférieur.

Il trouva la jeune femme toujours prostrée, le
regard fixé sur la porte.

— Venez, madame…

Au même moment, les fenêtres à croisillons de
plomb volèrent en éclats et un énorme tentacule,
gros comme un tronc d'arbre, plongea dans la
cabine, s'enroula autour d'un canon et l'arracha

de son affût. L'énorme pièce d'artillerie traversa la pièce. Les ventouses avaient laissé de profondes entailles jaunes et brillantes sur le métal.

Lady Sarah poussa un hurlement.

Hunter trouva une hache et en frappa le bras monstrueux qui tournoyait autour de lui. Une immonde giclée verte lui inonda le visage. Les ventouses le frôlèrent en lui écorchant la peau. Le tentacule recula pour revenir, tel un fouet, s'enrouler autour de ses jambes et le jeter par terre, avant de le tirer sur le sol en direction de la fenêtre. Hunter planta la hache dans le plancher pour se retenir. Hélas, sa prise céda et il disparut à travers la fenêtre hérissée de morceaux de verre alors que les hurlements de Lady Sarah redoublaient.

Pendant un instant, tenu par une seule jambe, il se retrouva secoué dans les airs comme une poupée de chiffon. Mais brutalement projeté contre la poupe du navire, il réussit à s'agripper d'une main à la rambarde de la cabine arrière, pendant que, de l'autre, il continuait à taillader le tentacule qui finit par le lâcher.

Suspendu par un bras au-dessus du vide, Hunter se retrouva très près de la créature qui écumait dans l'eau en dessous de lui. Il fut stupéfié par sa taille. On aurait dit qu'elle voulait dévorer le navire tandis qu'elle encerclait sa coque de ses tentacules. Elle dégageait une telle lumière que l'air autour d'elle irradiait. Juste en dessous de lui, il voyait un œil gigantesque, d'au moins cinq pieds de large, plus gros qu'une table. Cet œil, totalement dénué d'expression, ne cillait pas ; la pupille

noire entourée de chair fluorescente le considérait sans la moindre émotion. À l'avant, le corps
hideux de la créature qui s'étalait vers la proue
avait la forme d'une bêche à deux pointes aplaties.
Mais ce furent ses tentacules qui retinrent toute
l'attention de Hunter.

L'un d'eux s'avançait vers lui avec des ventouses
larges comme des assiettes et hérissées d'ergots.
Tandis qu'elles lui écorchaient la peau, il se tor-
tilla pour leur échapper, toujours suspendu au
garde-corps de la cabine arrière.

Au-dessus de lui, les marins ouvrirent le feu.

— Arrêtez ! hurla Enders. Le capitaine est en
dessous !

Au même instant, d'une gifle magistrale, un tentacule l'arracha à la rambarde. Il tomba droit sur
l'animal.

Hunter se débattit quelques instants dans l'eau
fluorescente avant de s'apercevoir qu'il avait pied :
il se tenait debout sur le monstre ! Il était glissant
et gluant, aussi instable qu'une vessie remplie
d'eau. Hunter se retrouva à quatre pattes et sentit
sous ses mains et ses genoux la peau qui palpitait,
grumeleuse et froide. Rampant tant bien que mal,
il s'avança vers l'œil qui, vu de si près, ressemblait
à un puits sans fond au milieu de cette phospho-
rescence verte.

Sans un instant d'hésitation, Hunter abattit sa
hache sur cet horrible globe. Elle rebondit sur
le dôme. Il frappa de plus belle. Enfin, le métal
entailla la cornée. Un geyser d'eau en jaillit ; la
chair autour de l'œil parut se contracter.

Subitement, la mer prit une teinte laiteuse et il perdit pied tandis que la créature s'enfonçait. Il flottait enfin libre au milieu de l'océan. Il appela aussitôt à l'aide et on lui lança une corde. À peine l'avait-il attrapée que le monstre remontait à la surface telle une fusée. Hunter fut brutalement projeté en l'air dans un nuage d'eau avant de retomber brutalement sur la peau glissante et instable.

Enders et le Maure enjambèrent le bastingage et sautèrent le rejoindre, armés de lances qu'ils plongèrent de toutes leurs forces dans le corps de la créature. Des colonnes de liquide vert jaillirent dans les airs. Soulevant une montagne d'eau, l'animal se laissa subitement couler vers les grands fonds et disparut.

— Merci ! s'écria Hunter tandis qu'il se débattait au milieu des remous avec ses deux compagnons.

— Ne me remerciez pas, protesta Enders en montrant Bassa de la tête. C'est cet abruti de nègre qui m'a poussé à l'eau !

Un grand sourire s'étala sur le visage du Maure.

Ils virent alors, au-dessus de leurs têtes, la masse impressionnante du galion commencer à virer pour venir les récupérer.

— Vous savez, haleta Enders pendant qu'ils nageaient tous les trois sur place, à notre retour à Port Royal, personne ne voudra croire ce que nous venons de vivre.

On leur lança des cordes et ils furent hissés à bord, toussant et crachant, exténués.

SIXIÈME PARTIE

PORT ROYAL

34

Le 17 octobre 1665, aux premières heures de l'après-midi, le galion espagnol *Trinidad* s'engagea dans la passe est qui menait à Port Royal. Arrivé devant South Cay, un minuscule îlot à la végétation rabougrie, le capitaine Hunter donna l'ordre de jeter l'ancre. Ils se trouvaient à deux milles de Port Royal proprement dit. Les corsaires contemplèrent la ville. Le port était tranquille ; leur arrivée n'avait pas encore été remarquée, mais ils savaient que, dans quelques instants, retentiraient les coups de fusils annonçant le début des extraordinaires festivités qui accompagnaient toujours l'arrivée d'un vaisseau pris à l'ennemi. La fête durerait au moins deux jours.

Pourtant les heures s'écoulaient et ils ne voyaient toujours aucun signe de liesse. Au contraire, la ville semblait s'éteindre de minute en minute. Ils ne percevaient ni détonation, ni feu de joie, ni cri de bienvenue au-dessus des eaux calmes.

Enders fronça les sourcils.

— Les papistes les auraient-ils attaqués ?

Hunter secoua la tête.

— Impossible !

Port Royal représentait le bastion anglais le mieux défendu du Nouveau Monde. Les Espagnols pouvaient à la rigueur assaillir Saint-Christophe ou un autre avant-poste. Mais pas Port Royal.

— Y a quelque chose qui cloche, pour sûr !

— Nous allons bientôt savoir ce qui se passe, déclara Hunter, car, tandis qu'ils devisaient, une chaloupe quittait le fort Charles, sous les canons duquel ils étaient mouillés.

L'embarcation s'amarra le long du *Trinidad* et un capitaine de la milice du roi monta à bord. Hunter le connaissait ; c'était Emerson, un jeune et brillant officier. Il semblait tendu. Et ce fut d'une voix trop forte qu'il demanda :

— Qui est le capitaine de ce vaisseau ?

— C'est moi, répondit Hunter en s'avançant vers lui avec un grand sourire. Comment allez-vous, Peter ?

Emerson, toujours aussi raide, fit comme s'il ne le reconnaissait pas.

— Identifiez-vous, monsieur, s'il vous plaît.

— Peter, vous savez parfaitement qui je suis. Que signifie…

— Identifiez-vous, monsieur, ou je me verrai dans l'obligation de vous donner une amende.

Hunter fronça les sourcils.

— Qu'est-ce que c'est que cette comédie ?

— Êtes-vous Charles Hunter, originaire de la colonie de la baie du Massachusetts, et résidant en Jamaïque, colonie de Sa Majesté ?

— C'est bien moi, répondit Hunter tout en remarquant qu'en dépit de la fraîcheur de la soirée, Emerson transpirait sous son uniforme.

— Identifiez votre navire, s'il vous plaît.

— C'est un galion espagnol connu sous le nom de *Trinidad*.

— Un vaisseau espagnol ?

— Ça se voit comme le nez au milieu de la figure ! s'énerva Hunter.

— Alors, poursuivit Emerson en prenant une profonde inspiration, j'ai le devoir, Charles Hunter, de vous arrêter sous l'inculpation de piraterie...

— De piraterie !

— ... vous et l'ensemble de votre équipage. Je vous prie de bien vouloir m'accompagner dans la chaloupe.

— Et de qui viennent ces ordres ? demanda Hunter, stupéfait.

— De M. Robert Hacklett, gouverneur de la Jamaïque par intérim.

— Mais Sir James...

— À l'heure même où nous parlons, Sir James est mourant. Maintenant, suivez-moi, je vous prie.

Dans un état second, Hunter monta dans la chaloupe. Tandis que les soldats ramaient vers le port, il se retourna vers son navire, en songeant à son équipage qui devait être aussi stupéfait que lui.

— Que diable s'est-il passé ? demanda-t-il à Emerson.

L'officier parut se détendre à présent qu'il avait regagné son bord.

— Nous avons eu de nombreux changements depuis que Sir James a été frappé par la fièvre, il y a une quinzaine de jours.

— Quelle fièvre ?

— Je sais seulement qu'il doit garder le lit, au palais du gouverneur. En son absence, M. Hacklett assume la direction de la colonie, assisté par le commandant Scott.

— Ce n'est pas possible !

Hunter avait du mal à assimiler toutes ces informations, ébahi d'avoir survécu aux innombrables péripéties de ces six dernières semaines pour se retrouver emprisonné et sans doute bientôt pendu comme un vulgaire pirate.

— Oui, M. Hacklett a décidé de nettoyer la ville. Les prisons sont pleines. Pitts a été pendu la semaine dernière…

— Pitts !

— … et Morely hier à peine. Et un mandat d'arrêt a été dressé contre vous.

Mille protestations lui sautèrent à l'esprit et autant de questions. Mais il se tint coi. Emerson n'était qu'un fonctionnaire, un homme qui exécutait les ordres de son supérieur, même s'il s'agissait de ce pantin de Scott. Emerson remplirait son devoir quoi qu'il arrive.

— Dans quelle prison doit-on m'envoyer ?

— À Marshallsea.

Hunter éclata de rire devant le ridicule de la situation.

— Je connais bien son geôlier.

— Plus maintenant. Il a changé. Hacklett a nommé un homme à lui.

— Je vois.

Hunter ne dit plus rien. Il écouta le bruit des rames sur l'eau tout en contemplant la masse imposante du fort Charles qui se rapprochait.

Une fois à l'intérieur du fort, il fut impressionné par l'ordre et la discipline qui y régnaient. Auparavant, il y traînait toujours une bonne douzaine d'ivrognes vautrés dans un coin à brailler des chansons paillardes. À présent, il ne voyait que des soldats en uniforme impeccable.

Il traversa ensuite la ville escorté par une compagnie de soldats vigilants et armés. Ils suivirent Lime Street, d'un calme inhabituel, puis York Street, où les tavernes, d'ordinaire bien éclairées à cette heure, étaient plongées dans l'obscurité. Le silence des rues désertes le frappa.

Ils arrivèrent à Marshallsea, la prison pour hommes, au bout de York Street. C'était un gros bâtiment de cinquante cellules, sur deux niveaux. L'intérieur empestait l'urine et les excréments ; des rats couraient entre les paillasses à même le sol. Des prisonniers aux yeux creusés regardèrent Hunter alors qu'on le conduisait vers sa cellule, à la lumière d'une torche.

Il examina la pièce. Elle était vide, sans un lit ni même un bat-flanc, juste un peu de paille par terre et une haute fenêtre avec des barreaux. Par l'ouverture, il vit un nuage passer devant la lune.

Il se tourna vers Emerson.

— Quand doit-on me juger ?

— Demain, répondit Emerson avant de refermer la porte de la cellule derrière lui.

Le procès de Charles Hunter eut lieu le 18 octobre 1665, un samedi, jour où les juges ne siégeaient pourtant jamais en temps normal.

La salle du tribunal, au demeurant fort endommagé par un tremblement de terre, était vide quand on le fit entrer, seul, sans son équipage, face à une cour composée de sept hommes et présidée par Robert Hacklett en personne, en sa qualité de gouverneur de la colonie de Jamaïque par intérim.

On demanda à Hunter de se lever pour la lecture de l'acte d'accusation.

— Levez la main droite.

Il obéit.

— Vous, Charles Hunter, ainsi que tous les membres de votre équipage, êtes, par l'autorité de notre souverain seigneur Charles, roi de Grande-Bretagne, accusés de ce qui suit...

Dans le silence qui suivit, Hunter passa les visages en revue ; Hacklett, qui le toisait, un rictus sournois sur les lèvres ; Lewisham, le juge de l'amirauté, visiblement très embarrassé ; le commandant Scott, qui se nettoyait les dents avec un cure-dent en or ; les marchands Foster et Poorman, fuyant l'un comme l'autre son regard ; le lieutenant Dodson, un riche officier de la milice, qui tirait nerveusement sur son uniforme ; James Phips, un capitaine de navire marchand. Hunter connaissait chacun d'entre eux et remarqua qu'ils semblaient tous très mal à l'aise.

— … Attendu qu'au mépris total des lois de notre pays et des alliances souveraines de notre roi, vous vous êtes tous associés, dans un dessein malhonnête, pour nuire, sur terre et sur mer, aux sujets et aux biens de Sa Majesté Très Chrétienne Philippe d'Espagne. Et que vous vous êtes ainsi rendus, dans ces intentions des plus mauvaises et des plus condamnables, au comptoir espagnol de l'île de Matanceros, en coulant, brûlant ou volant tous les navires et vaisseaux qui croisaient votre chemin.

— Vous êtes ainsi accusés d'avoir attaqué en toute illégalité un navire espagnol dans les eaux de Matanceros et de l'avoir coulé corps et biens.

Et enfin, dans l'accomplissement de tout cela, vous étiez, tous et chacun d'entre vous, unis de plein gré, dans vos rôles respectifs, et fermement décidés à attaquer et détruire les navires et les comptoirs espagnols susdits et à assassiner les bons sujets du roi d'Espagne. Que plaidez-vous, Charles Hunter ?

— Non coupable, répondit-il après un bref silence.

Pour lui, ce procès n'était qu'une parodie de justice. La loi du Parlement de 1612 stipulait que le tribunal devait être composé d'hommes qui n'avaient aucun intérêt, direct ou indirect, dans les affaires jugées. Or chacun de ces juges avait intérêt à le condamner puisque cela entraînerait la confiscation du navire et de son trésor.

Ce qui le perturbait, c'était la précision de l'acte d'accusation. Personne, en dehors de lui et de ses hommes, ne pouvait savoir ce qui s'était passé pendant l'attaque de Matanceros. Et pourtant l'acte d'accusation mentionnait son combat victorieux contre le navire de guerre espagnol. Où le tribunal avait-il obtenu cette information ? Il ne voyait qu'une explication : un membre de son équipage avait parlé, sous la torture, pendant la nuit.

La cour reçut sa réponse sans manifester la moindre surprise.

Hacklett se pencha vers lui.

— Monsieur Hunter, reprit-il d'une voix calme, ce tribunal reconnaît la place prépondérante que vous occupez dans notre colonie de Jamaïque. Mais nous préférerions éviter tout cérémonial inutile qui ne saurait en aucun cas servir la justice. Accepteriez-vous de présenter dès maintenant votre défense ?

Surpris, Hunter réfléchit quelques instants avant de répondre. Hacklett enfreignait toutes les règles de la procédure judiciaire. Il devait y trouver son intérêt. Cependant, lui, l'accusé, ne pouvait pas laisser passer pareille opportunité.

— Si cela peut satisfaire les membres distingués de cette juste cour, répondit-il sans trace d'ironie, je m'y emploierai de mon mieux.

Les juges opinèrent avec gravité et circonspection.

Hunter les dévisagea l'un après l'autre avant de reprendre la parole.

— Messieurs, personne parmi vous n'est mieux informé que moi du traité sacré qui vient d'être signé entre Sa Majesté le roi Charles et la Couronne d'Espagne. Jamais je n'aurais brisé les nouveaux liens tissés entre nos nations sans provocation. Et provocation il y a eu, hélas, à plusieurs reprises. Pour commencer, mon navire, le *Cassandra*, a été pris en chasse par un vaisseau de ligne espagnol et mes hommes ont été capturés sans raison. Ensuite, deux d'entre eux ont été sauvagement assassinés par Cazalla, le capitaine de ce navire. Par ailleurs, ce même Cazalla avait aussi intercepté un navire marchand anglais qui transportait, entre autres valeurs dont je n'ai pas eu connaissance, Lady Sarah Almont, la propre nièce du gouverneur de cette colonie.

» Cet Espagnol, Cazalla, officier du roi Philippe, a en outre détruit le navire marchand l'*Intrepid* et exterminé tout son équipage de sang-froid. Parmi les victimes se trouvait un proche de Sa Majesté le roi Charles, le capitaine Warner. Je suis certain que Sa Majesté sera très affectée par la disparition de ce gentilhomme.

Hunter marqua une pause. Les juges ignoraient ce détail et, à l'évidence, n'étaient pas très heureux de l'apprendre : le roi Charles ne supportait pas qu'on touche à un cheveu de ses amis. Alors s'il apprenait que l'un d'eux avait été tué...

— C'est donc à la suite de ces différentes provocations que nous avons décidé d'attaquer Matanceros, afin de délivrer Lady Sarah et de nous dédommager de nos pertes en prenant ce que nous jugerions juste et raisonnable. Il ne s'agissait donc pas de piraterie en l'occurrence, messieurs, mais de justes et honorables représailles bien méritées après ces crimes atroces commis en mer, et telles furent les seules motivations de ma conduite.

Il s'arrêta pour juger de l'effet de ses paroles sur les membres du tribunal. À leur regard impassible, il comprit brusquement qu'ils connaissaient déjà tous la vérité.

— Lady Sarah peut confirmer la véracité de mes dires, ainsi que n'importe quel homme de mon équipage. L'accusation portée contre moi est sans fondement, car on ne peut parler de piraterie quand il y a eu provocation, et la provocation fut des plus extrêmes.

Il avait terminé. Il considéra les visages autour de lui. Ils étaient impénétrables, fermés. Un frisson lui parcourut le dos.

Hacklett se pencha de nouveau vers lui.

— Avez-vous quelque chose à ajouter pour votre défense, monsieur Charles Hunter ?

— Non, j'ai dit tout ce que j'avais à dire.

— Et permettez-moi de vous assurer que vous avez été très convaincant.

Un murmure d'approbation monta des six autres juges tandis qu'ils hochaient la tête.

— Quant à savoir si vous avez dit la vérité, c'est une autre question qu'il nous faut à présent considérer. Ayez donc l'amabilité d'informer ce tribunal des raisons qui vous ont poussé à prendre la mer, pour commencer.

— L'abattage de bois de campêche.

— Vous aviez des lettres de marque ?

— Oui, rédigées de la main même de Sir James Almont.

— Et où sont ces documents ?

— Ils ont été perdus avec le *Cassandra*, mais je suis sûr que Sir James vous confirmera les avoir écrits.

— La gravité de l'état de santé de Sir James ne lui permet pas de confirmer ou d'infirmer quoi que ce soit devant cette cour. Néanmoins, je pense que nous pouvons vous croire sur parole quant à la délivrance de ces papiers.

Hunter inclina légèrement la tête.

— À présent, précisez-moi à quel endroit vous avez été capturé avec votre bateau ? poursuivit Hacklett. Dans quelles eaux ?

Hunter vit aussitôt le piège et réfléchit avant de répondre. Comprenant que son hésitation pouvait nuire à sa crédibilité, il prit le parti de dire la vérité... enfin presque.

— Dans le passage du Vent, au nord de Porto Rico.

— Au nord de Porto Rico ! répéta Hacklett, feignant la stupéfaction. Il y a du bois de campêche dans cette région ?

— Non, mais nous avions essuyé pendant deux jours une effroyable tempête qui nous avait considérablement déviés de notre route.

— En effet, elle devait être impressionnante, car Porto Rico se situe au nord-est de la Jamaïque, alors qu'on ne trouve du bois de campêche qu'au sud-ouest.

— Je ne puis être tenu responsable des méfaits du mauvais temps.

— À quelle date cette tempête a-t-elle eu lieu ?

— Les 13 et 14 septembre.

— C'est étrange. Il faisait très beau en Jamaïque, ces jours-là.

— Il est connu que les conditions en mer sont souvent différentes de celles sur terre.

— La cour vous remercie, monsieur Hunter, pour cette leçon de marine. Mais je pense que vous avez peu de choses à apprendre aux honorables gentilshommes réunis ici, non ? Pour en revenir aux faits, monsieur Hunter – vous m'excuserez si je ne vous appelle pas capitaine –, affirmeriez-vous n'avoir jamais eu l'intention, à aucun moment, d'attaquer un comptoir espagnol avec votre navire et votre équipage.

— Je l'affirme.

— Vous n'avez jamais tenu conseil pour organiser illégalement une telle attaque ?

— Jamais, répondit Hunter avec toute la conviction qu'il put rassembler, persuadé qu'aucun de ses hommes n'oserait le contredire sur ce point.

Admettre qu'ils s'étaient arrêtés à Bull Bay pour voter reviendrait à reconnaître un acte de piraterie.

— Êtes-vous prêt à jurer sur votre âme que vous n'avez jamais discuté d'un tel dessein avec aucun membre de votre équipage ?

— Je le jure.

Hacklett marqua un silence.

— Laissez-moi m'assurer que je vous ai bien compris. Vous êtes donc partis chercher du bois de campêche et le malheur a voulu qu'une tempête, qui n'a jamais touché nos côtes, vous entraîne vers le nord. À la suite de quoi vous avez été capturés, sans provocation d'aucune sorte de votre part, par un vaisseau de guerre espagnol. Est-ce correct ?

— Tout à fait.

— Ensuite, vous avez découvert que ce vaisseau avait attaqué un navire marchand anglais et retenait en otage Lady Sarah Almont, ce qui vous a donné un droit de représailles, c'est bien cela ?

— En effet.

— Mais comment l'avez-vous appris ? demanda Hacklett après un nouveau silence.

— Elle se trouvait à bord au moment de notre capture. Je l'ai découvert grâce… à… à une indiscrétion commise par un soldat espagnol.

— Quel heureux hasard !

— C'est pourtant ainsi que cela s'est passé ! Après avoir réussi à nous échapper, ce qui je l'espère n'est pas considéré comme un crime par ce tribunal, nous avons poursuivi le vaisseau de guerre jusqu'à Matanceros où nous avons vu Lady Sarah débarquer devant la forteresse.

— Vous avez donc attaqué ce comptoir dans le seul but de sauver la vertu de cette dame ?

Hunter considéra ses juges l'un après l'autre.

— Messieurs, je crois pouvoir affirmer que le rôle de ce tribunal n'est pas de déterminer si je suis un saint (quelques rires fusèrent) mais seulement si je suis un pirate. Je savais, bien évidemment, qu'un galion se trouvait dans le port de Matanceros. Et qu'il constituerait une prise inestimable. Je prie cependant cette cour de considérer que nous avions subi assez de provocations pour justifier vingt fois cette attaque, et je parle de provocation au sens large du terme, que ne saurait démentir aucune chicane de droit ni discussion spécieuse.

Il considéra le greffier qui avait pour devoir de noter ses moindres paroles. Il s'aperçut avec stupeur que l'homme l'écoutait tranquillement, les bras ballants.

— Dites-nous comment vous avez réussi à vous évader du vaisseau espagnol après votre capture, reprit Hacklett.

— Ce fut grâce à la bravoure exceptionnelle de Sanson, un Français.

— Vous semblez porter cet homme en haute estime ?

— En effet, ne lui dois-je point la vie ?

— Qu'il en soit ainsi ! s'exclama Hacklett en se tournant sur son siège. Qu'on fasse entrer le premier témoin, M. André Sanson !

— Sanson !

Hunter se tourna vers la porte, de nouveau abasourdi, tandis que Sanson pénétrait dans le tribunal d'un pas rapide et fluide et prenait sa place dans le box des témoins. Il leva la main droite.

— André Sanson, jurez-vous sur la Sainte Bible de dire devant Dieu toute la vérité concernant les actes de piraterie et de pillage dont l'inculpé est accusé ?

— Je le jure.

Sanson baissa la main, dévisagea Hunter d'un œil froid et méprisant et soutint son regard jusqu'à ce que Hacklett reprenne la parole.

— Monsieur Sanson ?

— Monsieur le juge.

— Monsieur Sanson, M. Hunter vient de nous donner sa propre version des faits concernant son expédition. Nous aimerions à présent entendre la vôtre, en qualité de témoin hautement estimé par l'accusé. Pouvez-vous nous dire, s'il vous plaît, quel était le but du voyage du *Cassandra*, tel qu'il vous fut présenté au début ?

— La coupe de bois de campêche.

— Et vous vous êtes aperçu qu'il ne s'agissait pas du tout de cela ?

— En effet.

— Je vous en prie, expliquez-le à la cour.

— Quand nous avons pris la mer le 12 septembre, M. Hunter nous a d'abord conduits à l'anse des Singes. Là, il nous a appris qu'il se rendait en fait à Matanceros, pour capturer le trésor des Espagnols.

— Et quelle a été votre réaction ?

— J'étais révolté. J'ai rappelé à M. Hunter que cette attaque serait un acte de piraterie punissable de mort.

— Et qu'a-t-il répondu ?

— Après m'avoir copieusement insulté, il m'a prévenu que si je refusais de le suivre de mon plein gré, il m'abattrait comme un chien avant de me jeter en pâture aux requins.

— Alors vous avez participé à tout ce qui a suivi contre votre volonté.

— Exactement.

Hunter fixait Sanson. Le Français s'exprimait avec un calme imperturbable sous lequel on ne pouvait déceler l'ombre d'une dissimulation. L'œil rivé sur Hunter, plein d'arrogance, il le défiait de contester les mensonges qu'il débitait avec une telle assurance.

— Que s'est-il ensuite passé ?

— Nous avons fait voile sur Matanceros, que nous comptions attaquer par surprise.

— Pardonnez-moi, vous voulez dire sans aucune provocation de leur part ?

— Oui.

— Je vous en prie, continuez.

— Pendant que nous nous dirigions vers Matanceros, nous avons rencontré le navire de guerre espagnol. Et comme ils étaient beaucoup plus forts que nous, ils nous ont capturés comme pirates.

— Et qu'avez-vous fait ?

— Je n'avais aucune envie de mourir au bout d'une corde à La Havane, d'autant que j'avais été entraîné dans cette expédition contre mon gré. Alors je me suis caché, ce qui m'a permis de délivrer mes compagnons, persuadé qu'ils décideraient ensuite de rentrer à Port Royal.

— Et ce ne fut pas le cas ?

— Hélas, non. Dès que M. Hunter a repris les commandes de son sloop, il nous a forcés à faire voile sur Matanceros pour exécuter son plan initial.

— Je vous ai forcés ! explosa Hunter. Comment aurais-je pu forcer soixante hommes ?

— Silence ! aboya Hacklett. Si le prisonnier ne garde pas le silence, il quittera le tribunal. Et comment vous entendiez-vous avec l'accusé, à ce moment-là ? reprit-il en se tournant vers Sanson.

— Mal. Il m'a mis aux fers pendant toute la durée de la traversée.

— Ensuite vous avez attaqué Matanceros et capturé le galion.

— Oui, et c'est ainsi que je me suis retrouvé sur le *Cassandra*. Après le combat, M. Hunter a constaté que le sloop n'était plus en état de naviguer et m'a confié les commandes de cette épave, espérant ainsi se débarrasser de moi et de quelques hommes qui partageaient mes idées, persuadé que nous finirions par sombrer. Alors que nous faisions route vers Port Royal, nous avons été pris dans un ouragan qui a coulé notre navire en emportant tous mes compagnons. J'ai réussi à gagner l'île de la Tortue avec une chaloupe et, de là, je suis rentré en Jamaïque.

— Que savez-vous de Lady Sarah Almont ?

— Rien.

— Rien du tout ?

— J'entends ce nom pour la première fois. De qui s'agit-il ?

— Pourtant, M. Hunter prétend l'avoir délivrée au cours de l'attaque de Matanceros et l'avoir ensuite ramenée avec lui.

— Elle n'était pas avec lui quand il a quitté Matanceros. Si vous voulez mon avis, je pense que

M. Hunter a attaqué un navire marchand anglais et a pris sa passagère en otage pour justifier ses crimes.

— Ce serait une explication. Mais pourquoi n'avons-nous pas entendu parler de ce navire marchand ?

— Sans doute parce que M. Hunter a tué l'équipage et coulé le bâtiment.

— Une dernière question. Vous souvenez-vous d'une tempête en mer les 13 et 14 septembre ?

— Une tempête ? Non, messieurs, aucune.

— Très bien, monsieur Sanson. Vous pouvez vous retirer.

— Comme il plaira à la cour, répondit-il avant de quitter la salle.

La porte se referma derrière lui avec un bruit sourd qui résonna dans le tribunal. Il y eut un long silence, puis les juges se tournèrent vers Hunter, blême d'une colère qu'il avait du mal à maîtriser.

— Monsieur Hunter, reprit Hacklett, pourriez-vous retrouver dans votre mémoire des éléments qui permettraient d'expliquer les différences entre votre récit et celui de ce M. Sanson que vous estimez tant ?

— C'est un menteur, monsieur le juge. Un immonde menteur !

— La cour est prête à étudier cette accusation si vous pouvez l'étayer par des preuves, monsieur Hunter.

— Je n'ai que ma parole, mais si vous interrogez Lady Sarah Almont, elle contredira la fable du Français sur tous les plans.

— Il était bien dans notre intention de la faire témoigner. Mais avant de l'appeler, un dernier point nous intrigue. L'attaque de Matanceros, légitime ou non, a eu lieu le 18 septembre. Or vous n'avez regagné Port Royal que le 17 octobre. Chez les pirates, un tel délai correspond généralement à une escale sur une île déserte afin d'y cacher une partie du trésor et de spolier ainsi le roi. Comment expliquez-vous ce retard ?

— Nous avons d'abord subi un combat en mer. Puis nous avons affronté un ouragan pendant trois jours. Il a fallu ensuite nous arrêter quatre jours sur une petite île de la *Boca del Dragón* pour caréner. Et à peine notre navire a-t-il repris la mer qu'un kraken nous a attaqués…

— Je vous demande pardon : vous voulez parler d'un monstre des profondeurs ?

— En effet.

— Comme c'est amusant ! s'esclaffa Hacklett, aussitôt imité par les juges. Hélas, si l'imagination dont vous faites preuve pour expliquer ce retard d'un mois force notre admiration, elle ne nous convainc guère ! Faites entrer Lady Sarah Almont !

— Lady Sarah Almont !

La jeune femme pénétra dans le tribunal, le visage pâle, les traits tirés. Elle prêta serment et attendit. Hacklett se pencha vers elle, tout empreint de sollicitude.

— Lady Sarah, je tiens d'abord à vous souhaiter la bienvenue dans la colonie jamaïcaine et à vous présenter nos excuses pour ces déplaisants premiers contacts que vous avez eus avec la société de ces régions.

— Je vous remercie, monsieur Hacklett, répondit-elle avec un petit salut de la tête, tout en évitant soigneusement de croiser le regard de Hunter, à la grande inquiétude de ce dernier.

— Lady Sarah, reprit Hacklett, il est très important pour ce tribunal de savoir si vous avez été capturée par les Espagnols et délivrée par le capitaine Hunter, ou si, au contraire, c'est lui qui vous a faite prisonnière. Pouvez-vous nous éclairer ?

— Bien sûr.

— Alors faites-le, je vous prie.

— Je me trouvais à bord du navire marchand l'*Intrepid*, parti de Bristol pour Port Royal, quand…

Sa voix s'éteignit. Il y eut un grand silence. Elle tourna les yeux vers Hunter. Jamais il ne l'avait vue aussi effrayée.

— Poursuivez, je vous prie.

— … quand nous avons aperçu un vaisseau espagnol à l'horizon. Il a ouvert le feu sur nous et nous a capturés. Et c'est avec surprise que j'ai découvert plus tard que son capitaine était anglais.

— Vous voulez parler de Charles Hunter, le prisonnier qui comparaît à présent devant nous.

— Oui.

Hunter entendit à peine la suite de son récit : comment il l'avait prise à bord du galion, avant d'exterminer l'équipage anglais et de brûler le navire ; comment il lui avait annoncé qu'il prétendrait l'avoir sauvée des Espagnols afin de justifier son raid sur Matanceros. Elle débita son histoire d'une voix haut perchée, tendue, précipitée, comme si elle voulait en finir au plus vite.

— Merci, Lady Sarah. Vous pouvez disposer.

Elle quitta la salle. Le tribunal se tourna vers Hunter, sept hommes qui l'examinaient, impassibles, comme s'il était déjà mort.

— Le témoin ne nous a rien dit de vos aventures épiques dans la *Boca del Dragón*, ni du monstre des mers, reprit Hacklett d'un ton mielleux, après un long silence. Avez-vous des preuves ?

— Seulement celles-ci, répondit Hunter en ouvrant sa chemise jusqu'à la taille, découvrant sa poitrine couverte des cicatrices, de la taille d'une assiette, laissées par les ventouses.

Les juges poussèrent des exclamations et murmurèrent entre eux.

Hacklett donna un coup de marteau sur sa table pour les rappeler à l'ordre.

— Très amusant, monsieur Hunter, mais guère convaincant pour des gentilshommes instruits tels que ces messieurs ! Nous pouvons facilement imaginer à quels stratagèmes vous avez eu recours, dans votre situation désespérée, pour simuler les blessures d'un tel monstre. Hélas, cela ne saurait suffire à convaincre la cour !

Hunter regarda les six autres juges et vit que, quoi que prétendît Hacklett, ceux-ci le croyaient. Mais le marteau s'abattit de nouveau.

— Charles Hunter, reprit Hacklett, cette cour vous juge coupable des crimes de piraterie et de pillage.

Avez-vous une raison quelconque à invoquer qui s'opposerait à l'exécution de la sentence ?

Hunter réfléchit. Un chapelet d'insultes et de jurons lui vint aux lèvres mais cela ne servirait à rien.

— Non, répondit-il d'une voix faible.

— Je ne vous ai pas entendu, monsieur Hunter.

— J'ai dit non.

— Je vous déclare donc coupable, Charles Hunter, ainsi que votre équipage, et vous condamne à être tous exécutés vendredi prochain, sur la grand-place de High Street, à Port Royal, où vous serez pendus jusqu'à ce que mort s'ensuive. Vos corps seront ensuite accrochés aux vergues de votre navire. Que Dieu ait pitié de vos âmes ! Geôlier, emmenez-le.

Alors que le garde le faisait sortir du tribunal, Hunter entendit Hacklett pousser un ricanement aigu et caquetant. Puis la porte se referma et on le ramena à sa prison.

35

On le mit dans une autre cellule : les geôliers de Marshallsea ne semblaient guère scrupuleux. Il s'assit par terre sur la paille et réfléchit à sa situation. Il n'arrivait pas à croire ce qui lui arrivait et la fureur le suffoquait.

La nuit tomba. Les bruits s'estompèrent, laissant place aux ronflements et aux soupirs des détenus. Hunter commençait à s'assoupir quand il entendit une voix éraillée qu'il reconnut aussitôt.

— Hunter ! Hunter !

Il se redressa d'un bond.

— C'est toi, Whisper ? Où es-tu ?

— Dans la cellule à côté.

Les cellules étaient toutes ouvertes sur le devant ; Hunter ne pouvait pas voir la suivante, mais, en se mettant à l'extrémité du mur qui les séparait, il entendait parfaitement ce que Whisper disait.

— Whisper, ça fait longtemps que tu es là ?

— Une semaine, Hunter. Tu as déjà été jugé ?

— Ouais.

— Et déclaré coupable ?

— Ouais.

— Moi aussi. Accusé de vol. À tort, bien évidemment !

Le vol, comme la piraterie, était puni de mort.

— Whisper, qu'est-il arrivé à Sir James ?

— On prétend qu'il est malade, mais c'est un mensonge. Il est en parfaite santé et il est séquestré au palais du gouverneur. Hacklett et Scott se sont emparés du pouvoir en prétendant qu'il était mourant.

Hacklett avait dû menacer Lady Sarah pour la forcer à porter un faux témoignage.

— Le bruit court aussi que Mme Hacklett attend un enfant.

— Et alors ?

— Eh bien, il paraît que le mari, notre gouverneur par intérim, n'a jamais exercé son devoir conjugal. Il en est incapable. Et l'état de sa femme le contrarie donc terriblement.

— Je comprends.

— Oui, ça coûte très cher de cocufier un tyran.

— Et Sanson ?

— On l'a vu revenir tout seul, sur une chaloupe, sans équipage. Il a prétendu que tous les autres étaient morts dans l'ouragan.

Hunter appuya sa joue contre la pierre humide et fraîche. Cela le réconforta bizarrement.

— Quel jour sommes-nous ?

— Mercredi, je crois.

Cela lui laissait quarante-huit heures avant son exécution. Avec un soupir, il alla se rasseoir et contempla, à travers les barreaux, les nuages qui passaient devant la lune pâle et décroissante.

Le palais du gouverneur se dressait, telle une forteresse, au nord-est de Port Royal. Sir James Almont transpirait de fièvre sur son lit installé au sous-sol, sous bonne garde.

Lady Sarah posa une serviette fraîche sur son front bouillant en le suppliant de se calmer.

Au même moment, M. Hacklett et son épouse entrèrent dans la pièce.

— Sir James !

Almont regarda son secrétaire, le regard brouillé par la fièvre.

— Qu'y a-t-il encore ?

— Le capitaine Hunter vient d'être jugé. Il sera pendu vendredi prochain comme un vulgaire pirate.

Lady Sarah détourna la tête, les yeux soudain remplis de larmes.

— Approuvez-vous cette décision, Sir James ?

— Faites… comme… bon vous semble, articula laborieusement le gouverneur qui peinait à respirer.

— Merci, Sir James.

Avec un ricanement, Hacklett tourna les talons et quitta la pièce.

À peine la lourde porte se referma-t-elle derrière lui que Sir James se redressa d'un bond.

— Enlève ce maudit linge de mon front, ma nièce, du travail nous attend.

— Mais, mon oncle…

— Bon sang, tu ne comprends donc pas ? J'ai passé toutes ces années dans cette colonie perdue à financer des corsaires dans l'espoir que l'un d'eux me rapporterait un jour un galion chargé de trésors. Et maintenant que mon rêve se réalise enfin, tu ne vois pas comment il va se terminer ?

— Non, mon oncle.

— Eh bien, un dixième va revenir à Charles. Et Hacklett et Scott se partageront les quatre-vingt-dix pour cent restants, tu verras ce que je te dis.

— Mais ils m'ont prévenue…

— Au diable leur mise en garde, je connais la vérité ! Il y a quatre ans que j'attends ce moment : je ne les laisserai pas me dépouiller indûment, les honorables citoyens de cette maud… euh, bonne ville non plus ! Pas question qu'on se laisse plumer par un moralisateur hypocrite et un militaire efféminé. Il faut libérer Hunter !

— Mais comment ? Il doit être exécuté dans deux jours.

— Ce renard ne sera pendu à aucune vergue, je te le garantis. Toute la ville va le soutenir.

— Mais comment est-ce possible ?

— Parce qu'il a des dettes à acquitter et pas des moindres. Sans compter les intérêts. Envers moi et beaucoup d'autres. Il ne reste donc plus qu'à le délivrer.

— Mais comment ?

— Demande à Richards.

— Je m'en charge ! déclara alors une voix venue du fond de la pièce.

Lady Sarah se retourna d'un bond. Emily Hacklett sortit de l'ombre.

— Moi aussi, j'ai un compte à régler, déclarat-elle d'un ton sinistre avant de quitter la pièce.

Lady Sarah se retourna vers son oncle.

— Cela suffira-t-il ?

— Largement, mon enfant, largement ! gloussa Sir James. Nous verrons du sang dans les rues de Port Royal avant l'aube, tu peux me croire.

— Je serai ravi de vous aider, madame, déclara Richards qui bouillait de rage depuis que son maître était injustement séquestré.

— Qui peut entrer dans Marshallsea ? continua Mme Hacklett.

Elle avait vu le bâtiment de l'extérieur, mais n'y avait évidemment jamais pénétré. Une femme de son rang était à peine censée savoir que de tels endroits existaient.

— Vous pourriez le faire ?

— Hélas, non, madame ! Votre mari y a posté sa garde spéciale : ils me reconnaîtront tout de suite et ne me laisseront jamais passer.

— Qui donc pourrait-on envoyer ?

— Une femme.

La coutume voulait que les parents ou les amis des prisonniers leur apportent de la nourriture et les affaires dont ils avaient besoin.

— Qui donc ? Il faudra qu'elle soit intelligente pour échapper à la fouille.

— Je n'en vois qu'une qui en soit capable : Mistress Sharpe.

Mme Hacklett hocha la tête. Elle se souvenait de la plus jeune des trente-sept criminelles qui avaient fait la traversée sur le *Godspeed*. Elle était devenue la courtisane la plus prisée de la ville.

— Allez la voir sans plus attendre.

— Et que puis-je lui promettre ?

— Dites-lui que le capitaine Hunter saura généreusement la récompenser, ce dont je ne doute pas.

Richards hocha la tête avant de marquer une hésitation.

— Madame, vous êtes bien consciente des conséquences qu'entraînera la libération de M. Hunter ?

— Non seulement j'en suis consciente, mais je les appelle de tous mes vœux, répondit-elle avec un détachement qui donna un frisson à Richards.

— Très bien, madame, opina-t-il avant de s'évanouir dans la nuit.

Dans l'obscurité, les tortues parquées à Chocolate Hole sortaient la tête de l'eau pour respirer. Un peu plus loin, Mistress Sharpe plaisantait tout en se débattant pour échapper au garde qui lui caressait les seins. Elle s'écarta et lui envoya un baiser avant de disparaître dans l'ombre des hauts murs de Marshallsea, sa marmite de ragoût de tortue sous le bras. Un autre garde, grincheux et à moitié ivre, l'accompagna à la cellule de Hunter.

Il mit la clé dans la serrure et la regarda.

— Qu'est-ce que vous attendez ? demanda-t-elle.

— Il faut avoir le coup de main pour dégager certains verrous, répondit-il, l'œil lubrique.

— Un bonne goutte d'huile ne leur fait pas de mal non plus, enchaîna-t-elle plaisamment.

— Oui, et il vaut mieux avoir la bonne clé.

— La clé, je crois que vous l'avez. Quant au verrou, eh bien, il devra attendre un peu. Laissez-moi quelques minutes avec ce loup affamé et je vous promets de passer avec vous un agréable moment à graisser tout ce qui a besoin de l'être.

Le garde déverrouilla la porte en gloussant, suivit la jeune femme dans la cellule et referma la porte derrière eux.

— Pourriez-vous me laisser seule quelques instants avec cet homme, autant que la décence le permet, bien sûr ?

— C'est interdit.

— Qui le saura ? répondit-elle en passant la langue sur ses lèvres d'un air enjôleur.

Il sourit et ressortit.

Dès qu'il fut parti, elle posa son pot par terre et se tourna vers Hunter. Il ne l'avait pas reconnue, cependant il mourait de faim et la bonne odeur du ragoût le requinquait.

— Vous êtes très gentille.

— Vous n'imaginez pas à quel point ! rétorqua-t-elle en remontant brusquement ses jupes jusqu'à la taille.

Ce geste fort impudique se révéla encore plus stupéfiant par ce qu'il dévoila. Elle avait ficelé sur ses jambes et sur ses cuisses un véritable arsenal : deux couteaux et deux pistolets.

— Mes parties secrètes sont réputées dangereuses, vous comprenez pourquoi ! pouffa-t-elle.

Hunter s'empressa de la débarrasser des armes qu'il glissa dans sa ceinture.

— Je vous en prie, monsieur, ne déchargez pas prématurément, badina-t-elle.

— Je saurai me retenir le temps qu'il faut.

Elle tourna les yeux vers la porte.

— J'aimerais m'en assurer, mais une autre fois peut-être. En attendant, ne devriez-vous pas me violer ?

— Cela s'impose ! répondit-il en la renversant sur le sol.

Elle se débattit en poussant des cris perçants. Le garde arriva en courant et déverrouilla la porte pour se précipiter au secours de la belle.

— Sale pirate…

Sans lui laisser le temps de terminer sa phrase, Hunter lui planta son couteau dans la gorge. L'homme recula, saisit le manche à deux mains et l'arracha. Un flot de sang jaillit de la plaie et le malheureux s'effondra sur le sol ; il mourut presque instantanément.

— Vite, madame ! dit Hunter en aidant la jeune femme à se relever.

Aucun bruit ne leur parvenait des autres cellules. Dès qu'ils avaient entendu crier, les prisonniers avaient retenu leur souffle. Hunter courut ouvrir quelques cellules, puis il donna les clés à ceux qu'il venait de libérer, leur laissant le soin de délivrer leurs compagnons d'infortune.

— Combien de gardes y avait-il aux portes ?

— J'en ai vu quatre, plus une douzaine sur les remparts.

Hunter se trouvait devant un nouveau dilemme : les gardes étaient anglais et il refusait de les tuer.

— Il faut trouver une solution. Faites venir le capitaine.

Elle hocha la tête et s'avança dans la cour pendant qu'il se dissimulait dans l'ombre.

Hunter ne s'émerveilla pas du sang-froid de cette femme qui venait d'assister sans ciller au meurtre d'un homme. La sensiblerie féminine tant en vogue à la cour de France et d'Espagne lui était inconnue : les Anglaises, quel que soit leur milieu, étaient des femmes solides, parfois même plus dures que les hommes à certains égards.

Le capitaine de la garde s'avança vers Anne Sharpe et ne vit que trop tard le canon pointé sur lui.

— Écoutez-moi bien, déclara Hunter. Vous allez demander à vos hommes de descendre et de jeter leurs armes par terre et aucun mal ne leur sera fait. Si vous résistez, vous avez de grandes chances de tous y rester.

— J'espérais bien que vous vous évaderiez, monsieur, répondit le capitaine, et j'espère que vous vous souviendrez de moi dans les jours à venir.

— Nous verrons, rétorqua Hunter, refusant de promettre quoi que ce soit.

— Il faudra s'attendre, dès demain, à de graves mesures de rétorsion du commandant Scott, renchérit l'officier d'un ton cérémonieux.

— Le commandant Scott sera mort d'ici là, répliqua Hunter. Maintenant, décidez-vous.

— J'espère que vous vous souviendrez de moi...

— J'essaierai de penser à ne pas vous couper la gorge.

Le capitaine rassembla ses hommes et Hunter les fit tous enfermer dans la prison.

Dès qu'elle eut donné ses instructions à Richards, Mme Hacklett alla rejoindre son époux dans la bibliothèque, où il prenait un digestif en compagnie du commandant Scott. Depuis quelques jours, les deux hommes s'appliquaient à vider la cave du gouverneur. Quand la jeune femme entra, elle les trouva déjà ivres.

— Ma chère, vous arrivez fort à propos ! ricana son mari.

— Vraiment ?

— Vraiment. J'expliquais justement au commandant Scott comment vous vous étiez fait engrosser par le capitaine Hunter. Vous n'êtes pas sans savoir qu'il se balancera bientôt au bout d'une corde et qu'il y restera jusqu'à ce que sa chair pourrisse sur ses os. Je me suis laissé dire que, sous ce climat infect, c'était assez rapide. Mais question rapidité, ce n'est pas à vous que je vais en remontrer, hé ? Quoi qu'il en soit, le commandant Scott ignorait comment vous vous étiez laissé séduire et je ne lui ai rien caché de vos exploits.

Mme Hacklett rougit profondément.

— Elle semble si modeste. Personne n'imaginerait qu'elle se conduit comme la dernière des catins. Pourtant elle ne vaut guère mieux. Dites-moi, à quel prix estimeriez-vous ses faveurs, cher commandant ?

Scott porta son mouchoir parfumé à ses narines.

— Vous voulez que je sois franc ?

— Bien sûr, je vous en prie.

— Les hommes, en général, préfèrent les femmes plus en chair.

— Pourtant elle plaisait beaucoup à Sa Majesté...

— Sans doute, sans doute, mais notre roi a des goûts particuliers. Il est très attiré par les étrangères au sang chaud...

— Soit ! le coupa Hacklett d'un ton sec. Combien peut-elle aller chercher ?

— Je ne pense pas qu'on puisse en tirer beaucoup plus que... quoique, considérant qu'elle a tâté de la lancette royale, cela fasse un peu monter son prix, mais il ne saurait en aucun cas dépasser les cent réaux.

— Je refuse d'en supporter davantage ! déclara Mme Hacklett, écarlate, en fonçant vers la porte.

— Au contraire ! s'écria son mari qui bondit de son siège pour lui barrer le passage. Vous allez en supporter bien d'autres. Commandant Scott, vous qui êtes un gentilhomme plein d'expérience, seriez-vous prêt à payer cent réaux ?

Scott but une gorgée d'alcool et s'éclaircit la gorge.

— Moi, non, monsieur.

— Quel prix en donneriez-vous ? insista Hacklett en secouant sa femme par le bras.

— Cinquante.

— Marché conclu !

— Robert ! protesta Mme Hacklett. Pour l'amour du Ciel, Robert...

Son mari la gifla avec une telle violence qu'il lui fit traverser la pièce. Elle s'effondra dans un fauteuil.

— Eh bien, commandant, je sais que vous êtes un homme de parole. Je vous fais donc crédit.

Scott regarda par-dessus le rebord de son verre.

— Hein ?

— Je dis que je vous fais crédit. Alors allez-y, prenez-en pour votre argent !

— Euh... vous voulez dire... là... tout de suite ? bredouilla-t-il avec un signe vers Mme Hacklett qui écarquilla les yeux d'horreur.

— Faites, je vous prie !

— Quoi ? Ici ? Maintenant ?

— Précisément, commandant. Et je vais prendre plaisir à vous contempler, gloussa Hacklett, complètement ivre, en lui tapant sur l'épaule.

— Non ! s'écria Mme Hacklett d'une voix perçante.

Aucun des deux hommes ne parut l'entendre : ils se dévisageaient, dans un état second.

— Sur ma foi, bredouilla Scott, je ne sais pas si c'est bien raisonnable.

— Balivernes ! répliqua Hacklett. Vous devez faire honneur à votre réputation. Après tout, voici une épouse digne d'un roi... oui, digne d'un roi ! Profitez-en !

— Que je sois damné ! murmura le militaire en se mettant péniblement debout. Que je sois damné si je laisse passer pareille occasion, monsieur ! Ce qui est assez bon pour le roi est assez bon pour moi.

Il voulut déboutonner sa culotte, mais il était tellement soûl qu'il n'y parvenait pas. Mme Hacklett recommença à hurler. Son mari traversa la bibliothèque pour la frapper de nouveau, lui fendant la lèvre. Un filet de sang coula sur son menton.

— Il ne sied guère à une putain de prendre des grands airs, qu'elle ait couché avec un pirate ou avec un roi. Commandant Scott, prenez donc votre plaisir.

Scott s'avança sur la jeune femme...

— Fais-moi sortir d'ici, chuchota le gouverneur Almont à sa nièce.

— Mais comment, mon oncle ?

— Tue le garde ! répondit-il en lui tendant un pistolet.

Lady Sarah prit cet objet peu familier pour elle et l'examina avec circonspection.

— On l'arme ainsi, continua Almont. Maintenant, fais bien attention ! Tu vas à la porte, tu demandes à sortir et tu lui tires dessus.

— Mais comment ? répéta-t-elle.

— Vise sa tête. Et surtout, n'hésite pas, mon enfant.

— Mais mon oncle...

Il la fusilla du regard.

— Je suis malade. Tu dois m'aider.

Elle fit quelques pas vers la porte.

— Tue-le ! ajouta Almont, avec une certaine satisfaction. Il l'a mérité, ce chien de traître !

Elle frappa au battant.

— Qu'y a-t-il, madame ? s'enquit le garde.

— Ouvrez-moi. Je voudrais sortir.

Il y eut un raclement, puis un bruit métallique tandis que la clé tournait dans la serrure. La porte s'entrebâilla. Lady Sarah aperçut le garde, un jeune homme de dix-neuf ans, au visage frais et innocent, qui la dévisageait avec perplexité.

— Qu'y a-t-il pour le plaisir de votre...

Elle visa ses lèvres. Le coup lui ébranla le bras et projeta le soldat en arrière. Il s'effondra sur le sol et roula sur le dos. Elle vit, avec horreur, que sa figure n'était plus qu'une bouillie sanglante. Il se tordit par terre quelques instants. De l'urine coula le long d'une jambe de son pantalon alors que se répandait une odeur d'excréments. Enfin, il cessa de bouger.

— Aide-moi à me lever, coassa Sir James, en s'asseyant laborieusement dans son lit.

Hunter rassembla ses hommes à la pointe nord-est de Port Royal, vers l'intérieur des terres. Son problème immédiat, sur le plan politique, consistait à faire renverser le jugement porté contre lui. Certes, sur le plan pratique, à présent qu'il s'était évadé, toute la ville allait se rallier à lui et il ne risquait plus d'être remis en prison. Mais sa réponse à la terrible injustice qu'il avait subie comptait tout autant, car sa réputation était en jeu.

Il repassa les huit noms dans sa tête : Hacklett, Scott, Lewisham, le juge de l'amirauté, Foster et Poorman, les marchands, le lieutenant Dodson, James Phips, le capitaine du navire marchand, et le dernier, mais pas le moindre, Sanson !

Chacun de ces hommes lui avait sciemment porté préjudice. Chacun d'eux profitait de la saisie de son galion.

Les lois des corsaires étaient simples en la matière : une telle trahison signifiait pour ses auteurs la mort et la confiscation de leurs parts de butin. Il lui fallait donc supprimer plusieurs membres éminents de la ville. Ce serait assez facile, mais il risquait de le payer très cher si Sir James ne sortait pas indemne de cette histoire.

Enfin, le connaissant, celui-ci devait s'être mis à l'abri depuis longtemps. Hunter décida de lui faire confiance. Il ne lui restait donc plus qu'à tuer ceux qui avaient voulu sa perte.

Juste avant l'aube, il ordonna à ses hommes d'aller se cacher dans la montagne Bleue, au nord de l'île, et d'y rester deux jours.

Ensuite, il revint seul vers la ville.

36

Foster, la cinquantaine, prospère marchand de soie, possédait une grande maison sur Pembroke Street, au nord-est des quais. Hunter s'y introduisit par le passage qui reliait la cuisine au bâtiment principal puis monta jusqu'à la chambre du maître de maison, au premier étage.

Il trouva Foster endormi dans son lit avec sa femme. Il appliqua doucement son pistolet sous son nez. Le gros homme renifla et se retourna. Hunter lui rentra alors le canon de l'arme dans une narine.

Foster cligna des paupières, ouvrit brusquement les yeux et s'assit dans son lit sans dire un mot.

— Du calme ! marmonna sa femme d'une voix ensommeillée. Tu n'arrêtes pas de bouger.

Et elle se rendormit.

Hunter et Foster se dévisagèrent. Foster considéra le pistolet puis il leva un doigt en l'air et sortit doucement de son lit. Pieds nus, en chemise de nuit, il se dirigea vers un coffre, à l'autre bout de la chambre.

— Je vous paierai bien, chuchota-t-il à Hunter. Regardez.

Il souleva un double fond et sortit un sac d'or très lourd.

— J'en ai d'autres. Je vous donnerai tout ce que vous voudrez, Hunter.

Hunter ne répondit pas. Foster lui tendit le sac d'une main tremblante.

— Je vous en prie. Prenez-le, prenez-le...

Il se jeta à genoux.

— Je vous en prie, Hunter, je vous en supplie...

Hunter lui tira une balle dans la tête. Sous l'impact, Foster fut projeté en arrière, les jambes en l'air, ses pieds nus battant le vide. Dans le lit, sa femme se retourna et grogna sans même se réveiller.

Hunter ramassa le sac d'or et repartit aussi silencieusement qu'il était venu.

Poorman[1], faisant mentir son nom, avait fait fortune dans le négoce de l'argent et du plomb. Il habitait sur High Street. Hunter le trouva assoupi sur la table de sa cuisine, une bouteille de vin à moitié vide devant lui.

Hunter prit un couteau à découper et lui cisailla les deux poignets. Poorman se réveilla à moitié soûl, vit Hunter et, seulement après, le sang qui inondait la table. Il leva ses mains sanglantes sans pouvoir les bouger. Leurs tendons sectionnés, elles pendaient, inertes, leurs doigts mous comme du chiffon, déjà gris.

Poorman laissa retomber ses bras sur la table et contempla le sang qui coulait sur le bois et

1. « Pauvre homme ». (*N.d.T.*)

dégoulinait à travers les fentes sur le sol. Il ramena les yeux vers Hunter, le visage interrogateur, perplexe.

— Je… j'aurais payé, bredouilla-t-il d'une voix rauque. J'aurais fait tout ce que vous… tout ce que vous…

Il se leva en titubant, les bras pliés, les coudes collés au corps. Le sang qui gouttait par terre résonnait étrangement dans le silence de la nuit.

— Je vous aurais…, répéta-t-il une dernière fois avant de s'effondrer sur le sol. Si, si, si, si…, murmura-t-il de plus en plus faiblement.

Hunter tourna les talons sans attendre sa mort. Il ressortit dans l'air frais de la nuit et se fondit silencieusement dans les rues sombres de Port Royal.

Il tomba par hasard sur le lieutenant Dodson. Le soldat, complètement ivre, soutenu par deux prostituées, descendait la rue en chantant à tue-tête. Quand Hunter le vit déboucher au bout de High Street, il s'engouffra dans Queen Street puis tourna dans Howell Alley, pour venir le cueillir au croisement des deux voies.

— Qui va là ? beugla Dodson. Savez pas qu'y a un couvre-feu ? Rentrez chez vous si vous ne voulez pas vous retrouver à Marshallsea !

— Justement, j'en sors ! répondit Hunter, toujours dissimulé dans l'obscurité.

— Hein ? marmonna Dodson en inclinant la tête pour essayer de le voir. Qu'est-ce que vous racontez ? Je vais vous faire…

— Hunter ! s'écrièrent les deux filles de joie, et elles détalèrent.

Brusquement privé de leur soutien, Dodson s'écroula dans la boue et les immondices.

— Maudites femelles ! On ne peut vraiment pas compter sur elles ! Regardez dans quel état est mon uniforme ! Qu'elles aillent au diable !

Il s'était à moitié relevé quand le nom lancé par les deux filles parvint à son cerveau embrumé par l'alcool.

— Hunter ? C'est vous, Hunter ?

Hunter hocha la tête dans la pénombre.

— Alors je vous arrête comme la fripouille que vous êtes !

Sans lui laisser le temps de se redresser complètement, Hunter lui décocha un coup de pied dans le ventre qui le fit s'étaler de tout son long.

— Oh ! Maudit pirate ! Vous m'avez fait mal !

Ce furent ses dernières paroles. Hunter l'attrapa par le cou et lui enfonça le visage dans la fange. Il eut beau se débattre et se tordre avec une force étonnante, Hunter réussit à lui maintenir la tête jusqu'à ce qu'il cesse de remuer.

Hunter se redressa, haletant, à bout de force, et vit brusquement apparaître au bout de la rue sombre et déserte une patrouille d'une dizaine d'hommes. Il se tapit dans les ténèbres pour la laisser passer.

Il croisa ensuite deux prostituées.

— C'est toi, Hunter ? demanda l'une d'elles, sans manifester la moindre crainte.

Il hocha la tête.

373

— Sois béni ! Tu peux venir me voir quand tu veux. Ça ne te coûtera pas un farthing, ajouta-t-elle gaiement.

Et les deux filles disparurent dans la nuit en gloussant.

À peine entré dans la taverne du Black Boar et bien qu'il y ait une cinquantaine de clients, Hunter ne vit que James Phips, tout fringant, qui buvait avec d'autres marchands. Ceux-ci s'écartèrent aussitôt, manifestement terrorisés. Mais Phips, son premier choc passé, tenta de jouer la jovialité.

— Hunter ! s'écria-t-il avec un large sourire. Que je sois damné ! Vous avez réussi à faire ce que nous attendions tous de vous ! Allez, une tournée pour tout le monde, qu'on fête votre liberté retrouvée !

Un silence de mort planait sur la salle. Plus personne ne parlait. Plus personne ne bougeait.

— Allons, cria-t-il plus fort, je réclame une tournée générale en l'honneur du capitaine Hunter !

Hunter s'avança vers sa table ; on n'entendait que le bruit de ses pas sur le sol de terre battue.

Phips le regarda avec inquiétude.

— Charles ! Charles, cet air sinistre ne vous sied guère ! L'heure est à la fête !

— Vraiment ?

— Charles, mon ami, vous vous doutez bien que je ne vous ai jamais voulu aucun mal. J'ai été forcé de paraître au tribunal. Ce sont Hacklett et Scott qui ont tout manigancé, je le jure. Je n'avais pas le choix. Un de mes bateaux devait partir dans une semaine, Charles, et ils n'ont accepté de me délivrer l'autorisation d'appareiller qu'à cette condition. Mais je savais que vous alliez vous évader. Je le disais encore à Timothy Flint, il y a moins d'une heure. N'est-ce pas, Timothy ? Allez, réponds franchement, je ne te disais pas qu'il allait se libérer, hein, Timothy ?

Hunter sortit son pistolet et le pointa sur Phips.

— Voyons, Charles, je vous supplie d'être raisonnable. Croyez-vous vraiment que je vous aurais condamné si j'avais cru que la sentence serait appliquée ? Franchement ? Hein ? Vous le croyez ?

Hunter, sans répondre, arma son pistolet avec un petit clic métallique qui résonna dans la salle.

— Charles, ça me fait chaud au cœur de vous revoir. Prenez donc un verre avec moi, et oublions…

Hunter lui tira une balle en pleine poitrine. Tout le monde bondit en arrière tandis qu'un geyser de sang jaillissait de son cœur dans un sifflement. Phips lâcha son gobelet qui rebondit sur la table et roula sur le sol ; il le suivit des yeux et tendit la main pour le ramasser.

— Un verre, Charles…

Il s'effondra sur la table dont le bois brut disparut sous une flaque de sang.

Hunter tourna les talons et repartit.

Alors qu'il ressortait dans la rue, il entendit les cloches de Sainte-Anne sonner à toute volée, comme chaque fois que Port Royal était attaqué ou qu'une catastrophe frappait la ville.

Il n'y vit qu'une explication : son évasion de Marshallsea avait été découverte.

Il s'en moquait éperdument.

Lewisham, le juge de l'amirauté, habitait juste derrière le tribunal. Brutalement réveillé par le tintamarre des cloches et aussitôt très inquiet, il envoya son serviteur aux nouvelles. L'homme revint quelques minutes plus tard.

— Que se passe-t-il ? le pressa Lewisham. Parle !

Le serviteur leva la tête. C'était Hunter.

— C'est impossible ! gémit Lewisham, affolé.

— Il faut croire que non, répondit Hunter en armant son pistolet.

— Demandez-moi ce que vous voulez.

Hunter lui dit ce qu'il attendait de lui.

M. et Mme Hacklett s'étaient retirés depuis longtemps dans leurs appartements. Le commandant Scott, hébété par l'alcool, ronflait sur le divan de la bibliothèque, au palais du gouverneur, lorsqu'il fut tiré de son sommeil par les cloches. Se doutant de ce qui se passait, il fut submergé d'une terreur comme il n'en avait jamais éprouvé. Quelques secondes plus tard, un garde fit irruption dans la pièce et confirma ses craintes : Hunter s'était évadé, ses pirates s'étaient envolés et Poorman, Foster, Phips et Dodson étaient morts tous les quatre.

— Allez me chercher mon cheval ! ordonna Scott en rajustant précipitamment sa tenue.

Il sortit du palais du gouverneur et, après avoir lancé un regard inquiet autour de lui, sauta en selle.

Mais il n'avait pas parcouru cinquante pas qu'il se trouva brutalement jeté à bas de sa monture par une troupe de vagabonds rassemblée par Richards, le valet du gouverneur, et dirigée par cette canaille de Hunter. On lui mit des fers et on le conduisit sans ménagement à Marshallsea.

Il devrait y attendre son procès. Ces ruffians ne doutaient de rien !

Hacklett, réveillé lui aussi par le tocsin, comprit aussitôt ce qu'il signifiait. Il bondit de son lit, sans s'occuper de sa femme qui, pendant qu'il cuvait son vin avec force ronflements, n'avait pu fermer l'œil de la nuit, profondément meurtrie dans sa chair comme dans son orgueil.

Hacklett ouvrit la porte de sa chambre et appela Richards.

— Que se passe-t-il ?

— Hunter s'est échappé, répondit platement le serviteur. Dodson, Poorman et Phips sont morts et ce ne sont sans doute pas les seuls.

— L'homme est toujours en fuite ?

— Je l'ignore, répondit Richards omettant ostensiblement d'ajouter « Votre Excellence ».

— Mon Dieu ! Verrouillez les portes ! Appelez la garde ! Alertez le commandant Scott !

— Le commandant Scott est parti il y a quelques minutes.

— Parti ? Ah, mon Dieu !

Hacklett claqua la porte et la ferma à double tour.

— Mon Dieu ! répéta-t-il en se tournant vers le lit. Mon Dieu, ce pirate va tous nous assassiner !

— Non, pas tous, répondit sa femme en braquant sur lui les deux pistolets qu'il gardait toujours armés au pied de son lit.

— Emily, ne faites pas l'idiote ! Ce n'est vraiment pas le moment, cet homme est un dangereux assassin !

— Ne faites pas un pas de plus.

Il hésita.

— Vous plaisantez ?

— Pas le moins du monde.

Son regard alla de sa femme aux pistolets. Il n'était pas expert en armes, mais, connaissant leur manque de précision, il éprouvait plus d'irritation que de peur.

— Emily, vous êtes folle !

— Ne bougez pas.

— Emily, vous êtes une garce et une catin, mais vous n'êtes pas une meurtrière, je suis prêt à le parier, et je vous somme…

Elle tira. La pièce s'emplit de fumée. Hacklett poussa un hurlement de terreur. Plusieurs secondes s'écoulèrent avant qu'ils ne saisissent, l'un comme l'autre, qu'il n'avait pas été touché.

Hacklett rit de soulagement.

— Comme vous le voyez, ce n'est pas aussi simple qu'il y paraît. Maintenant, donnez-moi ce pistolet, Emily.

Elle le laissa s'avancer avant de tirer un second coup, cette fois dans l'aine. Le choc ne fut pas violent. Hacklett resta debout. Il fit même un pas de plus, s'approchant d'elle à la toucher.

— Je vous ai toujours détestée, déclara-t-il d'un ton détaché. Dès le premier jour de notre rencontre. Vous souvenez-vous ? Je vous ai dit : « Bonjour, madame » et vous m'avez répondu...

Secoué par une quinte de toux, il tomba à genoux, plié en deux de douleur.

Le sang commença à s'étaler sur son pantalon.

— Vous m'avez dit... vous m'avez dit... Oh, femme ! Maudits soient vos yeux noirs... je souffre... vous m'avez dit...

Il se balança d'avant en arrière, les mains pressées sur sa blessure, le visage tordu par la souffrance, et ferma les yeux en gémissant au rythme de ses oscillations.

— Aaah... aaah... aaah...

Elle s'assit sur le lit et laissa tomber le pistolet sur les draps. Le canon en était si chaud qu'il roussit la toile. Vite, elle jeta l'arme par terre, puis elle regarda de nouveau son mari qui venait de rouvrir les paupières.

— Achevez-moi ! la supplia-t-il entre ses dents serrées.

Elle secoua la tête. Elle avait vidé les deux pistolets et ne savait pas les recharger.

— Achevez-moi ! répéta-t-il.

Une douzaine de sentiments contradictoires se pressèrent à l'esprit de Mme Hacklett. Comprenant qu'il n'allait pas mourir immédiatement, elle alla vers une petite desserte, remplit un verre de bordeaux et revint près de lui. Elle lui souleva la tête et l'aida à boire. Au bout d'une gorgée, pris d'une furie subite, il la repoussa avec une force surprenante. Mme Hacklett tomba en arrière, l'empreinte d'une main ensanglantée sur sa chemise de nuit.

— Je te maudis, sale putain du roi ! marmonnat-il avant de recommencer à se balancer.

Totalement absorbé par son agonie, il semblait avoir oublié sa présence. Elle se releva et alla se servir à boire, puis elle le contempla en sirotant son vin.

Elle était toujours debout au même endroit lorsque Hunter fit irruption dans la chambre, une demi-heure plus tard. Hacklett était encore en vie, mais sa peau avait pris une couleur de cendre ; il ne bougeait plus, seuls quelques spasmes l'agitaient parfois, et il gisait au milieu d'une énorme flaque de sang.

Hunter sortit son pistolet et s'approcha de lui.

— Non ! l'arrêta Mme Hacklett.

Après une brève hésitation, il s'éloigna.

— Je vous remercie de votre bonté, murmura la jeune femme.

37

Le 21 octobre, la condamnation de Charles Hunter et de son équipage pour pillage et piraterie fut sommairement annulée par Lewisham, juge de l'amirauté, lors d'un huis clos avec Sir James Almont, nouvellement restauré dans ses fonctions de gouverneur de la Jamaïque.

Au cours de la même audience, le commandant Edwin Scott, officier en chef de la garnison du fort Charles, fut reconnu coupable de haute trahison et condamné à être pendu le lendemain. On obtint de lui une confession écrite contre la promesse d'une commutation de peine. Mais à peine l'eut-il rédigée qu'un officier inconnu le tua d'une balle, dans sa cellule, au fort Charles. Cet officier ne fut jamais appréhendé.

Pour le capitaine Hunter, désormais la coqueluche de la ville, un dernier problème subsistait : André Sanson. Le Français avait disparu et d'aucuns prétendaient qu'il avait fui dans les collines de l'intérieur. Hunter fit savoir qu'il paierait grassement toute personne pouvant lui donner des informations à son sujet et alla attendre au Black Boar. Bientôt une vieille femme s'approcha de lui en tremblant. Il reconnut une certaine Mme Simmons, tenancière d'un lupanar.

— Parle, je t'écoute, dit-il avant de lui commander un verre de tafia pour la rassurer.

— Eh bien, voilà, monsieur, commença-t-elle, ragaillardie par une gorgée d'alcool, y a de ça une semaine, un certain Carter est arrivé à Port Royal, fort mal en point.

— Tu veux parler de John Carter, le matelot ?

— Lui-même.

— Continue.

— Il m'a raconté qu'il avait été sauvé par un bateau de Saint-Christophe. L'équipage a vu du feu sur un îlot inhabité et ils sont allés voir d'quoi y retournait. C'est comme ça qu'ils l'ont retrouvé.

— Où est-il à présent ?

— Oh, il s'est caché, pour sûr ! Il avait trop peur de tomber sur Sanson, le bandit français. Il est allé se mettre à l'abri dans les collines. Mais il m'a raconté son histoire avant.

— Je t'écoute.

Carter se trouvait à bord du *Cassandra* qui ramenait une partie du trésor du galion, sous le commandement de Sanson, lorsqu'ils avaient été pris par l'ouragan. Le sloop s'était échoué sur la barrière de corail d'une île déserte et la majeure partie de l'équipage avait péri dans le naufrage. Sanson avait vite rassemblé les douze survivants pour sauver le trésor, qu'ils avaient ensuite enterré sur l'île. Puis, après leur avoir fait construire une chaloupe avec l'épave du sloop, Sanson les avait tous abattus jusqu'au dernier avant de prendre la mer tout seul. Carter, laissé pour mort, avait survécu et réussi à revenir pour raconter son histoire.

Il avait confié également à la vieille qu'il ne connaissait pas le nom de l'île, ni l'emplacement exact du trésor, mais que Sanson en avait gravé la carte sur un doublon qu'il portait autour du cou.

Hunter écouta le récit sans rien dire puis il remercia la femme et lui donna une pièce pour sa peine. Plus pressé que jamais de retrouver le Français, il s'attarda néanmoins au Black Boar pour entendre toutes les rumeurs qui couraient sur son compte. On le disait parti à Port Morant, enfui à Inague, caché dans les collines…

Et quand la vérité éclata, ce fut une véritable bombe !

— Capitaine, il est à bord du galion ! annonça Enders en faisant irruption dans la taverne, hors d'haleine.

— Quoi !

— Oui, capitaine. Il a tué deux gardes et il m'a mis dans une chaloupe avec les trois derniers pour qu'on aille vous prévenir.

— Me prévenir de quoi ?

— De ses conditions : ou vous vous arrangez pour obtenir sa grâce et vous déclarez publiquement que vous renoncez à vous venger de lui, ou il envoie le galion par le fond, capitaine ! Il est prêt à le couler à l'ancre. Il veut avoir votre parole avant la tombée de la nuit.

Hunter lâcha un juron. Il s'approcha de la fenêtre de la taverne pour regarder le port. Le *Trinidad* se balançait doucement à son mouillage. Hélas, il se trouvait loin de la côte, en eaux trop profondes pour qu'on puisse récupérer le trésor si jamais il sombrait.

— Il est sacrément malin ! s'exclama Enders.

— Oui, sacrément.

— Qu'allez-vous faire ?

— Attends. Il est seul sur le navire ?

— Oui, mais ça ne change rien.

Il avait raison : Sanson valait une bonne douzaine d'hommes à lui tout seul dans un combat.

Hunter secoua la tête. Aucun autre bâtiment n'était ancré à moins d'un quart de mille du galion qui trônait au milieu des eaux, isolé, imprenable.

— Il faut que je réfléchisse, murmura-t-il avant de retourner s'asseoir.

Un navire au mouillage sur des eaux paisibles et dégagées était aussi inexpugnable qu'une forteresse entourée de douves. Et Sanson prit une mesure supplémentaire afin de renforcer sa sécurité : il jeta par-dessus bord des ordures et de la nourriture pour attirer les requins. Comme il y en avait déjà beaucoup dans le port en temps normal, tenter d'atteindre le galion à la nage eût été suicidaire.

Par ailleurs, aucune embarcation ne pouvait s'en approcher sans se faire aisément repérer.

En conséquence, on ne pouvait l'aborder que franchement et pacifiquement, du moins en apparence. Une chaloupe ouverte n'offrait, hélas, aucune cachette. Hunter se gratta la tête. Après avoir arpenté la salle du Black Boar sans trouver de solution, il finit par sortir.

Son attention fut alors attirée par un de ces nombreux magiciens que l'on croisait dans Port Royal. La prestidigitation étant interdite dans le Massachusetts, où elle était considérée comme un culte rendu au Diable, elle avait toujours exercé une étrange fascination sur Hunter. Il s'agissait en l'occurrence d'un cracheur d'eau qui régurgitait des liquides de couleurs différentes ; Hunter le regarda un long moment avant de l'aborder.

— Je voudrais connaître votre secret.

— Beaucoup de belles dames de la cour du roi Charles me l'ont demandé en m'offrant plus que vous ne pourrez jamais m'offrir.

— Je vous offre la vie, rétorqua Hunter en lui mettant son pistolet sous le menton.

— Vous n'y arriverez pas par la force.

— Permettez-moi d'en douter.

Quelques minutes plus tard, il se retrouvait sous la tente du magicien, finalement prêt à lui révéler ses mystères.

— Les choses ne sont pas ce qu'elles paraissent, déclara doctement le saltimbanque.

— Je vous écoute.

L'homme lui expliqua qu'avant une représentation il avalait une pilule composée de fiel de génisse et de farine de blé cuit.

— Pour me nettoyer l'estomac, voyez-vous.

— Je vois. Continuez.

— Ensuite j'avale une mixture rouge à base de noix du Brésil bouillies dans de l'eau.

— Continuez.

— Après, je prépare des verres propres et des verres passés au vinaigre blanc.

— Continuez.

La suite était simple : lorsqu'il régurgitait le contenu de son estomac dans des verres propres, il produisait du « bordeaux rouge » ; dans les verres vinaigrés, le même liquide devenait de la « bière » d'une couleur brune. Et en fin de numéro, quand le liquide s'éclaircissait, il se transformait en « xérès ».

— Ce n'est pas plus compliqué que ça, conclut le magicien. Les choses ne sont pas ce qu'elles paraissent, ça s'arrête là. En fait, tout le secret consiste à détourner l'attention, ajouta-t-il avec un soupir.

Hunter le remercia chaudement et partit retrouver Enders.

— Connaissez-vous la femme qui nous a aidés à nous évader de Marshallsea ?

— Oui, Anne Sharpe.

— Allez me la chercher. Et ramenez-moi les six meilleurs rameurs que vous pourrez trouver.

— Pourquoi, capitaine ?

— Nous allons rendre une petite visite à Sanson.

38

André Sanson, véritable bête à tuer, ne connaissait pas la peur ; il n'éprouva donc aucune crainte en voyant la chaloupe quitter la côte. Il l'observa attentivement et compta six rameurs plus deux personnes assises à l'avant, sans pouvoir cependant clairement les discerner.

Il s'attendait à une ruse. L'Anglais était retors et il tenterait sans doute un de ses stratagèmes. Sanson se savait moins intelligent que lui. Ses propres talents étaient plus physiques, plus primaires. Pourtant il avait la certitude que l'Anglais ne pourrait le duper. C'était tout bonnement impossible ! Il était seul sur ce navire et le resterait, en toute sécurité, jusqu'à la tombée de la nuit. Ou il aurait gagné sa liberté avant le crépuscule, ou il détruirait le galion.

Il savait que Hunter ne laisserait jamais couler le *Trinidad*. Il avait trop combattu et trop souffert pour s'emparer de ce trésor. Pour le garder, il serait prêt à tout lui pardonner, Sanson en était convaincu.

Il scruta la chaloupe qui se rapprochait et reconnut Hunter en personne, debout à la proue, en compagnie d'une femme. Qu'est-ce que cela pouvait signifier ? Il se creusa la tête pour trouver ce que Hunter était encore allé inventer.

Il finit par se rassurer en songeant que Hunter ne pouvait pas le piéger. Il était intelligent, certes, mais l'intelligence avait ses limites. Hunter savait en outre que Sanson pouvait l'abattre, même à distance, aussi simplement qu'il chasserait une mouche de sa manche. Il pouvait même le tuer tout de suite, s'il le voulait. Mais il n'y avait pas de raison. Tout ce qu'il désirait, c'était sa liberté et le pardon. Et, pour les obtenir, il avait besoin de Hunter vivant.

Quand la chaloupe arriva tout près, Hunter le salua allégrement.

— Sanson, sacré cochon de Français !

— Hunter, sale mouton d'Anglais vérolé ! répondit-il avec une jovialité qu'il n'éprouvait aucunement, instinctivement tendu devant la décontraction de Hunter.

La chaloupe s'arrêta contre le *Trinidad*. Sanson se pencha juste ce qu'il fallait pour leur montrer son arbalète. Il n'osa pas s'incliner davantage malgré son envie de vérifier l'intérieur de l'embarcation.

— Qu'est-ce que tu viens faire ici, Hunter ?

— Je t'apporte un cadeau. Nous pouvons monter ?

— Juste vous deux.

Sanson s'écarta alors de la lisse et courut vers le côté opposé du navire afin de s'assurer qu'aucun autre bateau n'en profitait pour l'accoster. Il ne vit rien que l'eau calme à peine ridée par quelques ailerons de requins.

Il se retourna en entendant le bruit de deux personnes montant l'échelle de coupée. Il pointa son arbalète. La femme apparut la première. Elle était jeune et sacrément jolie. Elle lui sourit, presque timidement, et se mit sur le côté tandis que Hunter montait à son tour sur le pont. Il s'immobilisa en voyant l'arbalète pointée sur lui.

— Pas très chaleureux comme accueil ! remarqua-t-il.

— Il ne faut pas m'en vouloir, répondit Sanson dont le regard ne cessait de sauter de l'un à l'autre. Dis-moi, as-tu fait en sorte de satisfaire mes exigences ?

— On s'en occupe en ce moment même. Sir James rédige les papiers nécessaires et ils devraient être prêts d'ici à une heure ou deux.

— Dans ce cas, que me vaut cette visite ?

— Sanson ! s'esclaffa Hunter. Tu sais combien je suis réaliste ! Tu as toutes les cartes en main. Je suis bien forcé d'en passer par là où tu veux. Cette fois, tu as été trop malin, même pour moi.

— Je sais, répondit Sanson.

— Un jour, poursuivit Hunter en plissant les yeux, je te retrouverai et je te tuerai. Je te le promets. Mais en attendant, tu as gagné.

— C'est une ruse ! déclara Sanson, prenant brutalement conscience que quelque chose clochait.

— Non, juste de la torture, rétorqua Hunter.

— De la torture ?

— En effet. Les choses ne sont pas toujours telles qu'elles le paraissent. Et, pour que tu passes l'après-midi plaisamment, je t'ai amené cette jeune femme. Tu reconnaîtras avec moi qu'elle est charmante pour une Anglaise ! Je te la laisse… à toi de voir ce que tu veux en faire !

Sanson éclata de rire.

— Hunter, tu es le Diable en personne ! Je ne peux pas prendre cette femme tout en montant la garde, hein ?

— Alors, que sa beauté te tourmente ! riposta Hunter et, après une courte révérence, il enjamba la lisse et disparut.

Sanson l'écouta descendre le long de la coque. Il entendit ensuite le bruit sourd qu'il fit en sautant à bord de la chaloupe puis l'ordre qu'il donna aux marins de repartir.

Dès que retentit le battement des rames sur l'eau, il comprit que tout cela n'était qu'une mise en scène. Il scruta le visage de la fille ; elle devait porter une arme.

— Allonge-toi ! gronda-t-il d'une voix rauque.

Elle le regarda sans comprendre.

— Allonge-toi ! hurla-t-il en tapant du pied.

Elle obéit ; il s'approcha d'elle avec méfiance et la palpa à travers ses vêtements.

Elle ne dissimulait aucune arme. Pourtant, tous ses sens étaient en alerte.

Il s'approcha de la rambarde et examina la chaloupe qui s'éloignait à bonne allure. Hunter, assis à l'avant, fixait la côte sans se retourner et Sanson compta six rameurs : tout le monde était là.

— Je peux me relever ? gloussa la fille.

Il se retourna vers elle.

— Oui, lève-toi.

Elle se mit debout et rajusta ses vêtements.

— Alors, je te plais ?

— Tu n'es pas trop mal pour une cochonne d'Anglaise ! répondit-il d'une voix dure.

Sans dire un mot, elle commença à se dévêtir.

— Qu'est-ce que tu fais ? s'inquiéta-t-il.

— Le capitaine Hunter m'a dit que je devais me déshabiller.

— Eh bien, moi, je t'ordonne de garder tes vêtements. Désormais tu feras ce que moi je te dirai, ajouta-t-il en inspectant l'horizon.

Il ne vit que la chaloupe qui continuait à s'éloigner.

— Il y a un piège, songea-t-il. Forcément !

Il se retourna vers la fille. Elle passa la langue sur ses lèvres. Dieu, qu'elle était belle ! Où pouvait-il l'emmener ? Où serait-il en sécurité ? Il pensa soudain que, du haut du château arrière, il pourrait profiter d'elle tout en surveillant les alentours.

— J'aurai Hunter et je vais t'avoir, toi aussi, ricana-t-il en l'entraînant.

Quelques minutes plus tard, il fit une nouvelle découverte. La timide créature se révéla une courtisane accomplie qui, hurlant et gémissant, lui lacérait délicieusement le dos.

— Que tu es fort ! s'exclama-t-elle. Je ne savais pas que les Français étaient si bien montés !

Il était heureux.

Il l'aurait été beaucoup moins s'il avait su que les cris d'extase de la belle, pour lesquels elle avait été généreusement payée, avaient pour but de prévenir Hunter que la voie était libre.

En effet, depuis que la chaloupe était partie, ce dernier se tenait suspendu à l'échelle de corde, juste au-dessus de la ligne de flottaison, l'œil rivé sur les ombres pâles des requins qui tournaient autour de lui. Un mannequin vêtu comme lui avait été caché dans le fond du bateau et les marins l'avaient installé à l'avant pendant qu'il se trouvait à bord du galion.

Tout s'était passé comme il l'avait prévu. Sanson n'avait pas osé examiner la chaloupe de trop près et, quand elle s'était éloignée, il avait perdu quelques précieuses secondes à fouiller la fille, ce qui l'avait empêché d'éventer la supercherie. Il lui aurait suffi de se pencher par-dessus le bastingage pour voir Hunter plaqué contre la coque. Mais il n'y avait aucune raison qu'il le fasse et, s'il en avait manifesté l'intention, la fille avait pour mission de le distraire par n'importe quel moyen.

Hunter avait donc patiemment attendu le signal convenu. Entendant les cris provenant du château arrière, comme il l'espérait, il se hissa tout doucement jusqu'aux sabords et s'introduisit dans le *Trinidad*.

N'ayant rien pour se défendre, il lui fallait d'abord s'équiper. Il se dirigea vers l'armurerie à l'avant où il choisit une courte dague et une paire de pistolets qu'il chargea avec soin. Puis il saisit une arbalète, la banda et l'arma. Et ce ne fut qu'après qu'il se dirigea à pas de loup vers l'échelle qui menait au pont principal.

Il vit Sanson debout sur le château arrière, près de la fille qui se rhabillait. Il scrutait l'horizon.

Il n'avait passé que quelques minutes à assouvir ses bas instincts, mais il allait le regretter. Hunter le regarda descendre sur le pont du galion et se mettre à l'arpenter nerveusement. Puis il se pencha par-dessus le plat-bord d'un côté, puis de l'autre.

Il s'arrêta.

Il s'inclina davantage.

Hunter comprit aussitôt qu'il venait de repérer sur la coque les traces d'humidité laissées par ses vêtements pendant qu'il se hissait jusqu'aux sabords.

Sanson se retourna d'un bond.

— Salope ! hurla-t-il et il vida son arbalète sur la jeune femme qui se tenait toujours à la même place.

Dans sa précipitation, il la manqua. Avec un cri, elle disparut par une porte du château arrière. Sanson s'élançait à sa poursuite quand il se ravisa. Il s'immobilisa, rechargea son arme et tendit l'oreille.

Les pas de la fille qui s'enfuyait résonnèrent dans le silence, bientôt suivis par le claquement sourd d'une porte. Elle avait dû s'enfermer à double tour dans une cabine : Hunter considéra qu'elle se trouvait en sécurité pour l'instant.

Sanson s'avança vers le centre du pont pour se mettre devant le grand mât.

— Hunter ! cria-t-il. Hunter, je sais que tu es là !

Et il éclata de rire.

Pour le moment, il avait l'avantage. De sa position, il se savait hors d'atteinte d'un pistolet, d'où que parte le coup. Il attendit. Il fit prudemment le tour du mât, tous ses sens aux aguets, parfaitement maître de lui, prêt à tout.

C'est alors que, contre toute logique, Hunter vida ses deux pistolets dans sa direction. Une balle se planta dans le mât et l'autre le toucha à l'épaule. Sanson poussa un grognement mais, sans se soucier de sa blessure, il se retourna d'un bond et vida son arbalète. Le carreau se planta dans le montant de l'échelle, au ras du visage de Hunter qui dévalait les marches.

Il entendit Sanson s'élancer à sa poursuite et l'entrevit qui courait, un pistolet dans chaque main.

Il se dissimula derrière l'escalier et retint son souffle tandis que Sanson descendait en lui tournant le dos.

— Pas un geste ! ordonna-t-il dès que le Français posa les pieds sur le plancher.

Vif comme l'éclair, celui-ci pivota en faisant feu de ses deux pistolets.

Les balles sifflèrent au-dessus du crâne de Hunter qui s'était accroupi. Il se redressa, l'arbalète prête à tirer.

Sanson leva les mains en l'air en souriant.

— Hunter, mon ami, je suis sans défense.

— Monte ! ordonna Hunter d'une voix plate.

Sanson commença à gravir les marches, les bras toujours en l'air. Hunter le vit baisser la main gauche vers la dague glissée dans sa ceinture.

— Arrête !

La main s'immobilisa.

— Monte.

Sanson reprit son ascension, Hunter sur ses talons.

— Je t'aurai, mon ami, gronda le Français.

— Tout ce que tu vas avoir, c'est une flèche dans le cul !

Les deux hommes sortirent sur le pont principal.

— Soyons raisonnables, il faut qu'on discute, murmura Sanson en reculant vers le mât.

— Pourquoi ?

— Parce que j'ai caché la moitié du trésor. Regarde, ajouta-t-il en tripotant la pièce d'or accrochée à son cou. J'ai gravé dessus son emplacement. Il ne t'intéresse pas, le magot du *Cassandra* ?

— Si.

— Alors, tu vois, nous avons de bonnes raisons de négocier.

— Tu as essayé de me tuer, lui rappela Hunter sans baisser son arbalète.

— Tu n'aurais pas fait la même chose, à ma place ?

— Non.

— Bien sûr que si ! Aie au moins le courage de le reconnaître !

— Tu te trompes.

— On n'a jamais pu se sentir, tous les deux.

— Je ne t'aurais jamais trahi.

— Tu l'aurais fait si tu en avais eu l'occasion.

— Non, j'ai ce qui s'appelle de l'honneur.

Au même moment, une voix féminine s'exclama derrière lui :

— Oh, Charles, vous l'avez pris...

À peine Hunter tourna-t-il les yeux vers Anne Sharpe que Sanson plongea.

Hunter tira sans réfléchir. Avec un sifflement, le carreau traversa le pont et se planta dans la poitrine de Sanson qui, soulevé par l'impact, se retrouva cloué au mât.

— Tu as eu tort de faire ça, gronda le Français alors que le sang lui montait aux lèvres.

— J'ai eu raison, répliqua Hunter.

Sur ces mots, Sanson rendit son dernier soupir et sa tête retomba sur sa poitrine. Hunter arracha le carreau et le corps s'effondra sur le sol. Hunter tira d'un coup sec la pièce d'or sur laquelle était gravée la carte du trésor puis, sous le regard horrifié d'Anne Sharpe qui le fixait, une main plaquée sur la bouche, il tira la dépouille vers le bastingage et la fit basculer par-dessus bord.

Le cadavre flotta à la surface. Les requins se mirent à tourner autour avec méfiance. Puis l'un d'eux s'enhardit et se jeta dessus. Les autres se précipitèrent à leur tour et l'eau bouillonnante se teinta de rouge. Cela ne dura que quelques minutes. Hunter attendit que l'eau retrouve sa couleur normale et son calme avant de détourner les yeux.

Épilogue

Selon ses propres mémoires, *Une vie parmi les corsaires de la mer des Antilles*, Charles Hunter passa l'année 1666 à chercher le trésor de Sanson sans jamais le trouver. Le doublon ne portait aucune carte gravée à sa surface mais juste une étrange suite de triangles et de chiffres qu'il ne réussit jamais à décrypter.

Sir James rentra en Angleterre avec sa nièce. Ils périrent tous les deux dans le grand incendie de Londres de la même année.

Mme Robert Hacklett resta à Port Royal où elle mourut de la syphilis en 1686. Son fils, Edgar, fit fortune dans le commerce, en Caroline. Le fils de ce dernier, James Charles Hacklett Hunter, devint gouverneur de Caroline en 1777, et poussa cette colonie à rejoindre le camp des *insurgents* du Nord contre l'armée anglaise placée sous le commandement du général Howe à Boston.

Mistress Anne Sharpe, devenue actrice, regagna l'Angleterre en 1671. C'est à cette époque que les rôles féminins cessèrent d'être joués par des jeunes gens comme c'était l'usage au début du siècle. Mistress Sharpe devint la seconde femme la plus célèbre des Indes occidentales en Europe (la première étant bien sûr Mme de Maintenon, la maîtresse de Louis XIV, qui avait grandi en Guadeloupe et en Martinique). Elle mourut en 1704, après une vie de « délicieuse notoriété », comme elle-même se plaisait à la qualifier.

Enders, artiste des mers et chirurgien, se joignit à l'expédition de Mandeville sur Campeche, en 1668, et disparut dans une tempête.

Bassa, le Maure, mourut en 1669, au cours de l'attaque de Panamá par Henry Morgan. Les Espagnols ayant lâché leur bétail sur l'envahisseur pour le repousser, il fut écrasé par un taureau.

Le Juif, Don Diego, mourut à Port Royal lors du tremblement de terre de 1692 qui détruisit la ville « la plus corrompue de toute la chrétienté ».

Lazue fut capturée et pendue comme pirate à Charleston, en Caroline du Sud, en 1704. Elle aurait été la maîtresse de Barbe-Noire.

Charles Hunter, affaibli par la malaria qu'il avait contractée en cherchant le trésor de Sanson, rentra en Angleterre en 1669. Son raid sur Matanceros ayant entraîné un incident diplomatique, il ne fut jamais reçu par Charles II qui ne lui accorda aucun honneur. Il mourut d'une pneumonie en 1670, dans une maisonnette de Tunbridge Wells, ne laissant qu'une modeste fortune et un cahier, conservé au Trinity College, à Cambridge. Ce cahier existe toujours, à l'instar de sa tombe, située dans le cimetière de l'église de Saint Anthony, à Tunbridge Wells. On peut encore lire sur la pierre usée par les siècles :

CI-GÎT
LE CAPITAINE CHARLES HUNTER
1627-1670
HONNÊTE AVENTURIER ET NAVIGATEUR
AIMÉ DE SES COMPATRIOTES
DU NOUVEAU MONDE
VINCIT

Composition et mises en pages réalisées
par IND - 39100 Brevans

Achevé d'imprimer par N.I.I.A.G.
en juin 2011
pour le compte de France Loisirs, Paris

N° éditeur : 64490
Dépôt légal : mars 2011
Imprimé en Italie